스타벅스 커피코리아

인적성 및 실전모의고사

스타벅스 커피코리아

인적성 및 실전모의고사

개정 1판 발행	2023년 3월 10일
개정 2판 발행	2024년 3월 5일

편 저 자	취업적성연구소
발 행 처	㈜서원각
등록번호	1999-1A-107호
주 소	경기도 고양시 일산서구 덕산로 88-45(가좌동)
교재주문	031-923-2051
팩 스	031-923-3815
교재문의	카카오톡 플러스 친구[서원각]
홈페이지	goseowon.com

PREFACE

우리나라 기업들은 1960년대 이후 현재까지 비약적인 발전을 이루었다. 이렇게 급속한 성장을 이룰 수 있었던 배경에는 우리나라 국민들의 근면성 및 도전정신이 있었다. 그러나 빠르게 변화하는 세계 경제의 환경에 적응하기 위해서는 근면성과 도전정신 이외에 또 다른 성장 요인이 필요하다.

한국기업들이 지속가능한 성장을 하기 위해서는 혁신적인 제품 및 서비스 개발, 선도 기술을 위한 R&D, 새로운 비즈니스 모델 개발, 효율적인 기업의 합병·인수, 신사업 진출 및 새로운 시장 개발 등 다양한 대안을 구축해 볼 수 있다. 하지만, 이러한 대안들 역시 훌륭한 인적자원을 바탕으로 할 때에 가능하다. 최근으로 올수록 기업체들은 자신의 기업에 적합한 인재를 선발하기 위해 기존 학벌 위주의 채용을 탈피하고 기업 고유의 인·적성검사 제도를 도입하고 있는 추세이다.

㈜스타벅스커피 코리아에서도 업무에 필요한 역량 및 책임감과 적응력 등을 구비한 인재를 선발하기 위하여 고유의 인·적성검사를 치르고 있다. 본서는 ㈜스타벅스커피 코리아 채용대비를 위한 필독서로 인·적성검사의 출제경향을 철저히 분석하여 응시자들이 보다 쉽게 시험유형을 파악하고 효율적으로 대비할 수 있도록 구성하였다.

신념을 가지고 도전하는 사람은 반드시 그 꿈을 이룰 수 있습니다. 처음에 품은 신념과 열정이 취업 성공의 그 날까지 빛바래지 않도록 서원각이 수험생 여러분을 응원합니다.

STRUCTURE

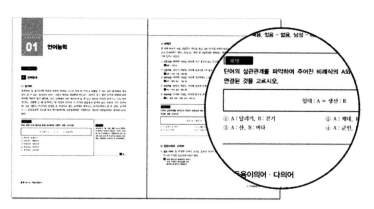

핵심이론정리

핵심이론을 체계적으로 정리하여 효율적인 학습이 가능합니다.

실전모의고사

적중률 높은 영역별 출제예상문제를 수록하여 학습효율을 확실하게 높였습니다. 문제의 핵심을 꿰뚫는 명쾌하고 자세한 해설로 수험생들의 이해를 돕습니다.

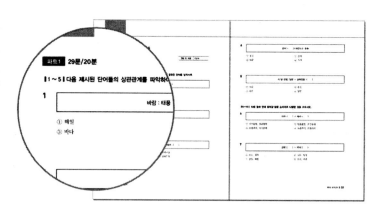

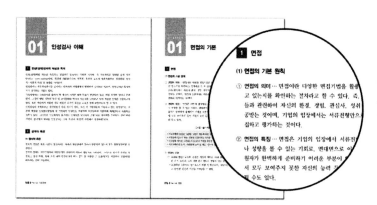

인성검사 및 면접

인성검사의 개요와 실전 인성검사로 다양한 유형의 인성검사를 대비할 수 있습니다. 또한 취업 성공을 위한 면접의 기본과 면접기출을 수록하여 취업의 마무리까지 깔끔하게 책임집니다.

CONTENTS

PART

01

핵심이론정리

언어능력

어휘

1 단어관계

(1) 동의어

동의어란 두 개 이상의 단어가 동일한 의미를 가지고 있어 한 단어가 사용될 수 있는 모든 문맥에서 대치하여 쓸 수 있는 것이라야 한다. 그러나 말이란 개념뿐만 아니라 느낌까지 싣고 있어 문장의 환경에 따라 미묘한 차이가 있기 때문에, 모든 문맥에서 서로 대치하여 쓸 수 있는 엄밀한 의미의 동의어는 극히 제한적이다. 이렇게 볼 때 동의어는 '둘 이상의 단어가 그 의미와 결합성에 있어서 많은 부분이 서로 일치하며, 모든 경우는 아니지만 일정한 수 이상으로 같은 문맥에서 대치되는 단어들'이라고 할 수 있다. 동의어는 그 공통부분의 정도에 따라 완전동의어와 부분동의어로 구별하기도 하는데 부분동의어는 유의어라고도 한다.

예제

다음 괄호 안에 들어갈 말을 순서대로 나열한 것을 고르시오.

> 부실하다 : (   ) = (   ) : 옹골차다

① 허하다, 엉성하다
② 튼튼하다, 짱짱하다
③ 엉성하다, 매몰차다
④ 건강하다, 매몰차다
⑤ 엉성하다, 다부지다

해 설

'부실하다'는 '몸, 마음, 행동 따위가 튼튼하지 못하고 약하다'는 뜻으로, '허하다, 엉성하다'와 유의관계이다. '옹골차다'는 '매우 실속이 있게 속이 꽉 차 있다'는 뜻으로, '단단하다, 야무지다, 다부지다'와 유의관계이다.

답 ⑤

(2) 반의어

한 쌍의 단어가 서로 대립되는 의미를 갖고 있을 때 이를 반의관계라고 하며 반의관계에 있는 단어를 서로의 반의어라고 한다. 반의어는 반의 및 대립관계를 형성하는 방법에 따라 상대어, 반대어, 대립어, 대조어 등으로 나뉜다.

① 선언개념 : 단어의 개념들 사이에 서로 겹침이 없는 무교착관계(無交錯關係) 단어의 쌍
　　예 동물 - 식물 등

② 상관개념 : 단어의 개념들 사이에 상호의존도가 높은 단어의 쌍
　　예 남편 - 아내, 스승 - 제자 등

③ 상대개념 : 단어의 개념들 사이에 상호의존도가 낮은 단어의 쌍
　　예 바다 - 육지, 육군 - 해군 등

④ 반대개념 : 단어의 개념들 사이에 중간적 존재가 있는 단어의 쌍
　　예 크다 - 작다, 길다 - 짧다 등

⑤ 모순개념 : 단어의 개념들 사이에 중간적 존재가 없는 단어의 쌍
　　예 삶 - 죽음, 있음 - 없음, 남성 - 여성 등

예제

단어의 상관관계를 파악하여 주어진 비례식의 A와 B에 들어갈 단어로 적절하게 연결된 것을 고르시오.

> 입대 : A = 생산 : B

① A : 달리기, B : 걷기　　② A : 제대, B : 소비
③ A : 산, B : 바다　　④ A : 군인, B : 소비자

해　설

입대 - 제대, 생산 - 소비는 반의관계이다.

답 ②

---

(3) 동음이의어 · 다의어

① 동음이의어 : 둘 이상의 단어가 소리는 같으나 의미가 다를 때 이를 이의관계에 있다고 하며, 이러한 단어의 무리를 동음이의어라고 한다.

　　예 • 밥을 먹었더니 배(복부)가 부르다.
　　　　• 과일 가게에서 배(과일)를 샀다.
　　　　• 항구에 배(선박)가 들어왔다.

② 다의어 : 하나의 단어에 두 가지 이상의 뜻을 가진 단어로, 단어의 의미 분석이 필요한 것은 대부분의 단어가 다의를 가지기 때문이다. 하나의 의미만을 갖는 단의어와 대립되는 개념이며, 동음이의어와도 구별이 필요하다.

> 예 • 밥 먹기 전에 가서 손(신체)을 씻고 오너라.
> • 너무 바빠서 손(일손)이 모자란다.
> • 우리 언니는 손(씀씀이)이 큰 편이다.
> • 그 사람과는 손(교제)을 끊어라.
> • 그 일은 손(노력, 수고)이 많이 간다.
> • 장사꾼의 손(꾀, 수완)에 놀아나다.

(4) 상 · 하위어

단어의 의미관계에 있어 한 단어가 다른 단어와 포함관계를 형성할 경우 다른 단어에 의미가 포함되는 단어를 하위어(또는 하의어), 다른 단어의 의미를 포함하는 단어를 상위어(또는 상의어)라고 한다. 상위어일수록 포괄적이고 일반적인 의미를 가지고, 하위어일수록 한정적이고 개별적인 의미를 가진다.

① 상위어 : 다른 단어의 의미를 포함하는 단어

> 예 꽃, 가구 등

② 하위어 : 다른 단어의 의미에 포함되는 단어

> 예 • 꽃의 하위어 : 장미, 국화, 맨드라미, 수선화, 개나리 등
> • 가구의 하위어 : 침대, 소파, 식탁, 책상 등

예제

다음 중 나머지 네 개의 단어 대신 쓰일 수 있는 단어를 하나 고르시오.

① 먹다   ② 마시다
③ 들이키다   ④ 삼키다
⑤ 핥다

해 설
마시다', '들이키다'는 액체나 기체만을 대상으로 하는 말이며 '먹다'는 이들의 상위어로 고체, 액체, 기체 다 쓸 수 있다.

답 ①

---

2 의미파악

(1) 단어의 뜻 파악하기

주어진 단어를 보고 그 의미를 찾거나 제시된 의미에 해당하는 단어를 고르는 유형으로 주로 출제된다. 낯선 고유어 또는 한자어 등이 출제되기도 하므로 평소에 폭넓은 어휘 학습을 하는 것이 좋다.

예제

다음과 같은 의미를 지니는 단어를 고르시오.

> 남의 재산 따위를 좀스러운 말과 행위로 꾀어 빼앗아 가지다.

① 진배없다
② 알겨먹다
③ 비량하다
④ 객쩍다

해 설

② '알겨먹다'는 '남의 재산 따위를 좀스러운 말과 행위로 꾀어 빼앗아 가지다'는 의미로, '시골 사람들에게 땅을 비싸게 팔아 주겠다며 사례비를 알겨먹은 사기꾼이 경찰에 붙잡혔다' 등으로 사용된다.
① 진배없다 : 그보다 못하거나 다를 것이 없다.
③ 비량하다 : 비교하다.
④ 객쩍다 : 행동이나 말, 생각이 쓸데없고 싱겁다.

답 ②

(2) 빈칸 채우기

빈칸을 포함한 몇 개의 문장을 주고 들어갈 수 없는 단어를 고르거나 한 단락의 문단을 주고 빈칸에 적절한 어휘를 고르는 유형의 문제이다. 전자의 경우 주로 헷갈리기 쉬운 한자어 보기가 주어지는 경우가 많으므로 유의해야 한다.

예제

다음 빈칸에 어울리지 않는 단어를 고르시오.

> • 돈의 사용에 대해서 (   )을/를 달리한다.
> • 학생들은 과학자보다 연예인이 되기를 더 (   )한다.
> • 오늘날 흡연은 사회적 (   )이/가 되었다.
> • 최근 북한의 인권 문제에 대하여 미국 의회가 문제를 (   )하였다.
> • 직장 내에서 갈등의 양상은 다양하게 (   )된다.

① 선호
② 제기
③ 견해
④ 전제
⑤ 표출

해 설

① 선호 : 여럿 가운데서 특별히 가려서 좋아함
② 제기 : 의견이나 문제를 내어놓음
③ 견해 : 어떤 사물이나 현상에 대한 자기의 의견이나 생각
④ 전제 : 어떠한 사물이나 현상을 이루기 위하여 먼저 내세우는 것
⑤ 표출 : 겉으로 나타냄
• 돈의 사용에 대해서 <u>견해</u>를 달리한다.
• 학생들은 과학자보다 연예인이 되기를 더 <u>선호</u>한다.
• 오늘날 흡연은 사회적 <u>쟁점</u>이 되었다.
• 최근 북한의 인권 문제에 대하여 미국 의회가 문제를 <u>제기</u>하였다.
• 직장 내에서 갈등의 양상은 다양하게 <u>표출</u>된다.

답 ④

(3) 생활어휘

생활 속에서 쓰이는 단위나 호칭, 나이 등에 대해 묻는 유형이다. 빈출되는 유형은 아니지만, 알고 넘어가야 할 필요가 있다.

① 단위를 나타내는 말

㉠ 길이

뼘	엄지손가락과 다른 손가락을 완전히 펴서 벌렸을 때에 두 끝 사이의 거리
발	한 발은 두 팔을 양옆으로 펴서 벌렸을 때 한쪽 손끝에서 다른 쪽 손끝까지의 길이
길	• 한 길은 여덟 자 또는 열 자로 약 2.4m 또는 3m에 해당 • 사람의 키 정도의 길이
치	길이의 단위. 한 치는 한 자의 10분의 1 또는 약 3.03cm
자	길이의 단위. 한 자는 한 치의 열 배로 약 30.3cm
리	거리의 단위. 1리는 약 0.393km
마장	거리의 단위. 오 리나 십 리가 못 되는 거리

㉡ 넓이

평	땅 넓이의 단위. 한 평은 여섯 자의 제곱으로 약 $3.3058m^2$
홉	땅 넓이의 단위. 한 홉은 1평의 10분의 1
마지기	논과 밭의 넓이를 나타내는 단위. 한 마지기는 볍씨 한 말의 모 또는 씨앗을 심을 만한 넓이로, 지방마다 다르나 논은 약 150~300평, 밭은 약 100평
되지기	논밭 넓이의 단위. 한 되지기는 볍씨 한 되의 모 또는 씨앗을 심을 만한 넓이로 한 마지기의 10분의 1
섬지기	논과 밭의 넓이를 나타내는 단위. 한 섬지기는 볍씨 한 섬의 모 또는 씨앗을 심을 만한 넓이로, 한 마지기의 10배이며, 논은 약 2,000평, 밭은 약 1,000평
간	넓이의 단위. 건물의 칸살의 넓이를 잴때 쓴다. 한 간은 보통 여섯 자 제곱

㉢ 부피

술	한 술은 숟가락 하나 만큼의 양
홉	곡식의 부피를 재기 위한 기구들이 만들어지고, 그 기구들의 이름이 그대로 부피를 재는 단위가 된다. '홉'은 그 중 가장 작은 단위($180ml$에 해당)이며, 곡식 외에 가루, 액체 따위의 부피를 잴 때도 쓰임(10홉 = 1되, 10되 = 1말, 10말 = 1섬).
되	곡식이나 액체 따위의 분량을 헤아리는 단위. '말'의 10분의 1, '홉'의 10배이며, 약 $1.8l$
섬	곡식·가루·액체 따위의 부피를 잴 때 씀. 한 섬은 한 말의 열 배로 약 $180l$

ⓔ 무게

돈	귀금속이나 한약재 따위의 무게를 잴 때 쓰는 단위. 한 돈은 한 냥의 10분의 1, 한 푼의 열 배로 3.75g
냥	한 냥은 귀금속 무게를 잴 때는 한 돈의 열 배이고, 한약재의 무게를 잴 때는 한 근의 16분의 1로 37.5g
근	고기나 한약재의 무게를 잴 때는 600g에 해당하고, 과일이나 채소 따위의 무게를 잴 때는 한 관의 10분의 1로 375g
관	한 관은 한 근의 열 배로 3.75kg

ⓜ 수량

갓	굴비, 고사리 따위를 묶어 세는 단위. 고사리 따위 10모숨을 한 줄로 엮은 것
꾸러미	달걀 10개
동	붓 10자루
두름	조기 따위의 물고기를 짚으로 한 줄에 10마리씩 두 줄로 엮은 것을 세는 단위. 고사리 따위의 산나물을 10모숨 정도로 엮은 것을 세는 단위
벌	옷이나 그릇 따위가 짝을 이루거나 여러 가지가 모여 갖추어진 한 덩어리를 세는 단위
손	한 손에 잡을 만한 분량을 세는 단위. 조기·고등어·배추 따위의 한 손은 큰 것과 작은 것을 합한 것을 이르고, 미나리나 파 따위 한 손은 한 줌 분량을 말함
쌈	바늘 24개를 한 묶음으로 하여 세는 단위
접	채소나 과일 따위를 묶어 세는 단위. 한 접은 채소나 과일 100개
제(劑)	탕약 20첩 또는 그만한 분량으로 지은 환약
죽	옷이나 그릇 따위의 10벌을 묶어 세는 단위
축	오징어를 묶어 세는 단위. 오징어 한 축은 20마리
켤레	신, 양말, 버선, 방망이 따위의 짝이 되는 2개를 한 벌로 세는 단위
쾌	북어 20마리
톳	김을 묶어 세는 단위. 김 한 톳은 100장

조기 한 손, 마늘 두 접, 오징어 세 축을 합하면 모두 몇인지 고르시오.

① 55 ② 100
③ 262 ④ 281

해 설

• 조기 한 손 = 2마리
• 마늘 두 접 = 200개(한 접 = 100개)
• 오징어 세축 = 60마리(한 축 = 20마리)
  따라서 총 262이다.

답 ③

② 나이에 관한 어휘

나이	어휘	나이	어휘
10대	충년(沖年)	15세	지학(志學)
20세	약관(弱冠)	30세	이립(而立)
40세	불혹(不惑)	50세	지천명(知天命)
60세	이순(耳順)	61세	환갑(還甲), 화갑(華甲), 회갑(回甲)
62세	진갑(進甲)	70세	고희(古稀)
77세	희수(喜壽)	80세	산수(傘壽)
88세	미수(米壽)	90세	졸수(卒壽)
99세	백수(白壽)	100세	기원지수(期願之壽)

예제

공자(孔子)가 열다섯 살 때 학문에 뜻을 두었다고 한 데서 유래한 한자어를 고르시오.

① 沖年 ② 志學
③ 弱冠 ④ 不惑

해 설

② 지학(地學) : 「논어」 '위정편(爲政篇)'에서, 공자가 열다섯 살에 학문에 뜻을 두었다고 한 데서 나온 말로 15세를 가리킨다.
① 충년(沖年) : 열 살 안팎의 어린 나이
③ 약관(弱冠) : 「예기」 '곡례편(曲禮篇)'에서, 공자가 스무 살에 관례를 한다고 한 데서 나온 말로 20세를 가리킨다.
④ 불혹(不惑) : 「논어」 '위정편(爲政篇)'에서, 공자가 마흔 살부터 세상일에 미혹되지 않았다고 한 데서 나온 말로, 40세를 가리킨다.

답 ②

③ 가족에 관한 호칭

구분	본인의 가족		타인의 가족	
	생존 시	사후	생존 시	사후
父 (아버지)	家親(가친) 嚴親(엄친) 父主(부주)	先親(선친) 先考(선고) 先父君(선부군)	春府丈(춘부장) 椿丈(춘장) 椿當(춘당)	先大人(선대인) 先考丈(선고장) 先人(선인)
母 (어머니)	慈親(자친) 母生(모생) 家慈(가자)	先妣(선비) 先慈(선자)	慈堂(자당) 大夫人(대부인) 萱堂(훤당) 母堂(모당) 北堂(북당)	先大夫人(선대부인) 先大夫(선대부)

언어사용

1 맞춤법

(1) 소리에 관한 것

① 구개음화 : 'ㄷ, ㅌ' 받침 뒤에 종속적 관계를 가진 '-이(-)'나 '-히-'가 올 적에는, 그 'ㄷ, ㅌ'이 'ㅈ, ㅊ'으로 소리 나더라도 'ㄷ, ㅌ'으로 적는다.
> 예 맏이, 해돋이, 굳이, 같이 등

② 두음법칙
　㉠ 한자음 '녀, 뇨, 뉴, 니'가 단어 첫머리에 올 적에는, 두음 법칙에 따라 '여, 요, 유, 이'로 적는다.
　> 예 여자(女子), 연세(年歲), 유대(紐帶), 요소(尿素) 등

　㉡ 한자음 '랴, 려, 례, 료, 류, 리'가 단어의 첫머리에 올 적에는, 두음 법칙에 따라 '야, 여, 예, 요, 유, 이'로 적는다.
　> 예 양심(良心), 역사(歷史), 예의(禮義) 등

　㉢ 한자음 '라, 래, 로, 뢰, 루, 르'가 단어의 첫머리에 올 적에는, 두음 법칙에 따라 '나, 내, 노, 뇌, 누, 느'로 적는다.
　> 예 낙원(樂園), 내일(來日), 노인(老人) 등

(2) 형태에 관한 것

① 접미사가 붙어서 된 말

⊙ 어간에 '-이'나 '-음/-ㅁ'이 붙어서 명사로 된 것과 '-이'나 '-히'가 붙어서 부사로 된 것은 그 어간의 원형을 밝히어 적는다.

> **예** 길이, 걸음, 같이, 밝히 등

ⓛ 명사 뒤에 '-이'가 붙어서 된 말은 그 명사의 원형을 밝히어 적는다.

> **예** 곳곳이, 낱낱이, 샅샅이, 앞앞이 등

② 합성어 및 접두사가 붙은 말

⊙ 둘 이상의 단어가 어울리거나 접두사가 붙어서 이루어진 말은 각각 그 원형을 밝히어 적는다.

> **예** 꺾꽂이, 꽃잎, 끝장, 물난리, 값없다, 겉늙다, 굶주리다 등

ⓛ 사이시옷 : 사이시옷은 다음과 같은 경우에 받치어 적는다.

• 순 우리말로 된 합성어로서 앞말이 모음으로 끝난 경우

> **예** 나룻배, 아랫니, 도리깻열 등

• 순 우리말과 한자어로 된 합성어로서 앞말이 모음으로 끝난 경우

> **예** 귓병, 곗날, 가욋일 등

• 두 음절로 된 다음 한자어

> **예** 곳간(庫間), 셋방(貰房), 숫자(數字), 찻간(車間), 툇간(退間), 횟수(回數) 등

(3) 띄어쓰기

① 조사 : 조사는 그 앞말에 붙여 쓴다.

> **예** 꽃이, 꽃마저, 꽃밖에, 꽃에서부터 등

② 의존 명사 : 의존 명사는 띄어 쓴다.

> **예** 아는 것이 힘이다.

③ 단위 : 단위를 나타내는 명사는 띄어 쓴다.

> **예** 한 개, 차 한 대, 열 살 등

④ 보조 용언 : 보조 용언은 띄어 씀을 원칙으로 하되, 경우에 따라 붙여 씀도 허용한다.

> **예** 불이 꺼져 간다.(원칙), 불이 꺼져간다.(허용)

예제

다음 중 띄어쓰기가 맞는 것은?

① 지은이는 인형 같이 예쁘다.
③ 강감찬장군

② 12억 3456만 7898명
④ 책상 걸상등이 있다.

해 설

② 수를 적을 때에는 '만(萬)' 단위로 띄어 쓴다.
① 지은이는 인형같이 예쁘다.
③ 강감찬 장군
④ 책상 걸상 등이 있다.

답 ②

2 표준어

(1) 표준어 사정 원칙

① 자음

　㉠ 수컷을 이르는 접두사는 '수-'로 통일한다.

　　예 수꿩, 수나사, 수놈, 수소 등

　• 다만 1 : 다음 단어에서는 접두사 다음에 나는 거센소리를 인정한다.

　　예 수캉아지, 수캐, 수키와, 수탉 등

　• 다만 2 : 다음 단어의 접두사는 '숫-'으로 한다.

　　예 숫양, 숫염소, 숫쥐 등

② 모음

　㉠ 양성 모음이 음성 모음으로 바뀌어 굳어진 다음 단어는 음성 모음 형태를 표준어로 삼는다.

　　예 깡충깡충, -둥이, 발가숭이, 뻗정다리, 오뚝이 등

　㉡ 'ㅣ' 역행 동화 현상에 의한 발음은 원칙적으로 표준 발음으로 인정하지 아니하되, 다만 다음 단어들은 그러한 동화가 적용된 형태를 표준어로 삼는다.

　　예 -내기, 냄비, 동댕이치다 등

예제

다음 중 표준어가 아닌 것을 고르시오.

① 허접스레기
③ 끄적거리다

② 쌉싸름하다
④ 맹승맹승

해 설

① '허섭스러기' 또는 '허접쓰레기'가 표준어이다.

답 ①

(2) 표준발음법

① 받침의 발음
　　㉠ 받침소리로는 'ㄱ, ㄴ, ㄷ, ㄹ, ㅁ, ㅂ, ㅇ'의 7개 자음만 발음한다.
　　㉡ 겹받침 'ㄳ', 'ㄵ', 'ㄼ, ㄽ, ㄾ', 'ㅄ'은 어말 또는 자음 앞에서 각각 [ㄱ, ㄴ, ㄹ, ㅂ]으로 발음한다.
　　　　예 넋[넉], 앉다[안따], 값[갑], 외곬[외골] 등
　　㉢ 겹받침 'ㄺ, ㄻ, ㄿ'은 어말 또는 자음 앞에서 각각 [ㄱ, ㅁ, ㅂ]으로 발음한다.
　　　　예 맑게[말께], 묽고[물꼬], 읽거나[일꺼나] 등

② 경음화
　　㉠ 받침 'ㄱ(ㄲ, ㅋ, ㄳ, ㄺ), ㄷ(ㅅ, ㅆ, ㅈ, ㅊ, ㅌ), ㅂ(ㅍ, ㄼ, ㄿ, ㅄ)' 뒤에 연결되는 'ㄱ, ㄷ, ㅂ, ㅅ, ㅈ'은 된소리로 발음한다.
　　　　예 국밥[국빱], 닭장[닥짱], 밭갈이[받까리], 옆집[엽찝] 등
　　㉡ 한자어에서, 'ㄹ' 받침 뒤에 연결되는 'ㄷ, ㅅ, ㅈ'은 된소리로 발음한다.
　　　　예 갈등[갈뚱], 발전[발쩐], 몰상식[몰쌍식] 등

3　외래어 표기법 및 로마자 표기법

(1) 외래어 표기법
① 외래어는 국어의 현용 24 자모만으로 적는다.

② 외래어의 1음운은 원칙적으로 1기호로 적는다.

③ 받침에는 'ㄱ, ㄴ, ㄹ, ㅁ, ㅂ, ㅅ, ㅇ' 만을 쓴다.

④ 파열음 표기에는 된소리를 쓰지 않는 것을 원칙으로 한다.

⑤ 이미 굳어진 외래어는 관용을 존중하되, 그 범위와 용례는 따로 정한다.

(2) 로마자 표기법
① 모음의 표기
　　㉠ 단모음

ㅏ	ㅓ	ㅗ	ㅜ	ㅡ	ㅣ	ㅐ	ㅔ	ㅚ	ㅟ
a	eo	o	u	eu	i	ae	e	oe	wi

ⓛ 이중모음

ㅑ	ㅕ	ㅛ	ㅠ	ㅒ	ㅖ	ㅘ	ㅙ	ㅝ	ㅞ	ㅢ
ya	yeo	yo	yu	yae	ye	wa	wae	wo	we	ui

② 자음의 표기

파열음									파찰음			마찰음			비음			유음
ㄱ	ㄲ	ㅋ	ㄷ	ㄸ	ㅌ	ㅂ	ㅃ	ㅍ	ㅈ	ㅉ	ㅊ	ㅅ	ㅆ	ㅎ	ㄴ	ㅁ	ㅇ	ㄹ
g, k	kk	k	d, t	tt	t	b, p	pp	p	j	jj	ch	s	ss	h	n	m	ng	r, l

③ 음운 변화가 일어나는 경우의 표기

　　ⓗ 자음 사이에서 동화 작용이 일어나는 경우

　　　　예 백마[뱅마] → Baengma, 종로[종노] → Jongno 등

　　ⓛ 'ㄴ, ㄹ'이 덧나는 경우

　　　　예 학여울[항녀울] → Hangnyeoul, 알약[알략] → [allyak] 등

　　ⓒ 구개음화가 되는 경우

　　　　예 해돋이[해도지] → haedoji, 맞히다[마치다] → machida 등

　　ⓓ 'ㄱ, ㄷ, ㅂ, ㅈ'이 'ㅎ'과 합하여 거센소리로 소리 나는 경우

　　　　예 좋고[조코] → joko, 잡혀[자펴] → japyeo 등

예제

다음 중 로마자 표기법이 바른 것을 고르시오.

① 을지로 – Eurjiro
② 태릉 – Taereung
③ 가락 공원 – Kalak Park
④ 세종대왕 – Sejongdaiwang

해　설

① 을지로 – Euljiro
③ 가락 공원 – Garak Park
④ 세종대왕 – Sejongdaewang

답 ②

4 속담 및 한자성어

(1) 속담

① 가꿀 나무는 밑동을 높이 자른다 : 어떠한 일이나 장래의 안목을 생각해서 미리부터 준비를 철저하게 해 두어야 한다.

② 가난한 집 제사 돌아오듯 한다 : 힘든 일이 자주 닥쳐온다.

③ 가는 방망이 오는 홍두깨 : 남을 해치면 그보다 더 큰 화를 입게 된다.

④ 가을에는 부지깽이도 덤빈다 : 바쁠 때는 모양이 비슷해도 사용된다.

⑤ 가지 따먹고 외수 한다 : 남의 눈을 피하여 나쁜 짓을 하고 시치미를 뗀다.

⑥ 감투가 크면 어깨를 누른다 : 실력이나 능력도 없이 과분한 지위에서 일을 하게 되면 감당할 수 없게 된다.

⑦ 다리 아래서 원을 꾸짖는다 : 직접 말을 못하고 안 들리는 곳에서 불평이나 욕을 한다.

⑧ 도깨비도 수풀이 있어야 모인다 : 의지할 곳이 있어야 무슨 일이나 이루어진다.

⑨ 독을 보아 쥐를 못 잡는다 : 독 사이에 숨은 쥐를 독 깰까봐 못 잡듯이 감정 상하는 일이 있어도 곁에 있는 사람 체면을 생각해서 자신이 참는다.

⑩ 백일 장마에도 하루만 더 왔으면 한다 : 자기 이익 때문에 자기 본위로 이야기한다.

⑪ 버들가지가 바람에 꺾일까 : 부드러워서 곧 바람에 꺾일 것 같은 버들가지가 끝까지 꺾이지 않듯이 부드러운 것이 단단한 것보다 더 강하다.

⑫ 봄볕은 며느리 쬐이고, 가을볕은 딸 쬐인다 : 시어머니는 며느리보다 제 딸을 더 아낌을 비유적으로 이르는 말이다.

⑬ 산 밑 집에 방앗공이가 논다 : 그 고장 산물이 오히려 그 곳에서 희귀하다.

⑭ 산이 높아야 골이 깊다 : 원인이나 조건이 갖추어져야 일이 이루어진다.

⑮ 새도 날려면 움츠린다 : 어떤 일이든지 사전에 만반의 준비가 있어야 한다.

⑯ 섣달 그믐날 개밥 퍼주듯 한다 : 섣달 그믐날은 먹을 것이 너무 많아서 개밥도 후하게 주듯이 남에게 음식을 후하게 준다.

⑰ 안방에 가면 시어머니 말이 옳고 부엌에 가면 며느리 말이 옳다 : 각각 일리가 있어 그 시비를 가리기 어렵다.

⑱ 오소리 감투가 둘이다 : 한 가지 일에 책임질 사람은 두 명이 있어서 서로 다툰다.

⑲ 우박 맞은 호박잎이다 : 우박 맞아 잎이 다 찢어져 보기가 흉한 호박잎처럼 모양이 매우 흉측하다.

⑳ 자라 알 지켜보듯 한다 : 어떻게 일을 처리하려고 노력하지는 않고 그저 묵묵히 들여다보고만 있다.

(2) 한자성어

① **去頭截尾**(거두절미) : 머리와 꼬리를 잘라 버림. 어떤 일의 요점만 간단히 말함

② **見利思義**(견리사의) : 눈앞의 이익을 보면 의리를 먼저 생각함

③ **巧言令色**(교언영색) : 교묘한 말과 얼굴빛으로 남의 환심을 사려함

④ **南柯一夢**(남가일몽) : 꿈과 같이 헛된 한때의 부귀영화를 이르는 말

⑤ **塗炭之苦**(도탄지고) : 몹시 고생스러움

⑥ **馬耳東風**(마이동풍) : 남의 말을 귀담아 듣지 않고 흘려버림

⑦ **矛盾撞着**(모순당착) : 같은 사람의 문장이나 언행이 앞뒤가 서로 어그러져서 모순됨

⑧ **百折不屈**(백절불굴) : 어떠한 난관에도 결코 굽히지 않음

⑨ **不問可知**(불문가지) : 묻지 않아도 가히 알 수 있음

⑩ **殺身成人**(살신성인) : 절개를 지켜 목숨을 버림

⑪ **先見之明**(선견지명) : 앞일을 미리 보아서 판단하는 총명

⑫ **手不釋卷**(수불석권) : 손에서 책을 놓지 아니하고 늘 글을 읽음

⑬ **我田引水**(아전인수) : 자기에게 유리하도록 행동하는 것

⑭ **言中有骨**(언중유골) : 예사로운 말 속에 깊은 뜻이 있는 것을 말함

⑮ **如履薄氷**(여리박빙) : 매우 아슬아슬하고 위험한 것을 뜻함

⑯ **寤寐不忘**(오매불망) : 밤낮으로 자나 깨나 잊지 못함

⑰ **欲速不達**(욕속부달) : 일을 속히 하려고 하면 도리어 이루지 못한다는 뜻

⑱ **龍頭蛇尾**(용두사미) : 처음엔 그럴 듯하다가 끝이 흐지부지되는 것

⑲ **有備無患**(유비무환) : 미리 준비가 있으면 뒷걱정이 없다는 뜻

⑳ **流言蜚語**(유언비어) : 근거 없는 좋지 못한 말

예제

ⓛ이 ⓗ을 비판한 것으로 가장 적절한 것을 고르시오.

> 텔레비전의 프로그램 제작자가 시청자의 수준을 어떻게 평가하는가? 여기에는 극단적 평가가 공존하는 것을 발견할 수 있다.
>
> 한 극단에서는 시청자가 매우 현명하고 합리적인 존재라고 생각한다. 시청자들은 독자적인 판단 능력을 지니고 있어서 자신의 이익에 가장 부합하도록 행동한다는 것이다. 오락 프로그램 제작자들이 흔히 이런 주장을 펼치고는 한다. ⓗ그들은 높은 시청률을 제시하며 자신들이 시청자들의 욕구에 부응하는 프로그램을 만들고 있다는 믿음을 갖고 싶어 한다.
>
> 반면 ⓛ다른 극단에서는 시청자가 방송사의 덫에 걸린 존재이며 합리적인 판단력을 제대로 갖추지 못한 존재라고 생각한다. 아무런 사회적 의미도 지니지 않고 있는 가벼운 오락 프로그램의 강세, 상대적으로 수준 높은 프로그램의 낮은 시청률이 그들이 제시한 근거들이다.

① 호가호위(狐假虎威) ② 소탐대실(小貪大失)
③ 아전인수(我田引水) ④ 등고자비(登高自卑)

해 설

ⓗ은 오락프로그램 제작자들은 자신들이 제작한 프로그램의 높은 시청률을 시청자의 수준이 높기 때문이라고 주장하고 있다. 그러나 이는 시청률을 자기에게 유리하게만 이용하는, 아전인수(我田引水) 태도이다.
① 여우가 범의 위세를 빌려 호기를 부림
② 작은 것을 탐내다 큰 것을 잃음
④ 높은 곳에 오르려면 낮은 곳에서부터 오른다는 뜻으로, 일을 순서대로 하여야 함

답 ③

글 완성하기

1 문장배열

(1) 글의 구성 요소

① 단어 : 분리하여 자립적으로 쓸 수 있는 말이나 이에 준하는 말이나 그 말의 뒤에 붙어서 문법적 기능을 나타내는 말이다.

② 문장 : 생각이나 감정을 말로 표현할 때 완결된 내용을 나타내는 최소의 단위로, 주어와 서술어를 갖추고 있는 것이 원칙이나 생략될 수도 있다.

③ 문단 : 글에서 하나로 묶을 수 있는 짤막한 단위로, 한 편의 글은 여러 개의 문단으로 구성된다.

④ 글 : 어떤 생각이나 일 따위의 내용을 문자로 나타낸 기록이다.

(2) 문단의 짜임

① 중심 문장 : 하나의 문단에서 나타내고자 하는 중심 내용이 담긴 문장

② 뒷받침 문장 : 중심 문장의 내용을 효과적으로 전달하기 위해 보조적으로 쓰인 문장

(3) 접속어

관계	내용	접속어의 예
순접	앞의 내용을 이어받아 연결시킴	그리고, 그리하여, 이리하여
역접	앞의 내용과 상반되는 내용을 연결시킴	그러나, 하지만, 그렇지만, 그래도
인과	앞뒤의 문장을 원인과 결과 관계로 연결함	그래서, 따라서, 그러므로, 왜냐하면
전환	뒤의 내용이 앞의 내용과는 다른 새로운 생각이나 사실을 서술하여 화제를 바꾸며 이어줌	그런데, 그러면, 다음으로, 한편, 아무튼
예시	앞의 내용에 대해 구체적인 예를 들어 설명함	예컨대, 이를테면, 예를 들면
첨가 · 보충	앞의 내용에 새로운 내용을 덧붙이거나 보충함	그리고, 더구나, 게다가, 뿐만 아니라
대등 · 병렬	앞뒤의 내용을 같은 자격으로 나열하면서 이어줌	그리고, 또는, 및, 혹은, 이와 함께
확언 · 요약	앞의 내용을 바꾸어 말하거나 간추려 짧게 요약함	요컨대, 즉, 결국, 말하자면

예제

다음 중 제시된 문장들을 논리적으로 가장 바르게 배열한 것을 고르시오.

ㄱ 그러므로 문학 작품을 감상하는 일도 다른 종류의 글을 읽는 일과 근본적으로 다르지 않다.

ㄴ 시나 소설과 같은 문학 작품도 글의 한 종류이다.

ㄷ 우선 그 글에 사용된 단어들의 뜻을 정확하게 알아야 하고, 문장과 단락의 뜻, 그리고 그것들이 질서 있게 모여서 이루어진 글 전체의 뜻을 잘 파악해서 글쓴이가 말하고자 한 바를 충분히 이해해야 한다.

ㄹ 어떤 사실이나 대상에 대해서 설명하는 글도 있고, 어떤 주장을 논리적으로 펴는 글도 있으며, 자신의 삶을 기록하는 일기나 자서전과 같은 글도 있다.

ㅁ 글에는 여러 가지 종류가 있다.

① ㅁ − ㄹ − ㄴ − ㄱ − ㄷ
② ㅁ − ㄴ − ㄱ − ㄹ − ㄷ
③ ㄹ − ㅁ − ㄷ − ㄱ − ㄴ
④ ㄹ − ㄷ − ㅁ − ㄴ − ㄱ

해 설

ㅁ 정의 → ㄹ 구체화 → ㄴ 예시 → ㄱ 구체화 → ㄷ 부연설명의 순으로 이루어져야 한다. ㅁ에서 글의 종류에 대해 정의를 하고 ㄹ에서 글의 종류에 관한 구체화를 한 뒤 ㄴ에서 예를 들고 있다. ㄱ에서는 문학 작품을 감상하는 일과 글을 읽는 일과의 공통점을 제시하고 ㄷ에서 ㄱ의 내용을 더욱 구체화하여 부연설명하고 있다.

답 ①

2 논리적 흐름에 맞는 문장 채우기

(1) 설명문 : 처음 – 중간 – 끝

① 처음 : 설명할 대상, 배경, 동기, 목적, 방법 등을 제시하는 단계로, 독자의 관심을 불러일으키는 역할을 한다.

② 중간 : 다양한 설명 방법을 활용하여 설명하고자 하는 지식과 정보를 이해하기 쉽게 풀이하는 단계이다.

③ 끝 : 중간부분에서 설명한 내용을 요약 · 정리하고 마무리하는 단계이다.

(2) 논설문 : 서론 – 본론 – 결론

① 서론 : 글을 쓰는 동기와 목적을 밝히고, 문제를 제기하는 단계이다.

② 본론 : 여러 가지 근거를 들어 자신이 주장하려는 바를 증명하는 단계로, 제시하는 근거의 타당성에 대한 검증이 필요하다.

③ 결론 : 주장하는 내용을 요약하고 확인 · 강조하는 단계이다.

예제

다음을 읽고 빈칸에 들어갈 내용으로 가장 알맞은 것을 고르시오.

> (   ) 그에 따르면, 리라(lyra)를 켬으로써 리라를 켜는 법을 배우며 말을 탐으로써 말을 타는 법을 배운다. 어떤 기술을 얻고자 할 때 처음에는 교사의 지시대로 행동한다. 그리고 반복 연습을 통하여 그 행동이 점점 더 하기 쉽게 되고 마침내 제2의 천성이 된다. 이와 마찬가지로 어린아이는 어떤 상황에서 어떻게 행동해야 진실되고 관대하며 예의를 차리게 되는지 일일이 배워야 한다. 훈련과 반복을 통하여 그런 행위들을 연마하다 보면 그것들을 점점 더 쉽게 하게 되고, 결국에는 스스로 판단할 수 있게 된다.

① 그는 연습을 통하여 좋은 성품을 얻을 수 있다고 하였다.
② 그는 좋은 성품을 얻는 것을 기술을 습득하는 것에 비유한다.
③ 그는 좋은 성품을 얻는 것보다 기술을 습득하는 것이 중요하다고 여겼다.
④ 그는 좋은 성품은 학습이 아니라 타고난 성품에 의해 결정된다고 하였다.

해 설

빈칸 뒤에 이어지는 내용을 보면, 반복적인 연습을 통해 기술을 익히는 것처럼 훈련과 반복을 통해 성품을 습득할 수 있다고 설명하고 있으므로 이를 포괄할 수 있는 내용이 와야 한다.

답 ②

1 주제 찾기

(1) 주제가 겉으로 드러난 글(설명문, 논설문)

① 글의 주제 문단을 찾는다.

② 대개 3단 구성이므로 끝 부분의 중심 문단에서 주제를 찾는다.

③ 중심 소재에 대한 글쓴이의 입장이 나타난 문장이 주제문이다.

④ 제목과 밀접한 관련이 있음에 유의한다.

(2) 주제가 겉으로 드러나지 않는 글(문학적인 글)

① 글의 제재를 찾아 그에 대한 글쓴이의 의견이나 생각을 연결시키면 바로 주제를 찾을 수 있다.

② 제목이 상징하는 바가 주제가 될 수 있다.

③ 인물이 주고받는 대화의 화제나 화제에 대한 의견이 주제일 수 있다.

④ 글에 나타난 사상이나 내세우는 주장이 주제가 될 수도 있다.

⑤ 시대적 · 사회적 배경에서 글쓴이가 추구하는 바를 찾을 수 있다.

예제

다음 제시된 글의 주제로 가장 적합한 것을 고르시오.

만약 영화관에서 영화가 재미없다면 중간에 나오는 것이 경제적일까, 아니면 끝까지 보는 것이 경제적일까? 아마 지불한 영화 관람료가 아깝다고 생각한 사람은 영화가 재미없어도 끝까지 보고 나올 것이다. 과연 그러한 행동이 합리적일까? 영화관에 남아서 영화를 계속 보는 것은 영화관에 남아 있으면서 기회비용을 포기하는 것이다. 이 기회비용은 영화관에서 나온다면 할 수 있는 일들의 가치와 동일하다. 영화관에서 나온다면 할 수 있는 유용하고 즐거운 일들은 얼마든지 있으므로, 영화를 계속 보면서 치르는 기회비용은 매우 크다고 할 수 있다. 결국 영화관에 남아서 재미없는 영화를 계속 보는 행위는 더 큰 기회와 잠재적인 이익을 포기하는 것이므로 합리적인 경제 행위라고 할 수 없다.

경제 행위의 의사 결정에서 중요한 것은 과거의 매몰비용이 아니라 현재와 미래의 선택기회를 반영하는 기회비용이다. 매몰비용이 발생하지 않도록 신중해야 한다는 교훈은 의미가 있지만 이미 발생한 매몰비용, 곧 돌이킬 수 없는 과거의 일에 얽매이는 것은 어리석은 짓이다. 과거는 과거일 뿐이다. 지금 얼마를 손해 보았는지가 중요한 것이 아니라, 지금 또는 앞으로 얼마나 이익을 또는 손해를 보게 될지가 중요한 것이다. 매몰비용은 과감하게 잊어버리고, 현재와 미래를 위한 삶을 살 필요가 있다. 경제적인 삶이란, 실패한 과거에 연연하지 않고 현재를 합리적으로 사는 것이기 때문이다.

① 돌이킬 수 없는 과거의 매몰비용에 얽매이는 것은 어리석은 짓이다.
② 경제 행위의 의사 결정에서 중요한 것은 미래의 선택기회를 반영하는 기회비용이다.
③ 매몰비용은 과감하게 잊어버리고, 기회비용을 고려할 필요가 있다.
④ 실패한 과거에 연연하지 않고 현재를 합리적으로 사는 경제적인 삶을 살아가는 것이 중요하다.

해 설

④ 기회비용과 매몰비용이라는 경제용어와 에피소드를 통해 경제적인 삶의 방식에 대해서 말하고 있다.

답 ④

---

2 세부내용 파악하기

내용의 일치 · 불일치 확인하기

① 제목을 확인한다.

② 주요 내용이나 핵심어를 확인한다.

③ 지시어나 접속어에 유의하며 읽는다.

④ 중심 내용과 세부 내용을 구분한다.

⑤ 내용 전개 방법을 파악한다.

⑥ 사실과 의견을 구분하여 내용의 객관성과 주관성을 파악한다.

다음 제시된 글의 주제로 가장 적합한 것을 고르시오.

시장은 크게 경쟁시장과 비경쟁시장으로 나눌 수 있다. 경쟁시장은 자유 경쟁이 이루어지는 시장으로, 진입과 탈퇴가 자유롭고 시장이 가격을 결정한다. 비경쟁시장은 진입과 탈퇴가 자유롭지 않은데, 이는 다시 과점시장과 독점시장으로 나눌 수 있다. 독점시장에서는 하나의 공급자가, 과점시장에서는 몇몇 공급자가 가격을 결정할 수 있다. 독과점은 시장질서의 왜곡, 소비자들의 피해, 기업 경쟁력 약화 등 많은 병폐를 낳기 때문에 정부는 독과점금지법으로 이러한 행위를 견제한다. 그러나 정부가 각종 인허가 정책이나 보조금 정책 등을 써서 독과점을 허용하는 경우도 있다. 수도, 전기 등과 같은 공공재를 생산하는 공적 기업, 고부가가치를 창출하기 위해서는 규모의 경제가 필요한 조선, 자동차 등의 대형 기업 부문 등이 이에 해당한다.

그러나 독과점시장에서는 기업이 가격을 정하게 되므로, 그 가격은 일반적으로 적정가격보다 높아지게 된다. 이때 정부는 최고가격제를 통해 '최고가격'을 정하고, 그 금액을 초과하여 거래하지 못하게 하는 방식으로 시장에 개입한다. 이러한 최고가격제는 서민이나 사회적 약자가 수요자인 상품에 적용된다. 정부는 사회적 약자를 보호하기 위해서 이러한 가격 정책을 시행한다. 또한 최고가격제는 공평성을 추구하는 데 쓰이기도 한다. 예를 들어 핸드폰에 최고 가격제를 도입하여 가격을 10만 원 아래로 묶으면 더 많은 사람들이 저렴한 가격에 핸드폰을 살 수 있어 공평성이 증가된다. 최고가격제는 전시(戰時)와 같은 특수한 상황에서 필수품 공급을 원활하게 하는 데도 활용된다. 비상시에 가격이 급등한 쌀을 정부에서 가격을 시장 가격보다 낮게 정하면 소비자들은 쌀을 좀 더 원활하게 공급받을 수 있기 때문이다. 최고가격제를 실시할 경우 정부의 시장 개입으로 재화의 가격은 시장에서 수요와 공급에 의해 결정된 '균형 가격'보다 낮아진다. 독과점을 형성하여 수요자보다 우월한 위치에 있는 공급자는 이전보다 수익이 감소하여 공급을 줄이는 반면, 낮아진 가격으로 인해 수요는 늘어난다. 이로 인해 시장에서는 수요와 공급 간의 불균형이 발생한다. 이 문제를 해결하는 방법은 정부가 공급을 늘리는 것뿐이다. 정부의 보충이 없을 경우에는 사회적 약자를 배려하기 위해 실시한 최고가격제가 오히려 사회적 약자에게 피해를 끼칠 수도 있다. 공급의 부족으로 인해 재화를 구입하지 못한 사람들이 생기게 되고, 암시장이 생겨 정부가 제한하기 전보다 더 높은 가격으로 재화를 구입해야 하는 경우도 발생할 수 있다. 시장에 맡겼더니 가격이 너무 싸서 문제가 되는 경우도 있다. 가령 쌀농사가 풍년이라 공급이 대폭 늘어났다고 하자. 쌀의 가격이 싸다고 해서 수요가 크게 증가하지는 않으므로 균형 가격은 하락하게 되고 이에 농부들은 생산 비용도 건질 수 없다. 이럴 경우 정부는 농부들의 최저 수익을 보장하기 위해 일정 가격 이하로는 쌀을 거래할 수 없도록 '최저가격제'를 실시할 수 있다. 그렇게 되면 농부들의 수익성을 보장할 뿐만 아니라 균형가격보다 높게 책정된 최저가격으로 인하여 수요보다 많은 쌀이 생산된다. 이때 정부는 그 잉여량을 구입했다가, 흉년 때 방출하여 쌀 가격의 상승을 막을 수도 있다.

① 최고가격제는 공평성을 증대하기 위해서도 사용된다.
② 최고 가격과 최저 가격을 교정하는 기준은 균형 가격이다.
③ 과점시장에서는 공급자들끼리 가격을 담합할 가능성이 존재한다.
④ 정부는 독과점의 폐해를 막기 위한 법적, 제도적 장치를 마련하고 있다.

3 내용 추론하기

(1) 추론하며 읽기

① 문장의 연결 관계를 통하여 생략된 정보를 추측한다.

② 뜻이 분명하지 않은 문장의 의미를 자신의 배경 지식을 활용하여 정확하게 파악한다.

③ 글에 제시되어 있는 내용을 바탕으로 글 속에 분명히 드러나 있지 않은 중심 내용이나 주제를 파악한다.

(2) 비판하며 읽기

① 비판하며 읽기의 뜻 : 글에 제시된 정보를 정확하게 이해하기 위하여 내용의 적절성을 비평하고 판단하며 읽는 것을 말한다.

② 비판하며 읽기의 효과 : 내용을 보다 정확하게 이해할 수 있고 내용의 타당성을 판단할 수 있는 능력을 기를 수 있다.

02 수리 및 추리능력

기초수리

1 유리수의 사칙연산

(1) 유리수의 덧셈

① 부호가 같은 두 수의 덧셈 : 두 수의 절댓값의 합에 공통인 부호를 붙인다.

② 부호가 다른 두 수의 덧셈 : 두 수의 절댓값의 차에 절댓값이 큰 수의 부호를 붙인다.

③ 덧셈의 계산 법칙

　　⊙ 교환법칙 : $a+b=b+a$

　　ⓛ 결합법칙 : $(a+b)+c=a+(b+c)$

④ 절댓값이 같고 부호가 다른 수의 합은 0이다.

(2) 유리수의 뺄셈

① 유리수의 뺄셈은 빼는 수의 부호를 바꾸어 더한다.

② 덧셈과 뺄셈이 혼합된 경우에는 뺄셈을 덧셈으로 고친 후 양수는 양수끼리, 음수는 음수끼리 모아서 계산한다.

③ 부호가 없는 수는 '+'가 생략된 것이다.

(3) 유리수의 곱셈

① 부호가 같은 두 수의 곱셈 : 각 절댓값의 곱에 양의 부호(+)를 붙인다.

② 부호가 다른 두 수의 곱셈 : 각 절댓값의 곱에 음의 부호(−)를 붙인다.

③ 임의의 수와 0과의 곱은 항상 0이다.

④ 곱셈의 계산 법칙

  ㉠ 교환법칙 : $a \times b = b \times a$

  ㉡ 결합법칙 : $(a \times b) \times c = a \times (b \times c)$

  ㉢ 분배법칙 : $a \times (b+c) = a \times b + a \times c$

(4) 유리수의 나눗셈

① 부호가 같은 두 수의 나눗셈 : 두 수의 절댓값의 나눗셈의 몫에 양의 부호(+)를 붙인다.

② 부호가 다른 두 수의 나눗셈 : 두 수의 절댓값의 나눗셈의 몫에 음의 부호(−)를 붙인다.

③ 유리수의 나눗셈은 나누는 수의 역수를 곱한 곱셈과 같다.

④ 곱셈과 나눗셈의 혼합된 식은 곱셈만의 식으로 고쳐서 계산한다. 셋 이상의 수의 곱셈에서 부호는, 짝수 개의 음수의 곱이면 양수, 홀수 개의 음수의 곱이면 음수로 정한다. 그리고 난 다음 절댓값의 곱에 부호를 붙인다.

⑤ 역수 : 두 수의 곱이 1이 될 때, 한 수를 다른 수의 역수라고 한다.

(5) 복잡한 식의 계산

① 거듭제곱이 있으면 이것을 가장 먼저 계산한다.

② 소괄호 → 중괄호 → 대괄호 순으로 한다.

③ 곱셈, 나눗셈을 먼저 계산하고 덧셈, 뺄셈은 나중에 한다.

예제

다음 식을 계산하여 알맞은 답을 고르시오.

$$\frac{15}{4} \div 3 \times 8$$

① $\dfrac{1}{4}$　　　　　② $\dfrac{1}{8}$

③ 10　　　　　④ 20

해 설

$\dfrac{15}{4} \times \dfrac{1}{3} \times 8 = \dfrac{5}{4} \times 8 = 10$

답 ③

2 대소 관계

(1) 절댓값

수직선 위에서 어떤 수를 나타내는 점과 원점 사이의 거리로 양수, 음수에서 부호(+, −)를 없앤 수

① 절댓값이 a (단, $a>0$)인 수는 $+a$와 $-a$의 두 개가 있다.

② $|0|=0$

(2) 두 수의 대소 관계

① 양수는 0보다 크고, 음수는 0보다 작다. 즉, 양수는 음수보다 크다.

② 두 양수에서는 절댓값이 큰 수가 크다.

③ 두 음수에서는 절댓값이 큰 수가 작다.

④ 대소 관계는 부등호 >, < 또는 ≥, ≤를 사용하여 나타낸다.

   ⓐ a는 b보다 크다 → $a>b$

   ⓑ a는 b보다 작다 → $a<b$

   ⓒ a는 b보다 크거나 같다 → $a \geq b$

   ⓓ a는 b보다 작거나 같다 → $a \leq b$

예제

다음 중 가장 큰 수를 고르시오.

$$\frac{15}{4} \div 3 \times 8$$

① 2648.7   ② 264.87

③ 2678.2   ④ −2695.4

해 설

③ 2678.2 > ① 2648.7 > ② 264.87 > ④ −2695.4

답 ③

3 집합

(1) 부분집합

원소의 개수가 n개인 집합 S에 대하여

① 집합 S의 부분집합의 개수 : 2^n

② 집합 S의 진부분집합의 개수 : $2^n - 1$

③ 집합 S의 원소 중 특정한 원소 a개를 갖고, b개를 갖지 않는 S의 부분집합의 개수 : 2^{n-a-b}

(2) 집합의 연산법칙

① 교환법칙 : $A \cup B = B \cup A$, $A \cap B = B \cap A$

② 결합법칙 : $(A \cup B) \cup C = A \cup (B \cup C)$, $(A \cap B) \cap C = A \cap (B \cap C)$

③ 분배법칙 : $A \cup (B \cap C) = (A \cup B) \cap (A \cup C)$,
$A \cap (B \cup C) = (A \cap B) \cup (A \cap C)$

④ 흡수법칙 : $A \cup (A \cap B) = A$, $A \cap (A \cup B) = A$

⑤ 드모르간 법칙 : $(A \cup B)^c = A^c \cap B^c$, $(A \cap B)^c = A^c \cup B^c$

(3) 합집합과 교집합 사이의 원소의 개수에 대한 공식

① $n(A \cup B) = n(A) + n(B) - n(A \cap B)$

② $n(A - B) = n(A \cup B) - n(B) = n(A) - n(A \cap B)$

③ $(A \cap B) = \phi$일 때, $n(A \cup B) = n(A) + n(B)$

예제

집합 $X = \{a,\ b,\ c,\ d,\ e\}$, $Y = \{b,\ c,\ e,\ f\}$일 때, 다음 주어진 A, B의 크기는?

- A : $n(X \cap Y)$
- B : $X \cap Y^c$의 부분집합의 개수

① A>B
③ A=B
② A<B
④ 비교할 수 없다.

해 설

A : $X \cap Y = \{b,\ c,\ e\} \Rightarrow n(X \cap Y) = 3$
B : $X \cap Y^c = X - Y = \{a,\ d\} \Rightarrow 2^2 = 4$
∴ A<B

답 ②

4 기수법

(1) 십진법

수의 자리가 왼쪽으로 하나씩 올라감에 따라 자리의 값이 10배씩 커지는 수의 표시법

① 십진법의 전개식 : 십진법의 수를 10의 거듭제곱을 써서 나타낸 식

② 기수법은 수를 나타내는 방법을 말한다.

예 $3264 = 3 \times 10^3 + 2 \times 10^2 + 6 \times 10^1 + 4 \times 10^0$

(2) 이진법

수의 자리가 왼쪽으로 하나씩 올라감에 따라 자리의 값이 2배씩 커지는 수의 표시법

① 이진법의 전개식 : 이진법의 수를 2의 거듭제곱을 써서 나타낸 식

② 이진법의 수에서는 0, 1의 두 개의 숫자를 사용하여 나타낸다.

③ 이진법의 표현

예 십진법의 수 11을 이진법의 수로 나타내는 경우

```
2) 11
2)  5 … 1
2)  2 … 1
2)  1 … 0
 )  0 … 1
```

$1011_{(2)}$라고 나타내고 "이진법의 수(또는 이진수) 일영일일"이라고 읽는다.

$1011_{(2)} = 1 \times 2^3 + 0 \times 2^2 + 1 \times 2^1 + 1 \times 2^0 = 8 + 2 + 1 = 11_{(10)}$

예제

다음 주어진 A, B의 크기를 비교하시오.

| • A : $350_{(6)}$ | • B : $215_{(8)}$ |

① A>B

② A<B

③ A=B

④ 비교할 수 없다.

해 설

두 수를 십진수로 바꾸어 크기를 비교한다.

A :
$350_{(6)} = 3 \times 6^2 + 5 \times 6^1 + 0 \times 6^0 = 138$

B :
$215_{(8)} = 2 \times 8^2 + 1 \times 8^1 + 5 \times 8^0 = 141$

∴ A<B

답 ②

5 제곱근과 그 성질

(1) 제곱근

제곱하여 a가 되는 수를 a의 제곱근이라 한다. $(a \geq 0)$

① x가 a의 제곱근인 경우 $\Leftrightarrow x^2 = a \Leftrightarrow x = \pm \sqrt{a}$

    ㉠ a의 제곱근 중 양수인 것 : $+\sqrt{a}$ (a의 양의 제곱근)

    ㉡ a의 제곱근 중 음수인 것 : $-\sqrt{a}$ (a의 음의 제곱근)

② 정수의 제곱근

    ㉠ 양수의 제곱근 : 2개

    ㉡ 0의 제곱근 : 1개

    ㉢ 음수의 제곱근 : 존재하지 않음(허수)

(2) 제곱근의 기본 성질

$a > 0$일 때, $\begin{cases} (\sqrt{a})^2 = a, \ (-\sqrt{a})^2 = a \\ \sqrt{a^2} = a, \ \sqrt{(-a)^2} = a \end{cases}$

(3) 제곱근과 절댓값

$$\sqrt{a^2} = |a| = \begin{cases} a \ (a \geq 0) \\ -a \ (a < 0) \end{cases}$$

6 지수 · 로그

(1) 지수

① 거듭 제곱의 정의 : 임의의 실수 a와 양의 정수 n에 대하여 $a^n = a \times a \times \cdots \times a$ (a를 n번 곱한 것)을 a의 n제곱이라 하고, 특히 a^1, a^2, a^3, $\cdots$을 통틀어 a의 거듭제곱이라 한다. 이때, a^n에서 a를 거듭제곱의 밑, n을 거듭제곱의 지수라 한다.

② 지수법칙

    $a > 0$, $b > 0$일 때, 실수 m, n에 대하여

    ㉠ $a^m \times a^n = a^{m+n}$

    ㉡ $a^m \div a^n = a^{m-n}$ (단, $a^0 = 1$, $a^{-n} = \dfrac{1}{a^n}$, n은 양의 정수)

ⓒ $(a^m)^n = a^{mn}$

ⓓ $(ab)^n = a^n b^n$

(2) 로그

① 로그의 정의

$a > 0$, $a \neq 1$, $x > 0$일 때,

$$a^n = x \quad \xrightarrow[\text{거듭제곱꼴}]{\text{로그꼴}} \quad n = \log_a x$$

② 로그의 성질

a, b, c는 1이 아닌 양수이고, $n \neq 0$, $x > 0$, $y > 0$일 때,

㉠ $\log_a 1 = 0$, $\log_a a = 1$

㉡ $\log_a xy = \log_a x + \log_a y$, $\log_a \dfrac{x}{y} = \log_a x - \log_a y$

㉢ $\log_a x^n = n \log_a x$

㉣ $\log_a x = \dfrac{\log_b x}{\log_b a}$, $\log_a b = \dfrac{1}{\log_b a}$

㉤ $\log_{a^m} x^n = \dfrac{n}{m} \log_a x$

㉥ $a^{\log_c b} = b^{\log_c a}$

7 방정식과 부등식

(1) 방정식

① 일차방정식

㉠ $ax = b \,(a,\ b$는 상수)

㉡ $a \neq 0$이면 $x = \dfrac{b}{a}$인 단 하나의 해를 갖는다.

㉢ $a = b = 0$이면 $0 \cdot x = 0$이므로 모든 x에 대하여 성립한다. 즉, 해가 무수히 많다(부정).

㉣ $a = 0$, $b \neq 0$이면 $0 \cdot x = b \neq 0$이므로 만족하는 x는 존재하지 않는다(불능).

② 이차방정식

 ㉠ $ax^2 + bx + c = 0 (a \neq 0)$

 ㉡ 인수분해에 의한 풀이 : $ax^2 + bx + c = a(x - \alpha)(x - \beta)$ 로 인수분해될 때 $ax^2 + bx + c = 0$ 의 근은
  $x = \alpha,\ \beta$ 이다.

 ㉢ 완전제곱근식에 의한 풀이 : x 에 관한 이차방정식을 $(x - A)^2 = B$ 의 꼴로 변형하면 근은
  $x = A \pm \sqrt{B}\,(B \geq 0)$ 이다.

 ㉣ 근의 공식에 의한 풀이(근의 공식)

  • $ax^2 + bx + c = 0$ 의 근 : $x = \dfrac{-b \pm \sqrt{b^2 - 4ac}}{2a}$

  • $ax^2 + 2b'x + c = 0$ 의 근 : $x = \dfrac{-b' \pm \sqrt{b'^2 - ac}}{a}$

(2) 부등식

① 부등식의 성질

 ㉠ $a > b,\ b > c$ 이면 $a > c$

 ㉡ $a > b$ 이면 $a + c > b + c$ 또는 $a - c > b - c$

 ㉢ $a > b$ 이면

  • $c > 0$ 일 때(c 가 양수일 때) : $ac > bc,\ \dfrac{a}{c} > \dfrac{b}{c}$ (부등호 방향은 그대로)

  • $c < 0$ 일 때(c 가 음수일 때) : $ac < bc,\ \dfrac{a}{c} < \dfrac{b}{c}$ (부등호 방향은 반대)

② 일차부등식의 풀이

 ㉠ 부등식 $ax > b$ 의 해법

  • $a > 0$ 일 때 : $x > \dfrac{b}{a}$ (단, $a \neq 0$, 부등호 방향은 그대로)

  • $a < 0$ 일 때 : $x < \dfrac{b}{a}$ (단, $a \neq 0$, 부등호 방향은 반대로)

  • $a = 0$ 일 때 : $b \geq 0$ 이면 해는 없다. $b < 0$ 이면 x 는 모든 실수값이다.

 ㉡ 부등식 $ax > b$ 에서 특히 $a = 0$ 인 경우

  • $0 \cdot x > 3$: x 가 어떤 값이라도 성립하지 않는다.

  • $0 \cdot x > 0$: x 가 어떤 값이라도 성립하지 않는다.

  • $0 \cdot x > -3$: x 가 어떤 실수값이라도 성립한다.

③ 이차방정식 $ax^2+bx+c=0$의 두 근을 α, $\beta(\alpha<\beta)$라고 할 때 이차부등식의 해

구분	부등식의 해		
	$D>0$ (서로 다른 두 실근)	$D=0$ (중근)	$D<0$ (허근)
$ax^2+bx+c>0$	$a(x-\alpha)(x-\beta)>0$ $\Leftrightarrow x<\alpha$ 또는 $x>\beta$	$a(x-\alpha)^2>0$ $\Leftrightarrow x\neq\alpha$인 모든 실수	모든 실수
$ax^2+bx+c\geq 0$	$a(x-\alpha)(x-\beta)\geq 0$ $\Leftrightarrow x\leq\alpha$ 또는 $x\geq\beta$	$a(x-\alpha)^2\geq 0$ $\Leftrightarrow x$는 모든 실수	모든 실수
$ax^2+bx+c<0$	$a(x-\alpha)(x-\beta)<0$ $\Leftrightarrow \alpha<x<\beta$	$a(x-\alpha)^2<0$ $\Leftrightarrow$ 해는 없다.	해가 없다.
$ax^2+bx+c\leq 0$	$a(x-\alpha)(x-\beta)\leq 0$ $\Leftrightarrow \alpha\leq x\leq\beta$	$a(x-\alpha)^2\leq 0$ $\Leftrightarrow x=\alpha$	해가 없다.

1 미지수 구하기

(1) 나이 계산

① 문제에 나오는 사람의 나이는 같은 수만큼 증감한다.

② 모든 사람의 나이 차이는 바뀌지 않으며 같은 차이만큼 나이가 바뀐다.

예제

현재 아버지와 아들의 나이의 합은 65이고, 14년 뒤 아버지의 나이는 아들의 나이의 2배가 된다. 아버지의 현재 나이는 몇 살인지 고르시오.

① 36세

② 40세

③ 44세

④ 48세

해 설

아버지의 나이를 x, 아들의 나이를 y라 하면

$x + y = 65 : ㉠$

$x + 14 = 2(y + 14) \Rightarrow x - 2y = 14 : ㉡$

㉠-㉡을 하면 $3y = 51$, $y = 17$

$\therefore x = 65 - 17 = 48$(세)

답 ④

---

(2) 금액 계산

① 총액/잔액 지불하는 상대 등의 관계를 정확히 한다.

② 문제를 잘 읽고, 대차 등의 관계를 파악한다.

③ 계산 자체는 단순하지만 자릿수에서 틀리지 않도록 주의한다.

예제

진우가 800원짜리 볼펜과 500원짜리 사인펜을 사는 데 12,500원을 지불하고 모두 16자루를 샀다면 사인펜은 몇 자루를 샀는가?

① 1자루

② 5자루

③ 8자루

④ 12자루

해 설

볼펜의 수를 x, 사인펜의 수를 y라 하면

$800x + 500y = 12,500 : ㉠$

$x + y = 16 : ㉡$

㉠, ㉡을 연립하여 풀면

$x = 15$, $y = 1$

따라서 진우가 산 사인펜은 1자루이다.

답 ①

---

(3) 업무량 계산

전체 업무량을 계산한 후 구하려는 수를 x로 한 방정식을 만든다.

→ 인원수×시×일수=전체 업무량

예제

어떤 일을 A가 혼자하면 8일, B가 혼자하면 10일이 걸린다. A와 B가 함께 동시에 일을 시작했지만 A가 중간에 쉬어서 일을 끝마치는 데 5일이 걸렸다고 한다. 이때 A가 쉬었던 기간은?

① 1일

② 2일

③ 3일

④ 4일

해 설

A가 하루에 하는 일의 양: $\dfrac{1}{8}$

B가 하루에 하는 일의 양: $\dfrac{1}{10}$

B는 처음부터 5일 동안 계속해서 일을 하였으므로 B가 한 일의 양은 $\dfrac{1}{10}×5$이다.

(전체 일의 양)−(B가 한 일의 양)=(A가 한 일의 양) $1-\dfrac{5}{10}=\dfrac{5}{10}$ A가 일을 하는 데 걸린 시간은 $\dfrac{5}{10}÷\dfrac{1}{8}=4$(일)

(총 일한 기간)−(A가 일한 기간)=(A가 쉬었던 기간)이므로

∴ $5-4=1$(일)

답 ①

---

(4) 손익 계산

① 정가＝원가＋이익

② 이익이 원가의 20%인 경우 : 원가×0.2

③ 정가가 원가의 20% 할증(20% 증가)의 경우 : 원가×(1＋0.2)

④ 매가가 정가의 20% 할인(20% 감소)의 경우 : 정가×(1−0.2)

예제

TV를 판매할 때, 원가에 2할의 이익이 남게 정가를 정했지만, 할인을 하여 정가의 1할 할인으로 판매하였더니 결국 1대에 50만 원의 이익을 얻었다. 이 TV의 원가는 얼마인가?

① 500만 원

② 575만 원

③ 625만 원

④ 750만 원

해 설

원가를 x라 하면,

$(1+0.2)x×(1-0.1)=x+500,000$

$0.08x=500,000$ ∴ $x=6,250,000$(원)

답 ③

(5) 속력

① 정의 : 속력은 물체가 얼마나 빨리 움직이는가를 나타내는 양이며 속력이 크면 클수록 물체가 더 빨리 움직이고 있음을 의미한다. 일상생활에서는 ㎧ 등이 주로 사용되는데 이는 물체가 일 초당 움직인 거리(m)를 나타낸다.

② 공식

　　㉠ 거리(S)=속력(v)×시간(t)

　　㉡ 시간=$\dfrac{거리}{속력}$

　　㉢ 속력=$\dfrac{거리}{시간}$

(6) 물의 흐름

① 강 흐름의 속도=(내리막의 속도−오르막의 속도)÷2

② 오르막과 내리막의 흐르는 속도의 차이에 주목한다.

③ 오르막은 강의 흐름에 역행이므로 '배의 속도−강의 흐름'이며 내리막은 강의 흐름이 더해지므로 '배의 속도+강의 흐름'이 된다.

예제

민호가 달리기를 하는데 처음에는 초속 5m의 속력으로 뛰다가 반환점을 돈 후에는 분속 100m의 속력으로 걸어서 30분 동안 5km를 운동했다면 출발지에서 반환점까지의 거리는?

① 2,500m
② 3,000m
③ 3,500m
④ 4,000m

해 설

처음의 초속을 분속으로 바꾸면
$5 \times 60 = 300 \text{m/min}$
출발지에서 반환점까지의 거리를 x 라 하면

$\dfrac{x}{300} + \dfrac{5,000-x}{100} = 30$ 이므로　양변에 300을 곱하여 식을 간단히 하면
$x + 3(5,000 - x) = 9,000$
$\therefore x = 3,000(\text{m})$

답 ②

(7) 농도

① **정의** : 액체나 혼합기체와 같은 용액을 구성하는 성분의 양(量)의 정도로 용액이 얼마나 진하고 묽은지를 수치적으로 나타내는 방법이다.

  ㉠ **질량백분율** : 용액 100g 속에 녹아 있는 용질의 그램(g)수로서 %로 나타낸다.

  ㉡ **부피백분율** : 용액 100㎖ 속에 녹아 있는 용질의 ㎖수로 용질의 부피백분율을 나타낸다. 단, 알코올이나 물처럼 혼합에 의해서 부피에 변화가 생기는 경우에는 혼합하기 전의 부피를 기준으로 한다.

② **공식** : 식염의 양을 구한 후에 농도를 계산한다.

  ㉠ 식염의 양(g) = 농도(%) × 식염수의 양(g) ÷ 100

  ㉡ 구하는 농도 = $\dfrac{\text{식염} \times 100}{\text{식염} + \text{물}(=\text{식염수})}$(%)

- 식염수에 물을 더할 경우 : 분모에 $(+x\text{g})$의 식을 추가
- 식염수에서 물을 증발시킬 경우 : 분모에 $(-x\text{g})$을 추가
- 식염수에 식염을 더한 경우 : 분모, 분자 각각에 $(+x\text{g})$을 추가

예제

식염수 500g에 400g의 물을 넣었더니 2%의 식염수가 되었다. 처음 식염수의 농도는 얼마인가?

① 3%   ② 3.6%

③ 4%   ④ 4.5%

해설

소금의 양을 x라 하면

$\dfrac{x}{500+400} \times 100 = 2(\%)$ 이므로

$x = 18(\text{g})$ 이다.

따라서 처음 식염수의 농도는

$\dfrac{18}{500} \times 100 = 3.6(\%)$ 이다.

답 ②

2 경우의 수와 확률

(1) 경우의 수

① 한 사건 A가 a가지 방법으로 일어나고 다른 사건 B가 b가지 방법으로 일어날 때

   ㉠ 사건 A, B가 동시에 일어나는 경우의 수가 c가지 있을 때 A 또는 B가 일어나는 경우의 수 : a+b−c(가지)

   ㉡ 사건 A, B가 동시에 일어나는 경우의 수가 없을 때 A 또는 B가 일어나는 경우의 수 : a+b(가지)

   ㉢ 한 사건 A가 a가지 방법으로 일어나며 일어난 각각에 대하여 다른 사건 B가 b가지 방법으로 일어날 때 A, B 동시에 일어나는 경우의 수는 a×b(가지)이다.

② 화폐의 지불 방법의 가지 수와 지불금액의 가지 수 A원 권 a장, B원 권 b장, C원 권 c장으로 지불할 때

   ㉠ 지불하는 방법의 가지 수 : $(a+1)(b+1)(c+1)-1$(가지)

   ㉡ 지불금액의 가지 수

   • 화폐 액면이 중복되지 않을 때 : $(a+1)(b+1)(c+1)-1$(가지)

   • 화폐 액면이 중복될 때 : 큰 액면을 작은 액면으로 바꿈

(2) 순열

① 정의 : 서로 다른 n개의 물건에서 r개를 택하여 한 줄로 배열하는 것을 n개의 물건에서 r개를 택하는 순열이라 하고 이 순열의 수를 기호로 $_nP_r$와 같이 나타낸다.

② 공식

   ㉠ $_nP_r = n(n-1)(n-2)(n-3) \times \ldots \times (n-r+1) = \dfrac{n!}{(n-r)!}$

   (단, $0 \le r \le n$)

   ㉡ $0! = 1$, $_nP_0 = 1$

③ 원순열 : 서로 다른 n개의 물건을 원형으로 배열하는 순열, $(n-1)!$

④ 중복순열 : 서로 다른 n개에서 중복을 허용하여 r개를 택하는 순열을 중복순열이라 하고 기호로는 $_n\Pi_r = n^r$로 나타낸다.

⑤ 탁자순열 : $(n-1)! \times$ (자리를 순차로 옮겨서 달라지는 것의 개수)

(3) 확률

① **정의** : 하나의 사건이 일어날 수 있는 가능성을 수로 나타낸 것으로 같은 원인에서 특정의 결과가 나타나는 비율을 뜻한다.

② **공식**

  ㉠ **확률값** : 원인과 결과와의 계(系)를 사건이라고 하면 사건 A가 반드시 일어나는 경우, 사건 A의 확률 P(A)는 100%, 즉 1로 되고 그것이 절대로 일어나지 않으면 사건 A의 확률은 0이 된다. 따라서 일반적으로 사건 A의 확률이 1보다 커지는 경우는 없고 0보다 작아지는 경우도 없다. 확률의 값은 일반적으로 $0 \le P(A) \le 1$과 같이 표현한다.

  ㉡ **덧셈정리** : A, B가 동시에 일어나지 않을 때, 즉 배반사건인 경우 A 또는 B의 어느 한쪽이 일어날 확률 P(A 또는 B)는 A 및 B가 일어날 확률의 합으로 된다. 즉, $P(A \cup B) = P(A) + P(B)$로 표현된다.

  ㉢ **곱셈정리** : 사건 A와 B가 서로 무관계하게 나타날 때, 즉 독립사건일 때 A와 B가 동시에 나타날 확률 P(A와 B)는 $P(A \cap B) = P(A) \times P(B)$로서 표현된다.

예제

A, B, C 세 명이 가위, 바위, 보를 한 번만 할 때, A 혼자만 이길 확률은?

① $\dfrac{1}{3}$ ② $\dfrac{2}{3}$

③ $\dfrac{1}{6}$ ④ $\dfrac{1}{9}$

해설

전체 경우의 수는 $3 \times 3 \times 3 = 27$
A가 이기는 경우의 수는 A가 가위일 때 나머지는 모두 보를 내는 경우, A가 바위일 때 나머지는 모두 가위를 내는 경우, A가 보일 때 나머지는 모두 주먹을 내는 경우 총 3가지 경우이다.
따라서 A 혼자만 이길 확률은 $\dfrac{3}{27} = \dfrac{1}{9}$이다.

답 ④

3 수열

(1) 등차수열

① 정의 : 이웃하는 두 항 사이의 차가 일정한 수열

$a_{n+1} - a_n = d$(공차가 d인 등차수열)

② 등차중항 : 세 수 a, b, c가 이 순서대로 등차수열을 이룰 때, b는 a와 c의 등차중항 $2b = a + c \Leftrightarrow b = \dfrac{a+c}{2}$ (산술평균)

③ 등차수열의 합 : 첫째항이 a, 공차가 d일 때, $S_n = \dfrac{n}{2}\{2a + (n-1)d\}$

(2) 등비수열

① 정의 : 이웃하는 두 항 사이의 비(공비)가 일정한 수열

$\dfrac{a_{n+1}}{a_n} = r \Leftrightarrow a_{n+1} = ra_n$ (공비가 r인 등비수열)

② 등비중항 : 세 수 a, b, c가 차례로 등비수열을 이룰 때, b는 a와 c의 등비중항

$b^2 = ac \Leftrightarrow b = \pm \sqrt{ac}$ (단, $ac > 0$)

③ 등비수열의 합

㉠ $r \neq 1$일 때, $S_n = \dfrac{a(r^n - 1)}{r - 1} = \dfrac{a(1 - r^n)}{1 - r}$

㉡ $r = 1$일 때, $S_n = na$

1 수추리

① **등차수열** : 첫째항부터 일정한 수를 더하여 다음 항이 얻어지는 수열이다.

예

$$1 \quad 3 \quad 5 \quad 7 \quad 9 \quad 11 \quad \cdots$$
$$+2 \quad +2 \quad +2 \quad +2 \quad +2$$

일반항 $a_n = 2n - 1 \ (n = 1, \ 2, \ 3, \ \cdots)$

② **등비수열** : 첫째항부터 일정한 수를 곱해 다음 항이 얻어지는 수열이다.

예

$$1 \quad 2 \quad 4 \quad 8 \quad 16 \quad 32 \quad \cdots$$
$$\times 2 \quad \times 2 \quad \times 2 \quad \times 2 \quad \times 2$$

일반항 $a_n = 2^{n-1} \ (n = 1, \ 2, \ 3, \ \cdots)$

③ **계차수열** : 수열 a_n의 이웃한 두 항의 차로 이루어진 수열 b_n이 있을 때, 수열 a_n에 대하여 $a_{n+1} - a_n = b_n \ (n = 1, \ 2, \ 3, \ \cdots)$을 만족하는 수열 b_n을 수열 a_n의 계차수열이라 한다.

예

$$3 \quad 5 \quad 9 \quad 15 \quad 23 \quad 33 \quad \cdots$$
$$+2 \quad +4 \quad +6 \quad +8 \quad +10$$
$$+2 \quad +2 \quad +2 \quad +2$$

④ **조화수열** : 분수의 형태로 취하고 있던 수열의 역수를 취하면 등차수열이 되는 수열이다.

예 $1 \quad \dfrac{1}{3} \quad \dfrac{1}{5} \quad \dfrac{1}{7} \quad \dfrac{1}{9} \quad \dfrac{1}{11} \cdots$

일반항 $a_n = \dfrac{1}{2n - 1}$

⑤ **피보나치수열** : 앞의 두 항의 합이 다음 항이 되는 수열이다.

예 $1 \quad 1 \quad 2 \quad 3 \quad 5 \quad 8 \quad 13 \ \cdots$

⑥ **군수열** : 일정한 규칙성으로 몇 항씩 묶어서 나눈 수열이다.

예 1 1 3 1 3 5 1 3 5 7 1 3 5 7 9 ⇒ (1) (1 3) (1 3 5) (1 3 5 7) (1 3 5 7 9)

예제

다음은 일정한 규칙에 따라 배열한 수열이다. 빈칸에 알맞은 것을 고르시오.

> 1 3 6 4 7 21 18 22 (   ) 84

① 25

② 30

③ 46

④ 88

해 설

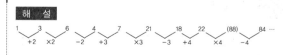

답 ④

---

2 문자추리

숫자 대신 문자가 나오며 문자의 나열에서 +, −, ×, ÷를 사용하여 일정한 규칙을 찾아 빈칸에 나올 수를 추리하는 유형으로 수열추리와 똑같이 생각하고 풀면 된다.

예제

다음 빈칸에 들어갈 알맞은 문자를 고르시오.

> 가 – 러 – 소 – 추 – (   )

① 키

② 트

③ 파

④ 허

해 설

③ 자음은 처음의 문자에 +3, +6, +9⋯ 식으로 3의 배수를 더해가며 진행한다.
모음은 처음의 문자에 +2, +4, +6⋯ 식으로 2의 배수를 더해가며 진행한다.
그러므로 다음에 올 문자의 자음은 ㄱ에 12를 더한 'ㅍ'이고, 모음은 ㅏ에 10을 더해 한 바퀴를 돌아 다시 'ㅏ'된다.

답 ③

3 도형추리

① **위치변화** : 회전과는 조금 다른 유형으로, 분할된 큰 도형 내부의 작은 도형이 특정 방향으로 이동 또는 회전하는 규칙을 찾아 도형의 변화를 예측하는 문제이다.

② **색 반전** : 색이 있던 부분은 다음 단계에서 없어지고, 없던 부분은 색이 채워지는 방식으로 변하기도 한다.

③ **꼭짓점 수의 증감** : 다음 단계로 진행할수록 꼭짓점의 수가 일정하게 늘어나거나 줄어든다.

④ **도형 개수의 증감** : 단계마다 일정한 도형이 생기거나 줄어든다.

예제

다음 도형들의 일정한 규칙을 찾아 ?에 들어갈 알맞은 도형을 고르시오.

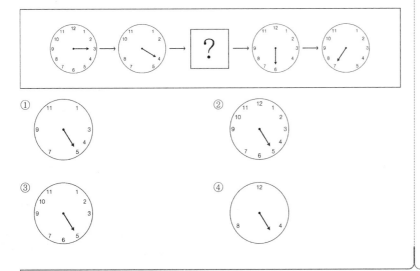

해 설

③ 첫 번째 그림에서 시계바늘이 가리키고 있는 숫자의 배수에 해당하는 숫자가 두 번째 그림에서 사라졌고, 시계바늘이 가리키고 있는 숫자는 1씩 증가한다. 따라서 ? 부분에 올 도형은 바로 앞에서 시계바늘이 가리키고 있는 4의 배수에 해당하는 숫자가 사라지고 시계바늘이 5를 가리키고 있는 모양이어야 한다.

답 ③

PART

02

실전 모의고사

정답 및 해설 | P.216

파트1 29문/20분

｜1~5｜ 다음 제시된 단어들의 상관관계를 파악하여 괄호 안에 알맞은 단어를 넣으시오.

1

| 바람 : 태풍 = 파도 : (　　) |

① 해일   ② 장마
③ 바다   ④ 공기

2

| 위도 : 온도 = 경도 : (　　) |

① 강수량(降水量)   ② 시각(時刻)
③ 기후(氣候)   ④ 중량(重量)

3

| 프랑스 혁명 : 계몽사상 = 르네상스 : (　　) |

① 낭만주의   ② 휴머니즘
③ 민족주의   ④ 절대주의

4

분식 : (　　　) = 세면도구 : 칫솔

① 정식　　　　　　　　　　② 순대
③ 식당　　　　　　　　　　④ 가게

5

러·일 전쟁 : 일본 = 남북전쟁 : (　　　)

① 미국　　　　　　　　　　② 중국
③ 북부　　　　　　　　　　④ 남부

❚6~10❚ 다음 괄호 안에 들어갈 말을 순서대로 나열한 것을 고르시오.

6

미라 : (　　　) = 제사 : (　　　)

① 미신숭배, 영혼불멸　　　　② 영혼불멸, 조상숭배
③ 전쟁의식, 미신숭배　　　　④ 토템의식, 전쟁의식

7

경찰 : (　　　) = 의사 : (　　　)

① 신고, 접수　　　　　　　② 도둑, 학생
③ 순찰, 회진　　　　　　　④ 판결, 파견

8

( ) : 증기 = ( ) : 연기

① 끓다, 타다

② 날리다, 덮다

③ 넘치다, 새다

④ 흩어지다, 벌어지다

9

( ) : 선고(先考) = ( ) : 선비(先妣)

① 가친(家親), 모친(母親)

② 선친(先親), 자당(慈堂)

③ 자당(慈堂), 선친(先親)

④ 훤당(萱堂), 가친(家親)

10

충년(沖年) : ( ) = 이순(耳順) : ( )

① 10대, 60세

② 20세, 77세

③ 30세, 62세

④ 40세, 70세

11 일을 하는데 주영이가 혼자 하면 10일이 걸리고 선우가 혼자하면 25일이 걸린다고 한다. 이 일을 주영이가 혼자 4일 동안하고 나머지 일을 선우 혼자한다면 선우 혼자한 날은 총 며칠인가?

① 14일   ② 15일

③ 16일   ④ 17일

12 甲은 귀걸이와 목걸이를 샀다. 귀걸이와 목걸이의 가격의 합은 4만 원이었으나 귀걸이는 20%, 목걸이는 40% 할인상품이어서 총 3만 원을 지불했다. 귀걸이의 원래 가격은 얼마인가?

① 1만 4천 원
② 2만 2천 원
③ 2만 8천 원
④ 3만 원

13 한 건물에 A, B, C 세 사람이 살고 있다. A는 B보다 12살이 많고, C의 나이의 2배보다 4살이 적다. 또한 B 와 C는 동갑이라고 할 때, A의 나이는 몇 살인가?

① 16살
② 20살
③ 24살
④ 28살

14 예서가 집에서 학원까지 왕복하는데 갈 때는 시속 4km, 돌아올 때는 약속이 있어서 시속 6km로 걸어서 총 50분이 걸렸다고 할 때, 집에서 학원까지 거리는?

① 2km
② 3km
③ 4km
④ 5km

15 원가가 100원인 물건이 있다. 이 물건을 정가의 20%를 할인해서 팔았을 때, 원가의 4%의 이익이 남게 하기 위해서는 원가에 몇 % 이익을 붙여 정가를 정해야 하는가?

① 20%
② 30%
③ 40%
④ 50%

16 정원이가 등산을 하는 데 올라갈 때는 시속 3km로 내려 올 때는 올라갈 때 보다 5km 먼 다른 길을 시속 6km로 걸어서 4시간 50분이 걸렸다고 한다. 정원이가 걸은 거리는 모두 몇 km인가?

① 14km
② 16km
③ 18km
④ 21km

17 커다란 탱크에 호스 A, B, C로 물을 가득 채우는데 하나씩만 사용했을 때 걸리는 시간은 각각 3시간, 4시간, 6시간이 걸린다고 한다. 처음에 A호스로 1시간을 하다가 중단하고, 이어서 B, C호스를 함께 사용하여 가득 채웠다. B, C호스를 함께 사용한 시간은?

① 1시간 24분 ② 1시간 28분

③ 1시간 32분 ④ 1시간 36분

▌18~20 ▌ 다음은 일정한 규칙에 따라 배열한 수열이다. 빈칸에 알맞은 것을 고르시오.

18

3 8 12 15 17 18 ( )

① 21 ② 20

③ 19 ④ 18

19

318 321 330 357 438 ( )

① 492 ② 531

③ 602 ④ 681

20

1 1 3 5 11 21 ( ) 85

① 37 ② 40

③ 43 ④ 46

┃21~23┃ 다음 빈칸에 들어갈 알맞은 문자를 고르시오.

21

D − F − J − P − X − (　　)

① H　　　　　　　　　　　② I
③ K　　　　　　　　　　　④ M

22

A − D − C − F − E − (　　) − G

① W　　　　　　　　　　　② K
③ L　　　　　　　　　　　④ H

23

래 − 예 − 퇴 − 눼 − (　　)

① 묘　　　　　　　　　　　② 솨
③ 븨　　　　　　　　　　　④ 즤

│24~29│ 다음 도형들의 일정한 규칙을 찾아 **?** 표시된 부분에 들어갈 도형을 찾으시오.

24

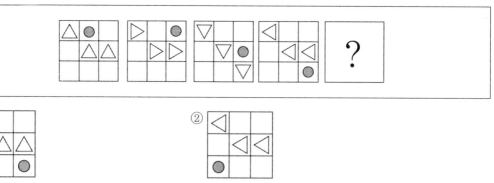

①

②

③

④

25

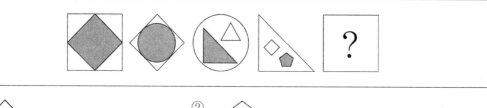

① ② ③ ④

26

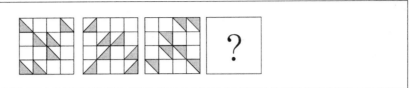

①

②

③

④

27

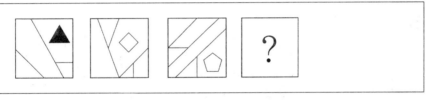

① ② ③ ④

28

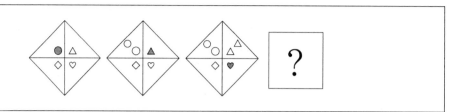

①

②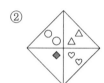

③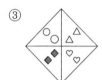

④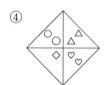

29

A	I	L
K	G	D
S	H	C

B	K	M
M	J	F
T	J	D

?

D	O	O
Q	P	J
V	N	F

E	Q	P
S	S	L
W	P	G

①
C	M	N
O	N	H
U	L	E

②
C	L	N
N	M	G
U	K	E

③
C	M	N
O	M	H
U	L	E

④
D	M	O
O	N	H
V	L	F

1 다음 글의 중심 내용으로 가장 적절한 것은?

> 행랑채가 퇴락하여 지탱할 수 없게끔 된 것이 세 칸이었다. 나는 마지못하여 이를 모두 수리하였다. 그런데 그중의 두 칸은 앞서 장마에 비가 샌 지가 오래되었으나, 나는 그것을 알면서도 이럴까 저럴까 망설이다가 손을 대지 못했던 것이고, 나머지 한 칸은 비를 한 번 맞고 샜던 것이라 서둘러 기와를 갈았던 것이다. 이번에 수리하려고 본즉 비가 샌 지 오래된 것은 그 서까래, 추녀, 기둥, 들보가 모두 썩어서 못 쓰게 되었던 까닭으로 수리비가 엄청나게 들었고, 한 번밖에 비를 맞지 않았던 한 칸의 재목들은 완전하여 다시 쓸 수 있었던 까닭으로 그 비용이 많이 들지 않았다.
>
> 나는 이에 느낀 것이 있었다. 사람의 몸에 있어서도 마찬가지라는 사실을. 잘못을 알고서도 바로 고치지 않으면 곧 그 자신이 나쁘게 되는 것이 마치 나무가 썩어서 못 쓰게 되는 것과 같으며, 잘못을 알고 고치기를 꺼리지 않으면 해(害)를 받지 않고 다시 착한 사람이 될 수 있으니, 저 집의 재목처럼 말끔하게 다시 쓸 수 있는 것이다. 뿐만 아니라 나라의 정치도 이와 같다. 백성을 좀먹는 무리들을 내버려두었다가는 백성들이 도탄에 빠지고 나라가 위태롭게 된다. 그런 연후에 급히 바로잡으려 하면 이미 썩어 버린 재목처럼 때는 늦은 것이다. 어찌 삼가지 않겠는가.

① 모든 일에 기초를 튼튼히 해야 한다.
② 청렴한 인재 선발을 통해 정치를 개혁해야 한다.
③ 잘못을 알게 되면 바로 고쳐 나가는 자세가 중요하다.
④ 훌륭한 위정자가 되기 위해서는 매사 삼가는 태도를 지녀야 한다.

2 다음 글의 내용과 일치하지 않은 것은?

> 세잔이, 사라졌다고 느낀 것은 균형과 질서의 감각이다. 인상주의자들은 순간순간의 감각에만 너무 사로잡힌 나머지 자연의 굳건하고 지속적인 형태는 소홀히 했다고 느꼈던 것이다. 반 고흐는 인상주의가 시각적 인상에만 집착하여 빛과 색의 광학적 성질만을 탐구한 나머지 미술의 강렬한 정열을 상실하게 될 위험에 처했다고 느꼈다. 마지막으로 고갱은 그가 본 인생과 예술 전부에 대해 철저하게 불만을 느꼈다. 그는 더 단순하고 더 솔직한 어떤 것을 열망했고 그것을 원시인들 속에서 발견할 수 있으리라고 기대했다. 이 세 사람의 화가가 모색했던 제각각의 해법은 세 가지 현대 미술 운동의 이념적 바탕이 되었다. 세잔의 해결 방법은 프랑스에 기원을 둔 입체주의(cubism)를 일으켰고, 반 고흐의 방법은 독일 중심의 표현주의(expressionism)를 일으켰다. 고갱의 해결 방법은 다양한 형태의 프리미티비즘(primitivism)을 이끌어 냈다.

① 고갱이 느꼈던 불만은 후대의 미술 운동의 이념적 바탕이 되었다.
② 반 고흐와 고갱, 세잔은 인상주의의 방식에 문제를 제기하였다.
③ 세잔은 기존 화풍에서 경시되었던 자연의 균형과 질서를 찾고자 하였다.
④ 독일 중심의 표현주의는 반 고흐의 이념을 바탕으로 미술 운동을 이끌었다.

3 다음 글에 나타난 '사실(史實)'에 대한 내용으로 옳지 않은 것은?

> 인류 생활의 과거에는 수많은 일이 일어났다. 역사란 그 많은 사실(事實)들 중에서 그야말로 역사적 가치와 의미가 있는 사실들, 즉 사실(史實)을 뽑아 모은 것이라고 우선 말할 수 있다. 사실들 속에서 사실(史實)을 선택하는 것이 역사를 성립시키는 일차적인 작업인데, 역사의 사료로서 적절한 것을 선별해 내는지가 그 관건이다. 어떤 기준으로 수많은 사실들 속에서 유효한 사실(史實)을 가려내는가 하는 문제를 고민하지 않을 수 없는데, 대체로 역사를 기술하는 사람과 시대적 맥락에 그 기준을 둘 수밖에 없다. 다만 같은 시대의 사람들과, 더 나아가서 미래의 사람들에게까지 폭넓은 동의를 얻을 수 있어야 선택된 사실(史實)이 진실성을 가진 것으로 인정될 수 있을 것이다. 따라서 역사가가 진실성이 더 높은 사실(史實)을 뽑아내기 위해서는 우선 그 시대가 가진 역사적 요구가 무엇인지 정확하게 파악하는 노력이 필요하다.

① 역사적 가치와 의미가 있는 것들
② 사실(事實)들 중에서 유효하다고 선택받은 것들
③ 동시대, 후대의 사람들에게 폭넓은 동의를 얻을 수 있는 것들
④ 과거에 일어난 수많은 사건들

4 다음 글에서 제기하는 문제는 무엇인가?

'읽지 않은 책'에 대해 말한다는 것은 사회적으로 널리 알려진 다른 창작 행위들에 비해 좀 더 소박하긴 하지만 결코 그것들에 뒤지지 않는 창조적 활동이라 할 수 있다. 그런데 학교에서 우리의 학생들은 책을 읽고 그 책에 대해 말하는 법은 배우지만, 읽지 않은 책에 대해 의사를 표현하는 법을 배우지 못한다. 이는 어떤 책에 대해 말을 하기 위해서는 반드시 그 책을 읽어야 한다는 가정이 한 번도 의문시되지 않았음을 반증한다고 할 수 있다. 그렇다면 우리의 학생들은 읽지 않은 어떤 책에 대한 질문을 받을 때 자신들의 생각을 표명하기 위한 어떤 방도도 찾아낼 수 없어서 혼란에 빠질 공산이 크다.

그런 혼란은 책을 신성시하는 태도에서 벗어나게 해 주는 역할을 교육이 충분히 수행하지 못해 '책을 꾸며낼' 권리가 학생들에게 주어지지 않았기 때문에 빚어지는 일이다. 텍스트에 대한 존중과 수정 불가의 금기에 마비당하는데다 텍스트를 암송하거나 그것이 '담고 있는' 내용을 알아야 한다는 속박으로 인해, 너무나 많은 학생들이 자신들의 창의적 역량을 발휘하지 못한 채 상상력이 유익할 수 있는 상황에서도 자신들의 상상력에 호소하는 것을 스스로 금해 버린다.

① 학생들이 창조적인 활동을 구분하지 못하게 하는 교육 방식
② 기존 교육 과정 속에서 책에 대해 의견을 내는 방식
③ 책에 대해 이야기할 때 그 책을 읽어야만 한다는 고정관념
④ 사실에 대한 과도한 상상력 부과

5 다음 글의 내용에 어울리는 고사 성어로 가장 적절한 것은?

최근 여러 기업들이 상위 5% 고객에게만 고급 서비스를 제공하는 마케팅을 벌여 소비자뿐만 아니라 전문가들에게서도 우려의 소리를 듣고 있다. 실제로 모 기업은 지난해 초 'VIP 회원'보다 상위 고객을 노린 'VVIP 회원'을 만들면서 △매년 동남아·중국 7개 지역 왕복 무료 항공권 △9개 호텔 무료 숙박 △해외 유명 골프장 그린피 무료 등을 서비스로 내세웠다. 하지만 최근에 이 기업과 제휴를 맺고 있는 회사들이 비용 분담에 압박을 느끼면서 서비스 중단을 차례로 통보했다. 또 자사 분담으로 제공하고 있던 호텔 숙박권 역시 비용 축소를 위해 3월부터 서비스를 없앨 것으로 알려졌다.

한 업계 관계자는 "기존 회원 시장이 포화 상태가 되면서 업계가 저마다 지난해 VIP 마케팅을 내세웠지만 높은 연회비로 인해 판매 실적은 저조한 반면 무료 공연을 위한 티켓 구매, 항공권 구입 등에 소요되는 사업비 부담은 너무 크다 보니 오히려 어려움을 겪고 있는 실정"이라고 말했다.

① 견강부회(牽強附會)　　　　　　② 비육지탄(髀肉之嘆)
③ 자승자박(自繩自縛)　　　　　　④ 화이부동(和而不同)

6 다음 괄호 안에 들어갈 알맞은 접속어를 순서대로 나열한 것은?

논리실증주의자와 포퍼는 지식을 수학적 지식이나 논리학 지식처럼 경험과 무관한 것과 과학적 지식처럼 경험에 의존하는 것으로 구분한다. 그중 과학적 지식은 과학적 방법에 의해 누적된다고 주장한다. 가설은 과학적 지식의 후보가 되는 것인데, 그들은 가설로부터 논리적으로 도출된 예측을 관찰이나 실험 등의 경험을 통해 맞는지 틀리는지 판단함으로써 그 가설을 시험하는 과학적 방법을 제시한다. 논리실증주의자는 예측이 맞을 경우에, 포퍼는 예측이 틀리지 않는 한, 그 예측을 도출한 가설이 하나씩 새로운 지식으로 추가된다고 주장한다.

( ) 콰인은 가설만 가지고서 예측을 논리적으로 도출할 수 없다고 본다. 예를 들어 새로 발견된 금속 M은 열을 받으면 팽창한다는 가설만 가지고는 열을 받은 M이 팽창할 것이라는 예측을 이끌어낼 수 없다. 먼저 지금까지 관찰한 모든 금속은 열을 받으면 팽창한다는 기존의 지식과 M에 열을 가했다는 조건 등이 필요하다. 이렇게 예측은 가설, 기존의 지식들, 여러 조건 등을 모두 합쳐야만 논리적으로 도출된다는 것이다. ( ) 예측이 거짓으로 밝혀지면 정확히 무엇 때문에 예측에 실패한 것인지 알 수 없다는 것이다. 이로부터 콰인은 개별적인 가설뿐만 아니라 기존의 지식들과 여러 조건 등을 모두 포함하는 전체 지식이 경험을 통한 시험의 대상이 된다는 총체주의를 제안한다.

① 그래서 – 또한
② 그러므로 – 하지만
③ 더욱이 – 그래서
④ 하지만 – 그러므로

7 다음 글의 연결 순서로 가장 자연스러운 것은?

(가) 실험 결과, 첫 번째 집단의 89%는 커피 잔을 초콜릿과 교환하지 않았고, 두 번째 집단도 90%가 초콜릿을 커피잔과 바꾸지 않았다. 두 집단에서 커피 잔을 선택한 비율이 89%와 10%로 큰 격차를 나타낸 것은 보유 효과가 작용한 결과라 하겠다. 세 번째 집단은 거의 50%의 비율로 커피 잔과 초콜릿을 선택하여 소유물이 없는 상태에서는 보유 효과가 나타나지 않음을 보여 주었다.

(나) 사람들은 물건이건 사회적 지위이건 일단 무엇인가를 소유하고 나면 갖고 있지 않을 때보다 그것을 더 높이 평가하는 성향이 있다. 행동경제학자 탈러(R. Thaler)는 이러한 현상을 '보유 효과'라고 명명했고 실험으로 이를 증명했다.

(다) 탈러는 실험 참가자를 3개 집단으로 나누어 첫 번째 집단은 커피 잔을 먼저 주고 나중에 초콜릿과 교환할 수 있게 했다. 두 번째 집단에는 첫 번째 집단과 반대로 초콜릿을 먼저 주면서 나중에 커피 잔과 교환할 기회를 부여했다. 세 번째 집단은 아무것도 주지 않고 커피 잔과 초콜릿 중에서 자신이 선호하는 것을 선택하도록 했다.

(라) 한편, 존스(O. Jones)는 침팬지에게서도 보유 효과가 관찰된다는 논문을 발표하였다. 침팬지에게 땅콩버터와 주스를 제시하고 하나를 선택하게 했을 때 60%는 주스보다 땅콩버터를 골랐다. 그러나 땅콩버터를 가지고 있는 상태에서는 80%가 주스와 교환하지 않고 그대로 소유하여 땅콩버터 선호 비율이 20%p 높아졌다. 존스는 이를 침팬지에게서도 보유 효과가 나타난 것이라고 보았다.

① (나)−(가)−(라)−(다)

② (나)−(다)−(가)−(라)

③ (다)−(나)−(가)−(라)

④ (다)−(가)−(라)−(나)

8 다음 글을 읽고 빈칸에 들어갈 적절한 문장을 고르시오.

우리는 냉장고를 쓰면서 인정을 잃어 간다. 냉장고가 없던 시절에는 식구가 먹고 남을 정도의 음식을 만들거나 얻게 되면 미련 없이 이웃과 나누어 먹었다. 여러 가지 이유가 있겠지만 그 이유 가운데 하나는 남겨 두면 음식이 상한다는 것이었다. 그런데 냉장고를 사용하게 되면서 그 이유가 사라지게 되고, 이에 따라 이웃과 음식을 나누어 먹는 일이 줄어들게 되었다. 냉장고에 넣어 두면 일주일이고 한 달이고 오랫동안 상하지 않게 보관할 수 있기 때문이다. 냉장고는 점점 커지고, 그 안에 넣어 두는 음식은 하나둘씩 늘어난다.

(   ) 냉장고가 커질수록 먹지 않는 음식도 늘어나기 때문이다. 아까운 전기를 써서 냉동실에 오랫동안 보관한 음식들은 쓰레기통으로 들어가기 일쑤다. 이런 현상은 잘사는 나라뿐 아니라 남태평양이나 아프리카의 가난한 나라에서도 일어나고 있다.

① 우리는 점점 더 큰 용량의 냉장고가 필요하게 될 것이다.

② 냉장고를 사용하면서 많은 음식을 버리게 되었다.

③ 신선 식품의 소비가 늘어났다.

④ 우리는 식중독의 위험에서 벗어날 수 있었다.

9 괄호 안에 들어갈 말로 가장 적절한 것은?

현대 자본주의 사회에서 대중은 예술미보다 상품미에 더 민감하다. 상품미란 이윤을 얻기 위해 대량으로 생산하는 상품이 가지는 아름다움을 의미한다. (   )라고, 요즈음 생산자는 상품을 많이 팔기 위해 디자인과 색상에 신경을 쓰고, 소비자는 같은 제품이라도 겉모습이 화려하거나 아름다운 것을 구입하려고 한다. 결국 우리가 주위에서 보는 거의 모든 상품은 상품미를 추구하고 있다. 그래서인지 모든 것을 다 상품으로 취급하는 자본주의 사회에서는 돈벌이를 위해서라면 모든 사물, 심지어는 인간까지도 상품미를 추구하는 대상으로 삼는다.

① 같은 값이면 다홍치마

② 술 익자 체 장수 지나간다.

③ 원님 덕에 나팔 분다

④ 구슬이 서 말이라도 꿰어야 보배

10 다음 중 글의 흐름으로 볼 때 삭제해도 되는 문장은?

현재 리셋 증후군이 인터넷 중독의 한 유형으로 꼽고 있다. ① '리셋 증후군'이라는 말은 1990년 일본에서 처음 생겨났는데, 국내에선 1990년대 말부터 쓰이기 시작했다. ② 리셋 증후군 환자들은 현실에서 잘못을 하더라도 버튼만 누르면 해결될 수 있다고 생각해서 아무런 죄의식이나 책임감 없이 행동한다. 리셋 증후군 환자들은 현실과 가상을 구분하지 못하여 게임에서 실행했던 일을 현실에서 저지르고 뒤늦게 후회하는 경우가 많다. ③ 리셋 증후군은 정신질환의 일종으로 판단하여 법적으로 심신미약 상태라는 판정되는 정신적 질환이다. ④ 특히, 이러한 특성을 지닌 청소년들은 무슨 일이든지 쉽게 포기하고 책임감 없는 행동을 하며, 마음에 들지 않는 사람이 있으면 칼로 무를 자르듯 관계를 쉽게 끊기도 한다.

11 〈보기〉의 글이 들어갈 위치로 적절한 곳은?

〈보기〉

고대 그리스의 민주주의나 마그나 카르타(대헌장) 이후의 영국 민주주의는 귀족이나 특정 신분 계층만이 누릴 수 있는 체제였다.

민주주의, 특히 대중 민주주의의 역사는 생각보다 짧다. ① 우리가 흔히 알고 있는 대중 민주주의, 즉 모든 계층의 성인들이 1인 1표의 투표권을 행사할 수 있는 정치 체제는 영국에서 독립한 미국에서 시작되었다고 보는 것이 맞다. ② 하지만 미국에서조차도 20세기 초에야 여성에게 투표권을 부여하면서 제대로 된 대중 민주주의의 형태를 갖추게 되었다. ③ 유럽의 본격적인 민주주의 도입도 19세기 말에야 시작되었고, 유럽과 미국을 제외한 각국의 대중 민주주의의 도입은 이보다 훨씬 더 늦었다. ④

세상에 개미가 얼마나 있을까를 연구한 학자가 있습니다. 전 세계의 모든 개미를 일일이 세어 본 절대적 수치는 아니지만 여기저기서 표본 조사를 하고 수없이 곱하고 더하고 빼서 나온 숫자가 10의 16제곱이라고 합니다. 10에 영이 무려 16개가 붙어서 제대로 읽을 수조차 없는 숫자가 되고 맙니다.

전 세계 인구가 65억이라고 합니다. 만약 아주 거대한 시소가 있다고 했을 때 한쪽에는 65억의 인간이, 한쪽에는 10의 16제곱이나 되는 개미가 모두 올라탄다고 생각해 보십시오. 개미와 우리 인간은 함께 시소를 즐길 수 있습니다. 이처럼 엄청난 존재가 개미입니다. 도대체 어떻게 개미가 이토록 생존에 성공할 수 있었을까요? 그건 바로 개미가 인간처럼 협동할 수 있는 존재라서 그렇습니다. 협동만큼 막강한 힘을 보여 줄 수 있는 것은 없습니다.

하나만 예를 들겠습니다. 열대에 가면 수많은 나무들이 조금이라도 더 햇볕을 받으려고 서로 얽히고설켜 빽빽하게 서 있습니다. 이 나무들 중에 개미가 집을 짓고 사는 아카시아 나무가 있는데 자그마치 6천만 년 동안이나 개미와 공생을 해 왔습니다. 아카시아 나무는 개미에게 필요한 집은 물론 탄수화물과 단백질 등 영양분도 골고루 제공하는 대신, 개미는 반경 5미터 내에 있는 다른 식물들을 모두 제거해 줍니다. 대단히 놀라운 일이죠. 이처럼 개미는 많은 동식물과 서로 밀접한 공생 관계를 맺으며 오랜 세월을 살아온 것입니다.

진화 생물학은 자연계에 적자생존의 원칙이 존재한다고 말합니다. 하지만 적자생존이란 어떤 형태로든 잘 살 수 있는, 적응을 잘하는 존재가 살아남는다는 것이지 꼭 남을 꺾어야만 한다는 뜻은 아닙니다. 그동안 우리는 자연계의 삶을 경쟁 일변도로만 보아온 것 같습니다. 자연을 연구하는 생태학자들도 십여 년 전까지는 이것이 자연의 법칙인 줄 알았습니다. 그런데 이 세상을 둘러보니 살아남은 존재들은 무조건 전면전을 벌이면서 상대를 꺾는 데만 주력한 생물이 아니라 자기 짝이 있는, 서로 공생하면서 사는 종(種)이라는 사실을 발견한 것입니다.

– 최재천, 「더불어 사는 공생인으로 거듭나기」–

12 화자의 주장으로 가장 적절한 것은?

① 개미들의 생존방법은 협동이다.
② 자연계의 생물들이 공생하며 살아가는 것이 중요하다.
③ 개미는 아카시아 나무에 기생한다.
④ 적자생존의 원칙은 불변의 진리이다.

13 위 글의 내용으로 적절하지 않은 것은?

① 개미는 아카시아 나무와 공생관계이다.
② 개미는 협동하는 능력을 지니고 있다.
③ 오랜 시간 살아남기 위해서는 자신만의 특별한 공격력이 있어야 한다.
④ 적자생존이 꼭 남을 꺾어야만 한다는 뜻은 아니다.

┃14~15┃ 다음 글을 읽고 물음에 답하시오.

산소가 관여하는 신진대사에서 부산물로 만들어지는 활성산소는 ㉠노화나 질병을 일으킬 수 있다. 따라서 활성산소를 제거하는 항산화 물질을 섭취하는 것은 건강을 지키기 위해 중요하다.

항산화 물질 중 하나인 폴리페놀은 맥주, 커피, 와인, 찻잎뿐만 아니라 여러 식물에 있다. 폴리페놀의 구성물질 중 약 절반은 항산화 복합물인 플라보노이드이며, 플라보노이드는 플라보놀과 플라바놀이라는 두 항산화 물질로 ㉡구성되어 있다.

찻잎에는 플라바놀에 속하는 카데킨이 있으며, 이 카데킨이 활성산소를 ㉢제거하는 중요한 항산화 물질이다. 카데킨은 여러 항산화 물질로 되어있는데, 이중 에피갈로카데킨 갈레이트는 차가 우러날 때 쓰고 떫은맛을 내는 성분인 탄닌이다. 탄닌은 차뿐만 아니라 와인 맛의 특징을 결정짓는 중요한 요소이다.

제조 과정에서 산화 과정이 일어나지 않아서 비산화 차로 분류되는 녹차는 카데킨을 많이 ㉣함유하고 있다. 하지만 산화차인 홍차는 제조하는 동안 일어나는 산화 과정에서 카데킨의 일부가 테아플라빈과 테아루비딘이라는 또 다른 항산화 물질로 전환되는데, 이 두 물질이 홍차를 홍차답게 만드는 맛과 색상을 내는 것에 주된 영향을 미친다. 테아플라빈은 홍차를 만들기 위한 산화가 시작되면서 첫 번째로 나타나는 물질이다. 테아플라빈은 차의 색깔을 오렌지색 계통의 금색으로 변화시키며 다소 투박하고 떫은 맛을 내게 한다. 이후에 산화가 더 진행되면 테아루비딘이 나타나는데, 테아루비딘은 차가 좀 더 부드럽고 감미로운 맛을 내고 어두운 적색 계통의 갈색을 갖게 한다. 따라서 산화를 길게 하면 할수록 테아루비딘의 양이 많아지고 차는 더욱더 부드럽고 감미로워진다.

14 다음 글을 읽고 알 수 있는 내용으로 적절하지 않은 것은?

① 항산화 물질의 섭취를 통해 노화를 방지할 수 있다.

② 카데킨은 테아플라빈과 테아루비딘으로 이루어져 있다.

③ 녹차는 산화 과정을 일어나지 않는 차로 다량의 카데킨을 함유하고 있다.

④ 테아플라빈은 홍차의 색과 맛에 영향을 끼친다.

15 밑줄 친 ㉠~㉣의 한자표기가 옳지 않은 것은?

① ㉠ 老化

② ㉡ 構成

③ ㉢ 除去

④ ㉣ 含油

16 다음 글을 흐름에 맞게 배열한 것은?

> ㈎ 꿀벌은 자기가 벌집 앞에서 날개를 파닥거리며 맴을 돎으로써 다른 벌한테 먹이가 있는 방향과 거리를 알려준다고 한다.
> ㈏ 언어는 사람만이 가지고 있다. 이는 사람됨의 기본조건의 하나가 언어임을 의미하는 것이다.
> ㈐ 사람 이외의 다른 동물들이 언어를 가졌다는 증거는 아직 나타나지 않는다.
> ㈑ 의사전달에 사용되는 수단이 극히 제한되어 있고, 그것이 표현하는 의미도 매우 단순하다.
> ㈒ 그러나 동물의 이러한 의사교환의 방법은 사람의 말에 비교한다면 불완전하기 짝이 없다.

① ㈎－㈑－㈒－㈏－㈐
② ㈐－㈎－㈒－㈑－㈏
③ ㈑－㈐－㈒－㈏－㈎
④ ㈒－㈐－㈏－㈎－㈑

17 다음 글에서 ㉠과 ㉡에 들어갈 접속사로 옳은 것은?

> 들뢰즈가 말하는 '차이'란 두 대상을 정태적으로 비교해서 나오는 어떤 것이 아니라 두 대상이 만나고 섞임으로써 '생성'되는 것이다. (㉠) '달리기를 잘하는 사람(A)'과 '자동차(B)'가 있다고 가정해 보자. A는 원래 땅 위를 달리며, 달리기와 관련된 근육이 발달되어 있었을 것이다. 그런데 A가 달리기 대신 B를 오랫동안 반복적으로 운전한다면 어떻게 될까? A는 달리는 근육 대신 브레이크나 엑셀을 밟는 근육이 발달한 것이다. A는 땅과 자동차 중 어느 것과 관계를 맺느냐에 따라 이전의 A와는 다른 차이를 지니게 된다. (㉡) 그 차이는 A에게 '자동차 운전을 잘하게 된 사람'이라는 새로운 의미를 부여하게 되는데, 이것이 바로 '생성'이다.

① ㉠ : 예컨데 ㉡ : 그러나
② ㉠ : 그럼에도 ㉡ : 하지만
③ ㉠ : 예를 들면 ㉡ : 그리고
④ ㉠ : 게다가 ㉡ : 즉

18 주어진 글에서 ⓐ에 공통으로 들어갈 수 있는 말은?

> 새로운 것, 체험되지 않은 것, 낯선 것은 원인이 될 수 없다. 알려지지 않은 것에서는 위험, 불안정, 걱정, 공포감이 뒤따라 나오기 때문이다. 우리 마음의 불안한 상태를 없애고자한다면, 우리는 알려지지 않은 것을 알려진 것으로 ⓐ해야 한다. 이러한 ⓐ은 우리 마음을 편하게 해주고 안심시키며 만족하게 하고 힘을 느끼게 한다. 이 때문에 우리는 이미 알려진 것, 체험된 것, 기억에 각인된 것을 원인으로 설정하게 된다.

① 대비   ② 유추
③ 추천   ④ 전환

19 다음 주어진 글의 서술 방식으로 옳지 않은 것은?

> 고대 그리스의 원자론자 데모크리토스는 자연의 모든 변화를 원자들의 운동으로 설명했다. 모든 자연현상의 근거는, 원자들, 빈 공간 속에서의 원자들의 움직임, 그리고 그에 따른 원자들의 배열과 조합의 변화라는 것이다.
> 한편 데카르트에 따르면 연장, 즉 퍼져있음이 공간의 본성을 구성한다. 그런데 연장은 물질만이 가지는 속성이기 때문에 물질 없는 연장은 불가능하다. 다시 말해 아무 물질도 없는 빈 공간이란 원리적으로 불가능하다. 데카르트에게 운동은 물속에서 헤엄치는 물고기의 움직임과 같다. 꽉 찬 물질 속에서 물질이 자리바꿈을 하는 것이다.
> 뉴턴에게 3차원 공간은 해체할 수 없는 튼튼한 집 같은 것이었다. 이 집은 사물들이 들어올 자리를 마련해 주기 위해 비어 있다. 사물이 존재한다는 것은 어딘가에 존재 한다는 것인데 그 '어딘가'가 바로 뉴턴의 절대공간이다. 비어 있으면서 튼튼한 구조물인 절대공간은 그 자체로 하나의 실체는 아니지만 '실체 비슷한 것'으로서, 객관적인 것, 영원히 변하지 않는 것이었다.
> 라이프니츠는 빈 공간을 부정한다는 점에서 데카르트와 의견을 같이했다. 그러나 데카르트가 뉴턴과 마찬가지로 공간을 정신과 독립된 객관적 실재로 보았던 반면, 라이프니츠는 공간을 정신과 독립된 실재라고 보지 않았다. 그가 보기에는 '동일한 장소'라는 관념으로부터 '하나의 장소'라는 관념을 거쳐 모든 장소들의 집합체로서의 '공간'이라는 관념이 나오는데, '동일한 장소'라는 관념은 정신의 창안물이다. 결국 '공간은 하나의 거대한 관념적 상황을 표현하고 있을 뿐이다.

① 앞서 말한 단어나 문장을 이해하기 쉽게 다시 한 번 설명한다.
② 공간에 대한 각 학자의 주장을 나열하고 있다.
③ 공간의 형태가 눈앞에 그려지는 듯 묘사하고 있다.
④ 학자의 이론을 이해하기 쉬운 대상에 비유하여 설명한다.

20 다음 글쓴이의 주장으로 가장 적절한 것은?

흔히들 과학적 이론이나 가설을 표현하는 엄밀한 물리학적 언어만을 과학의 언어라고 생각한다. 그러나 과학적 이론이나 가설을 검사하는 과정에는 이러한 물리학적 언어 외에 우리의 감각적 경험을 표현하는 일상적 언어도 사용될 수밖에 없다. 그런데 우리의 감각적 경험을 표현하는 일상적 언어에는 과학적 이론이나 가설을 표현하는 물리학적 언어와는 달리 매우 불명료하고 엄밀하게 정의될 수 없는 용어들이 포함되어 있다. 어떤 학자는 이러한 용어들을 '발룽엔'이라고 부른다.

이제 과학적 이론이나 가설을 검사하는 과정에 발룽엔이 개입된다고 해보자. 이 경우 우리는 증거와 가설 사이의 논리적 관계가 무엇인지 결정할 수 없게 될 것이다. 즉, 증거가 가설을 논리적으로 뒷받침하고 있는지 아니면 논리적으로 반박하고 있는지에 관해 미결정적일 수밖에 없다는 것이다. 그 이유는 증거를 표현할 때 포함될 수밖에 없는 발룽엔을 어떻게 해석할 것인지에 따라 증거와 가설 사이의 논리적 관계에 대한 다양한 해석이 나오게 될 것이기 때문이다. 발룽엔의 의미는 본질적으로 불명료할 수밖에 없다. 즉, 발룽엔을 아무리 상세하게 정의하더라도 그것의 의미를 정확하고 엄밀하게 규정할 수는 없다는 것이다.

논리실증주의자들이나 포퍼는 증거와 가설 사이의 관계를 논리적으로 정확하게 판단할 수 있고 이를 통해 가설을 정확히 검사할 수 있다고 생각했다. 그러나 증거와 가설이 상충하면 가설이 퇴출된다는 식의 생각은 너무 단순한 것이다. 증거와 가설의 논리적 관계에 대한 판단을 위해서는 증거가 의미하는 것이 무엇인지 파악하는 것이 선행되어야 하기 때문이다. 따라서 우리가 발룽엔의 존재를 염두에 둔다면, '과학적 가설과 증거의 논리적 관계를 정확하게 판단할 수 있다는 생각은 잘못된 것이다.'라고 결론지을 수 있다.

① 모든 과학자들은 발룽엔의 존재를 고려하여 가설을 세워야 한다.
② 과학적 가설에서는 다중적 해설이 가능한 단어는 사용해선 안 된다.
③ 논리적으로 완벽한 과학적 가설을 세우는 것은 불가능하다.
④ 증거와 가설 사이의 관계를 판단할 수 있는 가설을 세워야만 한다.

21 다음 글의 내용과 일치하는 것은?

한글 맞춤법의 원리는 '한글 맞춤법은 표준어를 소리대로 적되, 어법에 맞도록 함을 원칙으로 한다.'라는 「한글 맞춤법」 총칙 제1항에 나타나 있다. 이 조항은 한글 맞춤법을 적용하여 표기하는 대상이 표준어임을 분명히 하고 있다. 따라서 표준어가 정해지면 맞춤법은 이를 어떻게 적을지 결정하는 구실을 한다.

그런데 표준어를 글자로 적는 방식에는 두 가지가 있을 수 있다. 하나는 '소리 나는 대로' 적는 방식이요, 또 하나는 소리 나는 것과는 다소 멀어지더라도 눈으로 보아 '의미가 잘 드러나도록' 적는 방식이다. 이 두 방식이 상충되는 면이 있는 듯하나 한글 맞춤법은 이 두 가지 방식을 적절히 조화시키고 있다. 즉 '소리대로 적되, 어법에 맞도록'이라는 제1항의 구절은 바로 이 두 방식의 절충을 의미하는 것이다. 다시 말해 제1항은 '표준어를 소리 나는 대로 적는다는 원칙과, 어법에 맞게 적는다는 원칙에 어긋나지 않아야 한다.'는 내용을 담고 있는 것이다.

그렇다면 어법에 맞게 적는다는 것은 무슨 뜻인가? 뜻을 파악하기 쉽도록 적는다는 것이다. 그런데 어떻게 적는 것이 뜻을 파악하기 쉽도록 적는 것인가? 그것은 문장에서 뜻을 담당하는 실사(實辭)를 밝혀 적는 방식일 것이다. 예컨대 '꼬치, 꼬츨, 꼰또'처럼 적기보다 실사인 '꽃'을 밝혀 '꽃이, 꽃을, 꽃도'처럼 적는 것이다. '꼬치'와 같이 적는 방식은 소리 나는 대로 적어서 글자로 적기에는 편할 수 있다. 그러나 뜻을 담당하는 실사가 드러나지 않아 눈으로 뜻을 파악하기에는 큰 불편이 따른다. 체언과 용언 어간은 대표적인 실사이다. 실사를 밝혀 뜻을 파악하기 쉽도록 적는다는 것은 체언과 조사를 구별해서 적고 용언의 어간과 어미를 구별해서 적는다는 것이다. 바로 이러한 내용을 포괄하는 내용을 담고 있는 것이 '어법에 맞게' 적는다는 것이다.

정리하면, 제1항의 '소리대로 적되, 어법에 맞도록'이란 구절을 바르게 적용하는 방법은 다음과 같다. 첫째, 어느 쪽으로 적는 것이 어법에 맞는지(즉 뜻을 파악하기 쉬운지) 살펴 그에 따라 적고 둘째, 어느 쪽으로 적든지 어법에 맞는 정도에(뜻을 파악하는 데에) 별 차이가 없을 때에는 소리대로 적는다. 예컨대 '붙이다(우표를 ~)'와 '부치다(힘이 ~)'에서 전자는 동사 어간 '붙-'과 의미상의 연관성이 뚜렷하여 '붙이-'처럼 적어 줄 때 그 뜻을 파악하기 쉬운 이점이 있으므로 소리와 달리 '붙이다'로 적고, 후자는 전자와 달리, 굳이 소리와 다르게 적을 필요가 없으므로 '소리대로'의 원칙에 따라 '부치다'로 적는 것이다.

① 한글 맞춤법은 표준어를 정하는 원칙을 규정한 것이다.
② 어법을 고려해 적으면 뜻을 파악하는 데에 어려움이 따른다.
③ 실사를 밝혀 적는다는 것은 소리 나는 대로 적는다는 의미이다.
④ 표준어를 글자로 적을 때에는 소리와 어법 두 가지를 고려한다.

정답 및 해설 │ P.225

파트1 29문/20분

▌1~5▐ 다음 제시된 단어들의 상관관계를 파악하여 괄호 안에 알맞은 단어를 넣으시오.

1

폐쇄 : 개방 = ( ) : 총명

① 점유　　　　　　　　　② 우둔
③ 횡령　　　　　　　　　④ 상념

2

객 : 손님 = 명 : ( )

① 믿음　　　　　　　　　② 국가
③ 걸음　　　　　　　　　④ 목숨

3

축구 : 손흥민 = ( ) : 김연경

① 탁구　　　　　　　　　② 야구
③ 배구　　　　　　　　　④ 농구

4

보리 : 맥주 = 우유 : ( )

① 치즈 ② 주스

③ 설탕 ④ 간장

5

밀레 : 만종 = 피카소 : ( )

① 별이 빛나는 밤 ② 사과와 오렌지

③ 아비뇽의 처녀들 ④ 유디트

┃6~10┃ 다음 괄호 안에 들어갈 말을 순서대로 나열한 것을 고르시오.

6

걷다 : 걸음 = ( ) : ( )

① 굼말, 굼식구 ② 웃다, 웃음

③ 아름답게, 눈부시게 ④ 별, 바람

7

쌈 : ( ) = 거리 : ( )

① 마늘, 한약 ② 쌀, 전복

③ 바늘, 가지 ④ 사과, 짚

8

황순원 : (　　) = 이상 : (　　)

① 봄봄, 그 여자네 집　　　　　　② 소나기, 봉별기

③ 병신과 머저리, 무진기행　　　　④ 눈길, 장마

9

생물 : (　　) = 문학 : (　　)

① 무생물, 수필　　　　　　　　　② 식물, 작가

③ 동물, 소설　　　　　　　　　　④ 강아지, 문화

10

어둡다 : 밝다 = (　　) : (　　)

① 남자, 여자　　　　　　　　　　② 크다, 작다

③ 춥다, 시원하다　　　　　　　　④ 죽다, 살다

11 높이의 길이가 8cm, 대각선의 길이가 밑변의 길이보다 4cm 긴 직각삼각형이 있다. 이 직각삼각형의 밑변의 길이는?

① 12　　　　　　　　　　　　　② 10

③ 8　　　　　　　　　　　　　　④ 6

12 5점부터 10점까지 있는 과녁에 서현은 8점, 8점, 7점, 6점을 쏘았다. 한 번 더 쏴서 38점 이상이 되어야 서현이 이길 수 있다면 최소 몇 점을 쏘아야 하는가?

① 6

② 7

③ 8

④ 9

13 2개의 주사위를 동시에 던질 때, 주사위에 나타난 숫자의 합이 7이 될 확률과 두 주사위가 같은 수가 나올 확률의 합은?

① $\dfrac{1}{12}$

② $\dfrac{1}{2}$

③ $\dfrac{1}{9}$

④ $\dfrac{1}{3}$

14 농도가 15%인 소금물 100g과 농도가 x%인 소금물 150g을 섞었더니 농도가 12%가 되었다. 나중에 섞은 소금물의 농도는 얼마인가?

① 15%

② 12%

③ 10%

④ 8%

15 작년까지 A시의 지역 축제에서 A시민에게는 50% 할인된 가격으로 입장료를 판매하였는데, 올해부터는 작년 가격에서 각각 5,000원씩 추가 할인하여 판매하기로 했다. 올해 일반 성인입장료와 A시민 성인입장료의 비가 5 : 2일 때, 올해 일반 성인입장료는 얼마인가?

① 30,000원

② 25,000원

③ 20,000원

④ 15,000원

16 주머니 안에 3개의 파란 공, 3개의 노란 공, 4개의 빨간 공이 들어있다. 정아가 한 번 뽑은 다음에 수진이 뽑는다고 할 때 수진이 파란 공을 뽑을 확률은? (단, 한 번 뽑은 공을 다시 주머니에 넣지 않는다.)

① 0.5
② 0.4
③ 0.3
④ 0.2

17 공원을 가는 데 집에서 갈 때는 시속 2km로 가고 돌아 올 때는 3km 먼 길을 시속 4km로 걸어왔다. 쉬지 않고 걸어 총 시간이 6시간이 걸렸다면 처음 집에서 공원을 간 거리는 얼마나 되는가?

① 7km
② 7.5km
③ 8km
④ 8.5km

▌18~20▐ 다음은 일정한 규칙에 따라 배열한 수열이다. 빈칸에 알맞은 것을 고르시오.

18

2 5 10 17 28 ( ) 59	

① 38
② 41
③ 42
④ 44

19

48 43 44 45 40 47 ( ) 49 32	

① 35
② 36
③ 37
④ 38

20

| 13 5 18 23 41 64 105 ( ) |

① 169   ② 160

③ 159   ④ 148

┃21~23┃ 다음 빈칸에 들어갈 알맞은 문자를 고르시오.

21

| C － E － H － L － ( ) |

① A   ② O

③ Q   ④ U

22

| G － M － S － Y － E － ( ) |

① K   ② Q

③ U   ④ I

23

| 개 － 대 － 며 － 쇄 － ( ) |

① 웨   ② 쵀

③ 츠   ④ 키

다음 도형들의 일정한 규칙을 찾아 ? 표시된 부분에 들어갈 도형을 찾으시오.

24

①

②

③

④

25

①

②

③

④

26

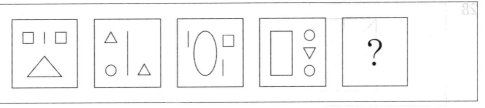

①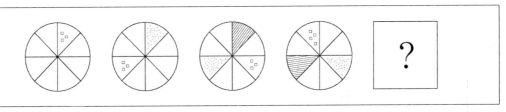

③

27

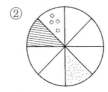

①

③

②

④

28

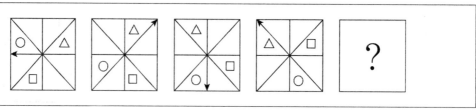

29

A	K	N	D
O	C	I	G
H	M	B	P
J	E	L	F

J	E	L	F
A	K	N	D
O	C	I	G
H	M	B	P

F	L	E	J
D	N	K	A
G	I	C	O
P	B	M	H

→ **?**

①
P	B	M	H
A	K	N	D
O	C	I	G
F	L	E	J

②
D	N	K	A
G	I	C	O
F	L	E	J
P	B	M	H

③
P	B	M	H
F	L	E	J
D	N	K	A
G	I	C	O

④
F	L	E	J
D	N	K	A
O	C	I	G
H	M	B	P

1 다음 글이 설명하고자 하는 것은?

> 구비문학에서는 기록문학과 같은 의미의 단일한 작품 내지 원본이라는 개념이 성립하기 어렵다. 윤선도의 '어부사시사'와 채만식의 '태평천하'는 엄밀하게 검증된 텍스트를 놓고 이것이 바로 그 작품이라 할 수 있지만, '오누이 장사 힘내기' 전설이라든가 '진주 낭군' 같은 민요는 서로 조금씩 다른 종류의 구연물이 다 그 나름의 개별적 작품이면서 동일 작품의 변이형으로 인정되기도 하는 것이다. 이야기꾼은 그의 개인적 취향이나 형편에 따라 설화의 어떤 내용을 좀 더 실감 나게 손질하여 구연할 수 있으며, 때로는 그 일부를 생략 혹은 변경할 수 있다. 모내기할 때 부르는 '모노래'는 전승적 가사를 많이 이용하지만, 선창자의 재간과 그때그때의 분위기에 따라 새로운 노래 토막을 끼워 넣거나 일부를 즉흥적으로 개작 또는 창작하는 일도 흔하다.

① 구비문학의 현장성
② 구비문학의 유동성
③ 구비문학의 전승성
④ 구비문학의 구연성

2 다음 문장들을 순서에 맞게 배열한 것을 고르시오.

> ㉠ 받침점에서 힘점까지의 거리가 받침점에서 작용점까지의 거리에 비해 멀수록 힘점에 작은 힘을 주어 작용점에서 물체에 큰 힘을 가할 수 있다.
> ㉡ 지레는 받침과 지렛대를 이용하여 물체를 쉽게 움직일 수 있는 도구이다.
> ㉢ 이러한 지레의 원리에는 돌림힘의 개념이 숨어 있다.
> ㉣ 지레에서 힘을 주는 곳을 힘점, 지렛대를 받치는 곳을 받침점, 물체에 힘이 작용하는 곳을 작용점이라 한다.

① ㉣ – ㉡ – ㉢ – ㉠
② ㉡ – ㉣ – ㉠ – ㉢
③ ㉠ – ㉡ – ㉣ – ㉢
④ ㉢ – ㉠ – ㉣ – ㉡

3 다음 중 글의 내용과 일치하지 않은 것은?

해안에서 밀물에 의해 해수가 해안선에 제일 높게 들어온 곳과 썰물에 의해 제일 낮게 빠진 곳의 사이에 해당하는 부분을 조간대라고 한다. 지구상에서 생물이 살기에 열악한 환경 중 한 곳이 바로 이 조간대이다. 이곳의 생물들은 물에 잠겨 있을 때와 공기 중에 노출될 때라는 상반된 환경에 삶을 맞춰야 한다. 또한 갯바위에 부서지는 파도의 파괴력도 견뎌내야 한다. 또한 빗물이라도 고이면 민물이라는 환경에도 적응해야 하며, 강한 햇볕으로 바닷물이 증발하고 난 다음에는 염분으로 범벅된 몸을 추슬러야 한다. 이러한 극단적이고 변화무쌍한 환경에 적응할 수 있는 생물만이 조간대에서 살 수 있다.

조간대는 높이에 따라 상부, 중부, 하부로 나뉜다. 바다로부터 가장 높은 곳인 상부는 파도가 강해야만 물이 겨우 닿는 곳이다. 그래서 조간대 상부에 사는 생명체는 뜨거운 태양열을 견뎌내야 한다. 중부는 만조 때에는 물에 잠기지만 간조 때에는 공기 중에 노출되는 곳이다. 그런데 물이 빠져 공기 중에 노출되었다 해도 파도에 의해 어느 정도의 수분은 공급된다. 가장 아래에 위치한 하부는 간조시를 제외하고는 항상 물에 잠겨 있다. 땅위 환경의 영향을 적게 받는다는 점에선 다소 안정적이긴 해도 파도의 파괴력을 이겨내기 위해 강한 부착력을 지녀야 한다는 점에서 생존이 쉽지 않은 곳이다.

조간대에 사는 생물들은 불안정하고 척박한 바다 환경에 적응하기 위해 높이에 따라 수직으로 종이 분포한다. 조간대를 찾았을 때 총알고둥류와 따개비들을 발견했다면 그곳이 조간대에서 물이 가장 높이 올라오는 지점인 것이다. 이들은 상당 시간 물 밖에 노출되어도 수분 손실을 막기 위해 패각과 덮개 판을 꼭 닫은 채 물이 밀려올 때까지 버텨낼 수 있다.

① 따개비는 조간대의 상부에 산다.
② 조간대는 생물이 서식하기에 열악한 환경이다.
③ 총알고둥류와 따개비들은 물밖에 노출되었을 때 덮개 판을 움직여 숨을 쉰다.
④ 중부는 간조 때에 공기 중에 노출되지만 파도에 의해 어느 정도 수분은 공급된다.

4 빈칸에 들어갈 내용으로 알맞은 것은?

나는 이때 온몸으로, 그리고 마음속으로 절절히 느끼게 되었다. (   ) 그렇다. 나는 난 초에게 너무 집념해 버린 것이다. 이 집착에서 벗어나야겠다고 결심했다. 난을 가꾸면서는 산철에도 나그넷길을 떠나지 못한 채 꼼짝을 못 했다. 밖에 볼일이 있어 잠시 방을 비울 때면 환기가 되도록 들 창문을 열어 놓아야 했고, 분(盆)을 내놓은 채 나가다가 뒤미처 생각하고는 되돌아와 들여놓고 나간 적 도 한두 번이 아니었다.

① 집착이 괴로움인 것을   ② 나그넷길에 오를 때가 되었음을
③ 난초에게 소홀했음을   ④ 집착이 곧 사랑임을

┃5~6┃ 다음 글을 읽고 물음에 답하시오.

인간 생활에 있어서 웃음은 하늘의 별과 같다. 웃음은 별처럼 한 가닥의 광명을 던져 주고, 신비로운 암시도 풍겨 준다. 웃음은 또한 봄비와도 같다. 이것이 없었던들 인생은 벌써 사막이 되어 버렸을 것인데, 감미로운 웃음으로 하여 인정의 초목은 무성을 계속하고 있는 것이다.

웃음에는 여러 가지 색채가 있다. 빙그레 웃는 파안대소가 있는가 하면, 갈갈대며 웃는 박장대소가 있다. 깨가 쏟아지는 간간대소가 있는가 하면, 허리가 부러질 정도의 포복절도도 있다. 이러한 종류의 웃음들은 우리 인생에 해로운 것이 조금도 없다.

그러나 웃음이 언제나 우리를 복된 동산으로만 인도하는 것은 아니다. 남을 깔보고 비웃는 냉소도 있고, 허풍도 떨고 능청을 부리는 너털웃음도 있다. 대상을 유혹하기 위하여 눈초리에 간사가 흐르는 눈웃음이 있는가 하면, 상대방의 호기심을 사기 위하여 지어서 웃는 선웃음이라는 것도 있다.

사람이 기쁠 때 웃고 슬플 때 운다고만 생각하면 잘못이다. 기쁨이 너무 벅차면 눈물이 나고 슬픔이 극도에 이르면 도리어 기막힌 웃음보가 터지지 않을 수 없다. 이것은 탄식의 웃음이요, 절망의 웃음이다.

㉠ 그러나 이것은 극단의 예술이요, 대체로 슬플 때 울고, 기쁠 때 웃는 것이 정상이요 일반적이 아닐 수 없다. 마음 속에 괴어 오르는 감정을 표면에 나타내지 않는 것으로써 군자의 덕을 삼는 동양에서는, 치자다소(痴者多笑)라 하여, 너무 헤프게 웃는 것을 경계하여 왔다. 감정적 동물인 인간으로부터, 희로애락(喜怒哀樂)을 불현어외(不顯於外)* 하는 신의 경지에까지 접근하려는 노력과 욕구에서 오는 기우(杞憂)가 아니었을까.

* 불현어외(不顯於外) : 밖으로 드러내지 않음.

5 이 글에 대한 설명으로 적절하지 않은 것은?

① 웃음을 다양한 관점에서 고찰하고 있다.
② 웃음을 인격 완성의 조건으로 보고 있다.
③ 예리한 관찰과 비유적 표현이 나타나 있다.
④ 웃음의 의미를 삶과 관련지어 평가하고 있다.

6 ㉠에서 글쓴이가 경계하고 있는 삶의 태도는?

① 예의를 갖추지 않고 함부로 행동하는 태도
② 감정을 속여서 남에게 피해를 주려는 태도
③ 상황 판단을 못하여 비정상적인 감정을 표현하려는 태도
④ 체면을 중시하여 감정을 제대로 표현하지 않으려는 태도

7 빈칸에 들어 갈 수 있는 내용으로 옳은 것은?

> 미적인 것이란 내재적이고 선험적인 예술 작품의 특성을 밝히는 데서 더 나아가 삶의 풍부하고 생동적인 양상과 가치, 목표를 예술 형식으로 변환한 것이다. 미(美)는 어떤 맥락으로부터도 자율적이기도 하지만 타율적이다. 미에 대한 자율적 견해를 지닌 칸트도 일견 타당하지만, 미를 도덕이나 목적론과 연관시킨 톨스토이나 마르크스도 타당하다. 우리가 길을 지나다 이름 모를 곡을 듣고서 아름답다고 느끼는 것처럼 순수미의 영역이 없는 것은 아니다. 하지만 (   ) 미(美)또한 사회 경제적, 문화적 맥락의 영향을 받기도 한다.

① 시에 묘사된 풍경에 그리운 고향을 떠올리듯

② 그 곡이 독재자를 열렬히 지지하기 위한 선전곡이었음을 안 다음부터 그 곡을 혐오하듯

③ 시에 나타난 운율과 정형성에 감탄하듯

④ 한 편의 시를 통해 작가와 교감하듯

8 주어진 글의 주된 전개 방식으로 옳은 것은?

> 화랑도(花郎道)란, 신라 때의 청소년들이 자신의 마음과 몸을 닦고 목숨을 바쳐 나라를 지키려는 우리 고유의 정신적 흐름을 말한다. 그리고 이를 실천하기 위하여 조직된 단체를 화랑도(花郎徒)라 한다. 그 사회의 중심인물이 되기 위하여 마음과 몸을 단련하고, 올바른 사회생활의 규범을 익히며, 나라가 어려운 시기에 처할 때 싸움터에서 목숨을 바치려는 기풍은 고구려나 백제에도 있었지만, 특히 신라에서 가장 활발하였다.

① 자세한 묘사를 통해 눈에 그려지는 듯 상황을 보여준다.

② 자신의 경험을 제시하여 독자의 공감을 유발한다.

③ 적절한 예시를 활용해 독자의 이해를 돕고 있다.

④ 용어의 정의를 통해 독자의 이해를 돕고 있다.

9~11 다음 글을 읽고 물음에 답하시오.

　　귀납은 현대 논리학에서 연역이 아닌 모든 추론, 즉 전제가 결론을 개연적으로 뒷받침하는 모든 추론을 가리킨다. 귀납은 기존의 정보나 관찰 증거 등을 근거로 새로운 사실을 추가하는 지식 확장적 특성을 지닌다. 이 특성으로 인해 귀납은 근대 과학 발전의 방법적 토대가 되었지만, 한편으로 귀납 자체의 논리적 한계를 지적하는 문제들에 ⓐ부딪히기도 한다.

　　먼저 흄은 과거의 경험을 근거로 미래를 예측하는 귀납이 정당한 추론이 되려면 미래의 세계가 과거에 우리가 경험해 온 세계와 동일하다는 자연의 일양성, 곧 한결같음이 가정되어야 한다고 보았다. 그런데 자연의 일양성은 선험적으로 알 수 있는 것이 아니라 경험에 기대어야 알 수 있는 것이다. 즉 "귀납이 정당한 추론이다."라는 주장은 "자연은 일양적이다."라는 다른 지식을 전제로 하는데 그 지식은 다시 귀납에 의해 정당화 되어야 하는 경험적 지식이므로 귀납의 정당화는 순환 논리에 빠져 버린다는 것이다. 이것이 귀납의 정당화 문제이다.

　　귀납의 정당화 문제로부터 과학의 방법인 귀납을 옹호하기 위해 라이헨바흐는 이 문제에 대해 현실적 구제책을 제시한다. 라이헨바흐는 자연이 일양적일 수도 있고 그렇지 않을 수도 있음을 전제한다. 먼저 자연이 일양적일 경우, 그는 지금까지의 우리의 경험에 따라 귀납이 점성술이나 예언 등의 다른 방법보다 성공적인 방법이라고 판단한다. 자연이 일양적이지 않다면, 어떤 방법도 체계적으로 미래 예측에 계속해서 성공할 수 없다는 논리적 판단을 통해 귀납은 최소한 다른 방법보다 나쁘지 않은 추론이라고 확언한다. 결국 자연이 일양적인지 그렇지 않은지 알 수 없는 상황에서는 귀납을 사용하는 것이 옳은 선택이라는 라이헨바흐의 논증은 귀납의 정당화 문제를 현실적 차원에서 해소하려는 시도로 볼 수 있다.

　　귀납의 또 다른 논리적 한계로 어떤 현대 철학자는 미결정성의 문제를 지적한다. 이 문제는 관찰 증거만으로는 여러 가설 중에 어느 하나를 더 나은 것으로 결정할 수 없다는 것이다. (㉠) 몇 개의 점들이 발견되었을 때 그 점들을 모두 지나는 곡선은 여러 개이기 때문에 어느 하나로 ⓑ결정되지 않는다. 예측의 경우도 마찬가지이다. 다음에 발견될 점을 예측할 때, 기존에 발견된 점들만으로는 다음에 찍힐 점이 어디에 나타날지 ⓒ확정할 수 없다. 아무리 많은 점들을 관찰 증거로 추가하더라도 하나의 예측이 다른 예측보다 더 낫다고 결정하는 것은 여전히 불가능하다는 것이다.

　　(㉡) 미결정성의 문제가 있다고 하더라도 대부분의 현대 철학자들은 귀납을 과학의 방법으로 인정하고 있다. 이들은 귀납의 문제를 직접 해결하려 하기보다 확률을 도입하여 개연성이라는 귀납의 특징을 강조하려 한다. 이에 따르면 관찰 증거가 가설을 지지하는 정도 즉 전제와 결론 사이의 개연성은 확률로 표현될 수 있다. 또한 하나의 가설이 다른 가설보다, 하나의 예측이 다른 예측보다 더 낫다고 확률적 근거에 의해 판단할 수 있다는 것이다. 이처럼 확률 논리로 설명되는 개연성은 일상적인 직관에도 잘 ⓓ들어맞는다. 이러한 시도는 귀납의 문제를 근본적으로 해결하는 것은 아니지만, 귀납은 여전히 과학의 방법으로서 그 지위를 지킬 만하다는 사실을 보여 준다.

9 다음 빈칸 ㉠과 ㉡에 들어 갈 접속어를 순서대로 나열한 것은?

① 그럼으로, 그래도

② 예를 들어, 그러나

③ 하지만, 그렇지 않으면

④ 예컨대, 더욱이

10 밑줄 친 '현실적 구제책'에 대한 설명으로 적절하지 않은 것은?

① 자연이 일양적일 수도 그렇지 않을 수도 있다는 전제 하에 전개된다.

② 어떠한 방법도 미래를 완벽히 예측할 수 없다는 논리적 판단으로 귀납의 가치를 보여준다.

③ 경험적 판단과 논리적 판단을 모두 이용하여 귀납을 옹호한다.

④ 귀납을 사용하기 전에 자연이 일양적인지 그렇지 않은 지에 대한 판단을 선행한 후에 사용되어야함을 말한다.

11 문맥상 ⓐ~ⓓ와 바꿔 쓰기에 적절하지 않은 것은?

① ⓐ : 직면하기도 한다.

② ⓑ : 귀결되지 않는다.

③ ⓒ : 획정할 수 없다.

④ ⓓ : 부합한다.

12 다음 상황을 나타내는 말로 가장 적절한 것은?

> 생체를 얼리고 녹이는 기술이 빠른 속도로 발전하면서 냉동 인간의 소생 가능성에 대한 관심이 높아지고 있다. 현재의 저온 생물학 기술은 1948년 인간의 정자를 최초로 냉동하는 데 성공한 이래, 크기가 가장 큰 세포인 난자에 대해서도 성공을 거두고 있다. 지금까지 개발된 세계 최고의 생체 냉동 기술은 세포 수준을 넘은 강낭콩 크기 만한 사람의 난소를 얼려 보관한 뒤 이를 다시 녹여서 이식해 임신하도록 하는 수준이다. 이것 역시 한국의 의사들이 일궈 낸 것이다. 이제 냉동 인간에 대한 꿈은 세포 수준을 넘어 조직까지 그 영역을 넓히고 있다. 하지만 인체가 이보다 수백, 수천 배 큰 점을 감안하면 통째로 얼린 뒤 되살리는 기술의 개발에는 얼마나 긴 세월이 필요할지 짐작하기 힘들다.
>
> 한편 냉동 인간은 기술 개발과는 별개로 윤리적 문제도 야기하리라 예상된다. 냉동시킨 사람이 나중에 살아난 경우 친인척 사이에 연배 혼란이 생길 수 있고, 한 인간으로서의 존엄성을 인정받기가 곤란하다는 것이다. 특히 뇌만 냉동 보관하는 경우 뇌세포에서 체세포 복제 기술로 몸을 만들어 내야 하는 문제도 발생할 수 있다. 어쩌면 냉동 인간은 최근의 생명 복제 기술처럼 또 다른 윤리적 문제를 잉태한 채 탄생을 준비하고 있는지도 모른다.

① 양날의 칼
② 물 위의 기름
③ 어둠 속의 등불
④ 유리벽 속의 보석

13 다음 글의 저자가 말하고자하는 주된 내용은 무엇인가?

> 로마는 '마지막으로 보아야 하는 도시'라고 합니다. 장대한 로마 유적을 먼저 보고 나면 다른 관광지의 유적들이 상대적으로 왜소하게 느껴지기 때문일 것입니다. 로마의 자부심이 담긴 말입니다. 그러나 나는 당신에게 제일 먼저 로마를 보라고 권하고 싶습니다. 왜냐하면 로마는 문명이란 무엇인가라는 물음에 대해 가장 진지하게 반성할 수 있는 도시이기 때문입니다. 문명관(文明觀)이란 과거 문명에 대한 관점이 아니라 우리의 가치관과 직결되어 있는 것입니다. 그리고 과거 문명을 바라보는 시각은 그대로 새로운 문명에 대한 전망으로 이어지기 때문입니다.

① 문명을 반성적으로 바라볼 수 있는 가치관이 중요하다.
② 로마 유적에 대한 로마의 자부심이 가공할 만하다.
③ 우리는 현대의 관점에서 문명을 받아들여야한다.
④ 여행을 할 때는 가장 먼저 로마를 보는 것이 좋다.

14 다음 빈칸 A, B에 들어갈 접속어을 순서대로 나열한 것은?

> 평화로운 시대에 시인의 존재는 문화의 비싼 장식일 수 있다. (A   ) 시인의 조국이 비운에 빠졌거나 통일을 잃었을 때 시인은 장식의 의미를 떠나 민족의 예언가가 될 수 있고, 민족혼을 불러일으키는 선구자적 지위에 놓일 수도 있다. (B   ) 스스로 군대를 가지지 못한 채 제정 러시아의 가혹한 탄압 아래 있던 폴란드 사람들은 시인의 존재를 민족의 재생을 예언하고 굴욕스러운 현실을 탈피하도록 격려하는 예언자로 여겼다. 또한 통일된 국가를 가지지 못하고 이산되어 있던 이탈리아 사람들은 시성 단테를 유일한 '이탈리야'로 숭앙했고, 제1차 세계대전 때 독일군의 잔혹한 압제 하에 있었던 벨기에 사람들은 베르하렌을 조국을 상징하는 시인으로 추앙하였다.

① 하지만, 그리하여

② 그렇기 때문에, 또한

③ 그러나, 예를 들면

④ 그래서, 더욱이

15 ㉠~㉣을 고쳐 쓴 말로 옳지 않은 것은?

> 부자가 되어야 행복해진다고 생각하는 사람은 스스로 부자라고 만족할 때까지는 행복해지지 못한다. ㉠부자가 되면 원하는 것을 모두 소유하게 된다. 자기보다 더 큰 부자가 있다고 생각될 때는 여전히 불만과 불행에 사로잡히기 때문이다. ㉡그래서 최소한의 경제적 여건에 자족하면서 정신적 창조와 인격적 성장을 꾀하는 사람은 얼마든지 차원 높은 행복을 누릴 수 있다. 소유에서 오는 ㉢행복이 낮은 차원의 것이지만 성장과 창조적 활동에서 얻는 행복은 비교할 수 없이 고상한 것이다. 그러나 사람들은 소유에서 오는 ㉣행복은 소중히 여기면서 정신적 창조와 인격적 성장에서 오는 행복은 모르고 사는 경우가 많다.

① ㉠은 글의 논리적 흐름을 방해하고 있음으로 삭제한다.

② ㉡은 앞뒤 내용을 자연스럽게 연결해하지 못하므로 '그러나'로 바꾼다.

③ ㉢은 서술어와 조응되지 않으므로 '행복은'으로 바꾼다.

④ ㉣글의 중심내용과 어울리지 않으므로 '행복은 소중하지 않고'로 바꾼다.

16 다음 내용에서 주장하고 있는 것은?

> 기본적으로 한국 사회는 본격적인 자본주의 시대로 접어들었고 그것은 소비사회, 그리고 사회 구성원들의 자기표현이 거대한 복제기술에 의존하는 대중문화 시대를 열었다. 현대인의 삶에서 대중매체의 중요성은 더욱 높아지고 있으며 따라서 이제 더 이상 대중문화를 무시하고 엘리트 문화지향성을 가진 교육을 하기는 힘든 시기에 접어들었다. 세계적인 음악가로 추대 받고 있는 비틀지도 영국 고등학교가 길러낸 음악가이다.

① 세계적인 음악가의 탄생을 위해 고등학교에서의 음악 수업 강화가 필요하다.
② 대중문화의 중요성이 높아지는 만큼 대중문화를 인정하는 것이 필요하다.
③ 교양 있는 현대 음악가를 배출하기 위해서는 고전 음악에 대한 교육이 필요하다.
④ 한국 대중문화에 대한 검열이 필요하다.

17 다음 중 괄호 안에 들어갈 말로 가장 적절한 것은?

> 언어는 외부 세계를 반영할 때 있는 그대로 반영하지 않고 연속적으로 이루어져 있는 세계를 불연속적인 것으로 끊어서 표현한다. 실제로 무지개 색깔 사이의 경계를 찾아볼 수 없는데도 우리는 무지개 색깔이 일곱 가지라고 말한다. 이를 통해 알 수 있는 언어의 특성을 언어의 (   )이라고 한다.

① 분절성   ② 역사성
③ 자의성   ④ 사회성

18 다음 글의 설명 방법으로 적절한 것은?

> 1636년 국호를 청(淸)으로 고친 청 태종은 조선에 최후통첩을 보내 조선의 왕자를 볼모로 보내고 청과의 대결을 주장하는 척화론자들을 압송하라고 요구한다. 조선의 집권층이 이를 무시하자, 청 태종은 그해 12월 조선에 침입한다. 청의 선봉 부대가 한양에 접근하자 인조는 급히 남한산성으로 피신하나, 곧 청군에 포위된다. 결국 인조는 남한산성을 나와 삼전도에서 청 태종에게 항복하고, 청은 소현 세자와 봉림 대군을 볼모로 잡고 대표적인 척화론자들인 홍익한, 윤집, 오달제 등 3학사를 체포해 철군한다.

① 다양한 예시를 통해 이해를 돕고 있다.
② 역사적 사건이 눈앞에 펼쳐지듯 자세하고 생동감 있게 묘사하였다.
③ 한 개념을 일정한 기준에 따라 나누어 설명한다.
④ 실제 역사적 사건을 시간의 순서에 따라 서술하였다.

아들러는 우월성이란 개념을 자기완성 혹은 자아실현이란 의미로 사용하였다. 아들러는 인간의 자기 신장, 성장, 능력을 위한 모든 노력의 근원이 열등감이라고 말했다. 그러나 '인간이 추구하는 궁극적인 목적은 무엇인가?', '삶의 일관성과 통일성을 부여하는 것은 무엇인가?', '인간은 단지 열등감의 해소만을 추구하는가?', '인간은 단지 타인을 능가하기 위해서만 동기화 되는가?' 이러한 질문들에 대해 아들러는 1908년까지는 '공격성'으로, 1910년경에는 '힘에 대한 의지'로, 그 후부터는 '우월성 추구'라는 개념으로 설명했다.

우월성의 추구는 삶의 기초적인 사실로 모든 인간이 문제에 직면하였을 때 부족한 것은 보충하며, 낮은 것은 높이고, 미완성의 것은 완성하며, 무능한 것은 유능한 것으로 만드는 경향성이다. 즉 우월성의 추구는 모든 사람의 선천적인 경향성으로 일생을 통해 환경을 적절히 통제하며 동기의 지침이 되어 심리적인 활동은 물론 행동을 안내한다. 아들러는 우월성의 추구를 모든 인생의 문제 해결의 기초에서 볼 수 있으며 사람들이 인생의 문제에 부딪히는 양식에서 나타난다고 하였다. 출생에서 사망에 이르기까지 우월성 추구의 노력은 인간을 현 단계에서 보다 넓은 단계의 발달로 이끌어 준다. 모든 욕구는 완성을 위한 노력에서 비롯되기 때문에 분리된 욕구란 존재하지 않는다.

우월성 추구는 그 자체가 수천 가지 방법으로 나타날 수 있으며, 모든 사람들은 자신의 성취나 성숙을 추구하는 일정한 노력의 형태를 가지고 있다고 한다. 우월성의 추구는 다음과 같은 특징들로 설명된다. 첫째, 우월성의 추구는 유아기의 무능과 열등에 뿌리를 두고 있는 기초적 동기이다. 둘째, 이 동기는 정상인과 비정상인에게 공통적으로 존재한다. 셋째, 추구의 목표는 긍정적 또는 부정적 방향이 있다. 긍정적 방향은 개인의 우월성을 넘어서 사회적 관심, 즉 타인의 복지를 추구하며, 건강한 성격이다. 부정적 방향은 개인적 우월성, 즉 이기적 목표만을 추구하며, 이를 신경증적 증상으로 본다. 넷째, 우월성의 추구는 많은 힘과 노력을 소모하는 것이므로 긴장이 해소되기보다는 오히려 증가한다. 다섯째, 우월성의 추구는 개인 및 사회 수준에서 동시에 일어난다. 즉 개인의 완성을 넘어서 문화의 완성도 도모한다는 것이다. 이러한 관점에서 아들러는 개인과 사회의 관계가 갈등하는 관계가 아니라 조화로운 관계로 파악하였다.

이러한 특징을 통해 우월성의 추구가 건전하게 이루어진 성격에 사회적 관심을 가미하고 있음을 이해할 수 있다. 즉 사회적 관심을 가진 바람직한 생활양식을 바탕으로 한 우월성 추구가 건강한 삶이라고 할 수 있다.

19 위 글에 대한 설명으로 옳은 것은?

① 개념에 대한 체험을 밝히고 다양한 예시들을 나열한다.
② 하나의 개념을 밝히고 그 특징을 자세히 설명하고 있다.
③ 개념에 대한 문제점을 지적하고 대안을 제시한다.
④ 다양한 개념을 제시하고 사례를 통해 이해를 돕는다.

20 위 글을 읽고 알 수 있는 내용을 적절하지 않은 것은?

① 인간은 우월성 추구를 통하여 성장한다.
② 우월성 추구는 일정한 노력의 형태로 자신의 성취나 성숙을 추구한다.
③ 우월성 추구는 문화의 완성을 도모하여 개인과 사회의 관계를 조화로운 관계로 파악한다.
④ 우월성은 노력을 유발하고 준비상태로 만들어 긴장을 해소시킨다.

21 다음 밑줄 친 어휘들 중 필자가 부정적으로 생각하는 것은 무엇인가?

불문곡직하는 직설은 사람을 찌른다. 깜짝 놀라게 해서 제압하는 방식이다. 거기 비해 완곡함은 뜸을 들이면서 에두른다. 듣고 읽는 이가 비켜갈 ①틈을 준다. 그렇다고 완곡함이 곡필인 것도 아니다. 잘못된 길로 접어들도록 하는 게 아니라 화자와 독자의 교행이 이루어지는 ②공간을 준다. 곱씹어볼 말이 사라지고 상상의 ③여지를 박탈하는 글이 군립하는 세상은 살풍경하다. 말과 글이 세상을 따라 갈진대 세상을 갈아엎지 않고 말과 글이 세상과 함께 아름답기는 난망한 일인가. 아마 아닐 것이다. 막힐수록 옛것을 더듬으라고 했다. 물태와 인정이 극으로 나뉘는 ④세상에서 다산은 선인들이 왜 산을 바라보며 즐기되 그 흥취의 반을 항상 남겨두는지 궁금했다. 그는 미인을 만났던 사람이 적어놓은 글에서 그 까닭을 발견했다. 그가 본 글은 이러했다. '얼굴은 아름다웠으나 그 자태는 기록하지 않았다.'

제3회 모의고사

정답 및 해설 | P.232

파트1 29문/20분

▌1~5▌ 다음 제시된 단어들의 상관관계를 파악하여 괄호 안에 알맞은 단어를 넣으시오.

1

동의 : 동조 = 숙연 : (   )

① 숙기
② 숙청
③ 엄숙
④ 숙민

2

마루 : 널빤지 = (   ) : 돌

① 물
② 제방
③ 흙
④ 나무

3

부결 : 통과 = 소담 : (   )

① 부족
② 과분
③ 개정
④ 안락

4

中国 : 베이징 = 네덜란드 : (   )

① 스톡홀름　　　　　　　　② 암스테르담
③ 바르샤바　　　　　　　　④ 오슬로

5

온도계 : 열 = 리트머스 : (   )

① 산성　　　　　　　　② 용액
③ 검사　　　　　　　　④ 확인

┃6~10┃ 다음 괄호 안에 들어갈 말을 순서대로 나열한 것을 고르시오.

6

메주 : (   ) = 한지 : (   )

① 콩, 닥나무　　　　　　　　② 팥, 뽕나무
③ 콩, 옻나무　　　　　　　　④ 팥, 참나무

7

실로폰 : 마림바 = (   ) : (   )

① 걸작, 졸작　　　　　　　　② 기린, 원숭이
③ 강등, 좌천　　　　　　　　④ 승진, 연봉

8

( ) : ( ) = 입석 : 좌석

① 추위, 더위　　　　　　　　　② 흑자, 적자

③ 다수, 소수　　　　　　　　　④ 구두, 서면

9

명함 : 자기소개 = ( ) : ( )

① 희곡, 문학　　　　　　　　　② 현미경, 관찰

③ 절약, 정신　　　　　　　　　④ 수화기, 전화기

10

콩쥐 : 팥쥐 = ( ) : ( )

① 설화, 동화　　　　　　　　　② 잔치, 유리구두

③ 두꺼비, 12시　　　　　　　　④ 신데렐라, 새언니

11 아래 과녁에 화살을 쏘아 총점이 40점이 되려면 최소한 몇 번을 쏘아야 하는가?

4 5 11 13

① 3번　　　　　　　　　　　　② 4번

③ 5번　　　　　　　　　　　　④ 6번

12 휘발유 1리터로 12km를 가는 자동차가 있다. 연료계기판의 눈금이 $\frac{1}{3}$을 가리키고 있었는데 20리터의 휘발유를 넣었더니 눈금이 $\frac{2}{3}$를 가리켰다. 이후 300km를 주행했다면, 남아 있는 연료는 몇 리터인가?

① 15L
② 16L
③ 17L
④ 18L

13 바구니에 4개의 당첨 제비를 포함한 10개의 제비가 들어있다. 이 중에서 갑이 먼저 한 개를 뽑고, 다음에 을이 한 개의 제비를 뽑는다고 할 때, 을이 당첨제비를 뽑을 확률은? (단, 한 번 뽑은 제비는 바구니에 다시 넣지 않는다.)

① 0.2
② 0.3
③ 0.4
④ 0.5

14 어느 공장에서 작년에 x제품과 y제품을 합하여 1000개를 생산하였다. 올해는 작년에 비하여 x의 생산이 10% 증가하고, y의 생산은 10% 감소하여 전체로는 4% 증가하였다. 올해에 생산된 x제품의 수는?

① 550
② 600
③ 660
④ 770

15 아날로그 시계에서 7시와 8시 사이에 시침과 분침이 겹치는 시각은 언제인가? (초침은 고려하지 않으며 소수점 첫째 자리에서 반올림한다.)

① 36분
② 37분
③ 38분
④ 39분

16 입장료가 1,500원인 어느 미술 전람회에서 30명 이상의 단체에 대해서는 입장료의 2할을 할인해 준다고 한다. 이때, 30명 미만의 단체가 30명 단체로 표를 사서 할인 혜택을 받는 것이 유리한 것은 몇 명 이상인 경우인가?

① 22명   ② 23명

③ 24명   ④ 25명

17 '갑'은 친구 4명과 함께 놀이공원에 갔다. 5명이 함께 타는 놀이기구는 몸무게 순서대로 앉는다. 다음 설명을 보고, 가운데 앉는 사람을 고르시오.

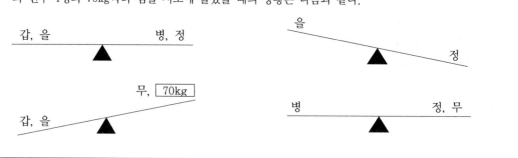

'갑'의 몸무게는 70kg인데, 다른 친구들이 몸무게를 밝히지 않아 시소를 타서 비교하려고 한다. '갑'과 친구 4명과 70kg짜리 짐을 시소에 올렸을 때의 상황은 다음과 같다.

① 을   ② 병

③ 정   ④ 물

| 18~20 | 다음은 일정한 규칙에 따라 배열한 수열이다. 빈칸에 알맞은 것을 고르시오.

18

3 4 8 9 18 19 (   )

① 36 ② 37

③ 38 ④ 39

19

1 6 3 18 9 54 (   )

① 27 ② 35

③ 78 ④ 108

20

2 3 6 5 11   4 7 28 2 30   2 1 (   ) 1 3

① 0 ② 1

③ 2 ④ 3

| 21~23 | 다음 빈칸에 들어갈 알맞은 것을 고르시오.

21

$$N - L - O - K - P - J - (\quad)$$

① A　　　　　　　　　② D
③ Q　　　　　　　　　④ Z

22

ㄱ	ㅂ		ㄴ
12	17		27

① $\dfrac{ㅋ}{22}$　　　　　　② $\dfrac{ㅌ}{22}$

③ $\dfrac{ㅋ}{24}$　　　　　　④ $\dfrac{ㅌ}{24}$

23

A	C		J
ㅌ	ㅊ		ㅂ
가	라		차
5	10		35

①

F
ㅇ
사
20

②

G
ㅅ
바
15

③

H
ㅈ
자
20

④

I
ㅂ
아
25

24

25

26

①

②

③

④

27

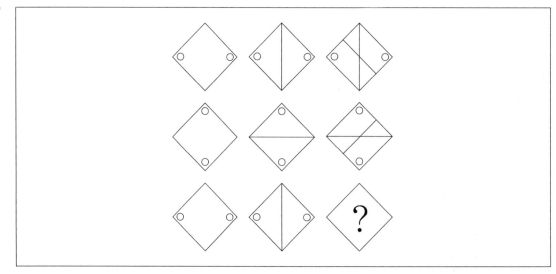

①

②

③

④

28

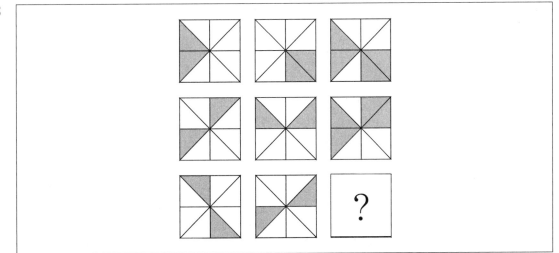

①

②

③

④

29

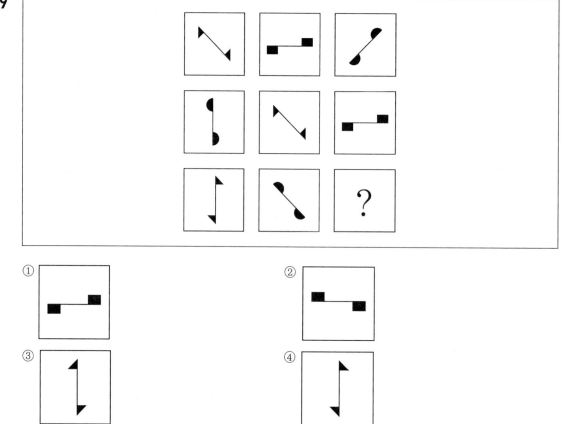

▌1~2 ▌ 다음 글을 읽고 물음에 답하시오.

> ㈎ 바야흐로 "21세기는 문화의 세기가 될 것이다."라는 전망과 주장은 단순한 바람의 차원을 넘어서 보편적 현상으로 인식되고 있다. 이러한 현상은 세계 질서가 유형의 자원이 힘이 되었던 산업사회에서 눈에 보이지 않는 무형의 지식과 정보가 경쟁력의 원천이 되는 지식 정보 사회로 재편되는 것과 맥을 같이 한다.
>
> ㈏ 지금까지의 산업사회에서 문화와 경제는 각각 독자적인 영역을 유지해 왔다. 그러나 지식정보사회에서는 경제성장에 따라 소득 수준이 향상되고 교육 기회가 확대되면서 물질적 풍요를 뛰어넘는 삶의 질을 고민하게 되었고, 모든 재화와 서비스를 선택할 때 기능성을 능가하는 문화적, 미적 가치를 고려하게 되었다.
>
> ㈐ 이제 문화는 배부른 자나 유한계급의 전유물이 아니라 생활 그 자체가 되었다. 고급문화와 대중문화의 경계가 무너지고 장르 간 구분이 모호해지면서 서로 다른 문화가 뒤섞여 새로운 문화가 생겨나고 있다. 이렇게 해서 나타나는 퓨전 문화가 대중적 관심을 끌고 있는 가운데 이율배반적인 것처럼 보였던 문화와 경제의 공생 시대가 열린 것이다. 특히 경제적 측면에서 문화는 고전 경제학에서 말하는 생산의 3대 요소인 토지 · 노동 · 자본을 대체하는 생산 요소가 되었을 뿐만 아니라 경제적 자본 이상의 주요한 자본이 되고 있다.

1 주어진 글의 내용과 일치하지 않는 것은?

① 문화와 경제가 서로 도움이 되는 보완적 기능을 하는 공생 시대가 열렸다.

② 산업사회에서 문화와 경제는 각각 독자적인 영역을 유지해 왔다.

③ 이제 문화는 부유층의 전유물이 아니라 생활 그 자체가 되었다.

④ 고급문화와 대중문화가 각자의 영역을 확고히 굳히며 그 깊이를 더하고 있다.

2 주어진 글의 흐름에서 볼 때 아래의 글이 들어갈 적절한 곳은?

> 뿐만 아니라 정보통신이 급격하게 발달함에 따라 세계 각국의 다양한 문화를 보다 빠르게 수용하면서 문화적 욕구와 소비를 가속화시켰고, 그 상황 속에서 문화와 경제는 서로 도움이 되는 보완적 기능을 하게 되었다.

① ㈎ 앞   ② ㈎와 ㈏ 사이

③ ㈏와 ㈐ 사이   ④ ㈐ 다음

|3~5| 다음 글을 읽고 물음에 답하시오.

사대부들이 훈민정음의 사용을 반대했던 내면적인 이유는, 문자 체계에 대한 그들의 독점 체제를 유지하려는 데에 있었다. 사대부들은 문자 체계의 독점으로 인한 상대적인 이득을 유지하고 싶었던 것이다. 문자는 일시적으로 사라지는 말과는 달리 원거리 의사소통을 가능하게 하고, 기록으로 남겨 권리의 증거로 삼을 수 있으며, 대대로 지식을 전할 수 있다는 장점이 있다. 한자를 모르던 일반 백성들은 행정절차나 법률, 경제활동 등에 제약을 받을 수밖에 없었다. 조선 후기에, 신분 체계에 유동성이 생기고 상업이나 공업 등 근대적 산업에 대한 인식이 서서히 바뀌기 시작한 것과 – 비록 문학작품을 중심으로 보급되기는 했으나 – 한글의 보급 현상과는 무관하지 않다.

현대를 일컬어 흔히 '정보화 시대'라고 한다. 정보화 시대란 지식이 곧 권력을 낳는 시대라는 말과 같다. 그러한 의미에서 우리나라 민주주의에도 한글이 공헌한 바가 크다. 한글은 우리나라의 문맹률을 낮추었고, 결과적으로 지식과 정보를 공유하는 데에 결정적인 기여를 했기 때문이다. 권력을 형성하는 지식, 그리고 그 지식을 공유시켜 민주주의에 이바지하기 위한 문자의 보급은 ㉠ ___의 관계에 있다. 특히 오늘날, 인터넷을 중심으로 개별적이면서도 대량의 정보가 유통되는 컴퓨터 통신은 기존의 신문이나 방송과 달리 쌍방향 의사소통 체계로 보다 진보적인 민주주의적 의사소통 수단이다. 컴퓨터 통신 시대에는 <u>한글의 역할</u>도 그만큼 증대될 것으로 기대된다.

3 다음 중 위 글의 빈칸 ㉠에 들어갈 단어로 가장 적절한 것은?

① 부득불　　　　　　　　　② 불가불
③ 미상불　　　　　　　　　④ 불가분

4 위 글의 내용으로 알 수 없는 내용은?

① 컴퓨터 통신에 이용되는 신조어
② 한글이 민주주의에 끼친 영향
③ 사대부들이 한글 사용을 반대했던 이유
④ 한글이 보급되는 과정

5 다음 중 위 글의 밑줄 친 '한글의 역할'로 가장 적절한 것은?

① 문맹률을 낮추는 역할
② 지식과 정보를 공유할 수 있게 만드는 역할
③ 대량의 정보를 유통시키는 역할
④ 문학적 표현을 자유롭게 만드는 역할

6 다음 제시된 글의 주제로 가장 적합한 것은?

나는 10년 전에 금강산을 유람하여 한 달 동안 다니다가 돌아왔다. 바다는 출렁이고 산은 높이 솟아 그 광경은 무어라 말로 형용할 길이 없었다. 유람하는 이들은 줄지어 이어지고 안개와 구름은 무심하였다. 여기저기 신령스런 골짜기와 신비한 전각들, 이런 것이 마침내 일대 장관으로 다가왔다. 구룡연, 만물상, 수미봉, 옥경대 같은 여러 뛰어난 경치는 금강산에서도 특히 이름난 것이다. 그런데 경관이 기이하고 그윽한 언덕과 골짜기가 또 있어, 만일 이름을 붙여 널리 전파한다면 명승의 대열에 끼일 수 있을 터였다. 그러나 무도 거친 수풀과 우거진 넝쿨 사이에 가려지고 묻혀 있었다.

이로 말미암아 생각하건대 사람 또한 이와 같다. 관각(館閣)에서 능력을 발휘하여 문화를 빛내고, 낭묘(廊廟)에서 예복을 입고 왕정(王政)을 보좌하여, 육경(六經)의 참뜻이 뭇 백성에게 파급되게 하는 분들은 말할 필요도 없다. 그런데 여항의 사람에 이르러서는 기릴만한 경술(經術)이나 공적은 없지만, 그 언행에 혹 기록할 만한 것이 있는 사람, 그 시문에 혹 전할 만한 것이 있는 사람이라도 모두 적막한 구석에서 초목처럼 시들어 없어지고 만다. 아아, 슬프도다! 내가 '호산외기(壺山外記)'를 지은 까닭이 여기에 있다.

① 자연의 위대함을 제대로 알고 즐겨야 한다.
② 정치를 바로 잡기 위하여 힘쓰는 것이 선비의 도리이다.
③ 세상에 알려져 인정받는 존재가 아니더라도 본받을 만한 사람이 많다.
④ 한 눈 팔지 말고 학문에만 정진하는 것을 본받아야 한다.

┃7~8┃ 다음 문장들을 순서에 맞게 배열한 것을 고르시오.

7

> (가) 이는 대중매체가 외래문화의 편향된 수용에 앞장서고 있기 때문이다.
>
> (나) 청소년들 사이에 문화사대주의의 현상이 널리 퍼져 있다.
>
> (다) 따라서 대중매체에서 책임의식을 가지고 올바른 문화관을 전파해야 한다.
>
> (라) 청소년은 어른들보다 새로운 가치에 대한 적응이 빠르므로 대중 매체의 영향을 크게 받는다.

① (나)－(라)－(가)－(다)

② (나)－(다)－(라)－(가)

③ (가)－(라)－(나)－(다)

④ (나)－(가)－(라)－(다)

8

(가) 이 그림의 부제가 암시하듯, 그림 속의 사물들은 각각 인간의 오감을 상징한다. 당시 많은 화가들이 따랐던 도상적 관례에 의거하면, 붉은 포도주와 빵은 미각과 성찬을 상징한다. 카네이션은 그리스도의 수난과 후각을, 만돌린과 악보는 청각을 나타낸다. 지갑은 탐욕을, 트럼프 카드와 체스 판은 악덕을 상징하는데, 이들은 모두 촉각을 상징하기도 한다. 그림 오른편 벽에 걸려 있는 팔각형의 거울은 시각과 함께 교만을 상징한다.

(나) 루뱅 보쟁의 〈체스 판이 있는 정물-오감〉에는 테이블 위로 몇 가지 물건들이 보인다. 흑백의 체스 판 위에는 카네이션이 꽂혀 있는 꽃병이 놓여 있다. 꽃병에 담긴 물과 꽃병의 유리 표면에는 이 그림 광원인 창문과 거기에서 나오는 다양한 빛의 효과가 미묘하게 표현되어 있다. 그 빛은 테이블 왼편 끝에 놓인 유리잔에도 반사될 뿐만 아니라, 술잔과 꽃병 사이에 놓인 흰 빵, 테이블 전면에 놓인 만돌린과 펼쳐진 악보, 지갑과 트럼프 카드에도 골고루 비치고 있다. 이처럼 보쟁은 섬세한 빛의 처리를 통해 물건들에 손으로 만지는 듯한 질감과 함께 시각적 아름다움을 부여했다.

(다) 이와 같은 사물들의 다의적인 의미에도 불구하고, 당시 오감을 주제로 그린 다른 화가들의 작품들로부터 이 그림의 의미를 찾을 수 있다. 당시 대부분의 오감 정물화는 세상의 부귀영화가 얼마나 허망한지를 강조하며, 현실의 욕망에 집착하지 말고 영적인 성장을 위해 힘쓰라고 격려했다. 이 사실로부터 우리는 중세적 도상 전통에서 '일곱 가지 커다란 죄'중의 교만을 상징하는 거울에 주목하게 된다. 이때 거울은 자기 자신의 인식, 깨어 있는 의식에 대한 필요성으로 이해된다. 그런 점에서 이 그림은 감각적인 온갖 악덕에 빠질 수 있는 자신을 가다듬고 경계하라는 의미를 암시하고 있다. 보쟁의 정물화 속에 그려진 하나하나의 감각을 음미하다 보면 매우 은은하고 차분한 느낌과 함께 일종의 명상에 젖게 된다.

(라) 17세기 네덜란드의 경제가 급성장하고 부가 축적됨에 따라 새롭게 등장한 시민계급은 이전의 귀족과 성직자들이 즐기던 역사화나 종교화와는 달리 자신들에게 친근한 주제와 형식의 그림을 선호하게 되었다. 이러한 현실적이고 실용적인 취향에 따라 출현한 정물화는 새로운 그림 후원자들의 물질에 대한 태도를 반영했다. 화가들은 다양한 사물을 통해 물질적 풍요와 욕망을 그려 냈다. 동시에 그들은 그려진 사물을 통해 부와 화려함을 경계하는 기독교적 윤리관을 암시했다.

① (가)-(나)-(다)-(라) ② (나)-(다)-(가)-(라)

③ (다)-(라)-(나)-(가) ④ (라)-(나)-(가)-(다)

9

신문의 후보 지지 선언이 과연 바람직한가에 대한 논쟁이 계속되고 있다. 후보 지지 선언이 언론의 공정성을 훼손할 수 있다는 것이 이 논쟁의 핵심 내용이다. 이런 논쟁이 일어나는 이유는 신문의 특정 후보 지지가 언론의 권력을 강화하는 도구로 이용될 뿐만 아니라, 수많은 쟁점들이 복잡하게 얽혀 있는 선거에서는 후보에 대한 독자의 판단을 선점하려는 비민주적인 행위가 될 수 있기 때문이다. 일부 정치 세력이 신문의 후보 지지선언을 정치 선전에 이용하는 문제점 또한 이에 대한 비판의 근거로 제시되고 있다.

신문이 특정 후보를 공개적으로 지지하는 것은 (   ) 하지만 그로 인해 보도의 공정성을 담보하는 데에 어려움이 따를 수도 있다. 따라서 지지 후보의 표명이 보도의 공정성을 해치지 않는지 신중하게 따져 보아야 하며, 독자 역시 지지 선언의 함의를 분별할 수 있는 혜안을 길러야 할 것이다.

① 신문의 후보 지지 선언은 사람들의 혼란을 가중 시킨다.
② 유권자의 표심(票心)에 아무런 영향을 주지 못한다.
③ 특정 후보를 도와주는 역할이다.
④ 사회적 가치에 대한 신문의 입장을 분명히 드러내는 행위이다.

10

전통 예술의 현대화나 민족 예술의 세계화라는 명제와 관련하여 흔히 사물놀이를 모범 사례로 든다. 전통의 풍물놀이 '농악'을 무대 연주 음악으로 탈바꿈시킨 사물놀이는 짧은 역사에도 불구하고 한국 현대 예술에서 당당히 한 자리를 잡은 가운데 우리 전통 음악의 신명을 세계에 전하는 구실을 하고 있다.

그러나 문화계 일각에서는 사물놀이에 대한 비판적 관점도 제기되고 있다. 특히 전통 풍물을 살리기 위한 노력을 전개하는 쪽에서 적지 않은 우려를 나타내고 있다. 그들은 무엇보다도 사물놀이가 풍물놀이의 굿 정신을 잃었거나 또는 잃어 가고 있다는 데 주목한다. 풍물놀이는 흔히 '풍물굿'으로 불리는 것으로서 모두가 마당에서 함께 어울리는 가운데 춤 · 기예(技藝)와 더불어 신명나는 소리를 펼쳐내는 것이 본질적인 특성인데, 사물놀이는 리듬악이라는 좁은 세계에 안착함으로써 풍물놀이 본래의 예술적 다양성과 생동성을 약화시켰다는 것이다. 사물놀이에 의해 풍물놀이가 대체되는 흐름은 우리 민족 예술의 정체성 위기로까지도 이어질 수 있다는 의견이다.

사물놀이에 대한 우려는 그것이 창조적 발전을 거듭하지 못한 채 타성에 젖어 들고 있다는 측면에서도 제기된다. 많은 사물놀이 패가 새로 생겨났지만, 사물놀이의 창안자들이 애초에 이룩한 음악 어법이나 수준을 넘어서서 새로운 발전을 이루어 내지 못한 채 그 예술적 성과와 대중적 인기에 안주하고 있다는 것이다. 이는 사물놀이가 민족 예술로서의 정체성을 뚜렷이 갖추지 못한 데에 따른 결과로 분석되기도 한다. 이런 맥락에서 비판자들은 혹시라도 사물놀이가 (   )으로 흘러갈 경우 머지않아 위기를 맞게 될지도 모른다고 경고하고 있다.

① 본래의 예술성과 생동성을 찾아가는 방향
② 대중의 일시적인 기호에 영합하는 방향
③ 서양 음악과의 만남을 시도하는 방향
④ 형식과 전통을 뛰어 넘는 방향

11~12 다음 글을 읽고 물음에 답하시오.

일반적으로 문화는 '생활양식' 또는 '인류의 진화로 이룩된 모든 것'이라는 포괄적인 개념을 갖고 있다. 이렇게 본다면 언어는 문화의 하위 개념에 속하는 것이다. 그러나 언어는 문화의 하위 개념에 속하면서도 문화 자체를 표현하여 그것을 전파, 전승하는 기능도 한다. 이로 보아 언어에는 그것을 사용하는 민족의 문화와 세계 인식이 녹아 있다고 할 수 있다.

가령 '사촌'이라고 할 때, 영어에서는 'cousin'으로 이를 통칭(通稱)하는 것을 우리말에서는 친·외·고종·이종 등으로 구분하고 있다. 친족 관계에 대한 표현에서 우리말이 영어보다 좀 더 섬세하게 되어 있는 것이다. 이것은 친족 관계를 좀 더 자세히 표현하여 차별 내지 분별하려 한 우리 문화와 그것을 필요로 하지 않는 영어권 문화의 차이에서 기인한 것이다.

문화에 따른 이러한 언어의 차이는 낱말에서만이 아니라 어순(語順)에서도 나타난다. 우리말은 영어와 주술 구조가 다르다. 우리는 주어 다음에 목적어, 그 뒤에 서술어가 온다. 이에 비해 영어에서는 주어 다음에 서술어, 그 뒤에 목적어가 온다. 우리말의 경우 '나는 너를 사랑한다.'라고 할 때, '나'와 '너'를 먼저 밝히고 그 다음에 '나의 생각'을 밝히는 것에 비하여, 영어에서는 '나'가 나오고 그 다음에 '나의 생각'이 나온 뒤에 목적어인 '너'가 나온다. 이러한 어순의 차이는 결국 나의 의사보다 상대방에 대한 관심을 먼저 보이는 우리들과, 나의 의사를 밝히는 것이 먼저인 영어를 사용하는 사람들의 문화 차이에서 기인한 것이다.

대화를 할 때 다른 사람을 대우하는 것에서도 이런 점을 발견할 수 있다. 손자가 할아버지에게 무엇을 부탁하는 경우를 생각해 보자. 이 경우 영어에서는 'You do it, please.'라고 하고, 우리말에서는 '할아버지께서 해 주세요.'라고 한다. 영어에서는 상대방이 누구냐에 관계없이 상대방을 가리킬 때 'You'라는 지칭어를 사용하고, 서술어로는 'do'를 사용한다. 그런데 우리말에서는 상대방을 가리킬 때, 무조건 영어의 'You'에 대응하는 '당신(너)'이라는 말만을 쓰는 것은 아니고 상대에 따라 지칭어를 달리 사용한다. 뿐만 아니라, 영어의 'do'에 대응하는 서술어도 상대에 따라 '해 주어라, 해 주게, 해 주오, 해 주십시오, 해 줘, 해 줘요'로 높임의 표현을 달리한다. 이는 우리말이 서열을 중시하는 전통적인 유교 문화를 반영하고 있기 때문이다.

언어는 단순한 음성 기호 이상의 의미를 지니고 있다. 앞의 예에서 알 수 있듯이 언어에는 그 언어를 사용하는 민족의 문화가 용해되어 있다. 따라서 우리 민족이 한국어라는 구체적인 언어를 사용한다는 것은 단순히 지구상에 있는 여러 언어 가운데 개별 언어 한 가지를 쓴다는 사실만을 의미하지는 않는다. 한국어에는 우리 민족의 문화와 세계 인식이 녹아 있기 때문이다. 따라서 우리말에 대한 애정은 우리 문화에 대한 사랑이요, 우리의 정체성을 살릴 수 있는 길일 것이다.

11 윗글의 내용과 일치하지 않는 것은?

① 문화의 하위 개념인 언어는 문화와 밀접한 관련이 있다.

② 영어에 비해 우리말은 친족 관계를 나타내는 표현이 다양하다.

③ 우리말에 높임 표현이 발달한 것은 서열을 중시하는 문화가 반영된 것이다.

④ 우리말의 문장 표현에서는 상대방에 대한 관심보다는 나의 생각을 우선시한다.

12 본문의 글쓴이가 다음과 같은 입장을 가진 사람과 대화할 때의 발언으로 가장 적절한 것은?

> 세계화 시대에 영어를 모르면 국제 사회에서 제대로 활동하기 어렵습니다. 특히 수출이 경제 활동의 근간인 우리나라의 경우 영어를 못하면 곤란한 문제가 발생할 수 있습니다. 우리나라 사람들에게 영어는 선택이 아니라 필수라 생각합니다. 따라서 이제는 영어를 공용어로 삼아야 합니다.

① 언어를 사용하는 것도 시대의 변화에 발맞춰야 한다고 생각합니다. 그러기에 당신의 견해도 일리가 있습니다.

② 영어를 공용어로 삼는다면 외국인들도 쉽게 우리 문화에 접근할 수 있다는 점에서 당신의 주장에 찬성합니다.

③ 언어는 단순히 의사 표현의 수단에 불과한 것이 아닙니다. 당신 말대로 했다가는 우리의 민족 문화는 위태로워질 겁니다.

④ 영어를 공용어로 채택할 것인지 말 것인지는 한두 사람의 생각에 달려 있는 것이 아니라 국민 대다수의 생각에 달려 있습니다.

13 다음 두 글에서 공통적으로 말하고자 하는 것은?

(가) 많은 사람들이 기대했던 우주왕복선 챌린저는 발사 후 1분 13초만에 폭발하고 말았다. 사건조사단에 의하면, 사고원인은 챌린저 주엔진에 있던 O-링에 있었다. O-링은 디오콜사가 NASA로부터 계약을 따내기 위해 저렴한 가격으로 생산될 수 있도록 설계되었다. 하지만 첫 번째 시험에 들어가면서부터 설계상의 문제가 드러나기 시작하였다. NASA의 엔지니어들은 그 문제점들을 꾸준히 제기했으나, 비행시험에 실패할 정도의 고장이 아니라는 것이 디오콜사의 입장이었다. 하지만 O-링을 설계했던 과학자도 문제점을 인식하고 문제가 해결될 때까지 챌린저 발사를 연기하도록 회사 매니저들에게 주지시키려 했지만 거부되었다. 한 마디로 그들의 노력이 미흡했기 때문이다.

(나) 과학의 연구 결과는 사회에서 여러 가지로 활용될 수 있지만, 그 과정에서 과학자의 의견이 반영되는 일은 드물다. 과학자들은 자신이 책임질 수 없는 결과를 이 세상에 내놓는 것과 같다. 과학자는 자신이 개발한 물질을 활용하는 과정에서 나타날 수 있는 위험성을 충분히 알리고 그런 물질의 사용에 대해 사회적 합의를 도출하는 데 적극 협조해야 한다.

① 과학적 결과의 장단점
② 과학자와 기업의 관계
③ 과학자의 윤리적 책무
④ 과학자의 학문적 한계

14 다음 글에서 추론할 수 있는 진술이 아닌 것은?

> 명절 연휴 때면 어김없이 등장하는 귀성행렬의 사진촬영, 육로로 접근이 불가능한 지역으로의 물자나 인원이 수송, 화재 현장에서의 소화와 구난작업, 농약살포 등에는 어김없이 헬리콥터가 등장한다. 이는 헬리콥터가 일반 비행기로는 할 수 없는 호버링(공중정지), 전후진 비행, 수직 착륙, 저속비행 등이 가능하기 때문이다. 이렇게 헬리콥터를 자유자재로 움직이는 비밀은 로터에 있다. 비행체가 뜰 수 있는 양력과 추진력을 모두 로터에서 동시에 얻기 때문이다. 로터에는 일반적으로 2 ~ 4개의 블레이드(날개)가 붙어있다. 빠르게 회전하는 각각의 블레이드에서 비행기 날개와 같은 양력이 발생하는데 헬리콥터는 이 양력 덕분에 무거운 몸체를 하늘로 띄울 수 있다. 비행기 역시 엔진의 추진력 때문에 양쪽 날개에 발생하는 양력을 이용해 공중에 뜨게 되는 것이므로 사실 헬리콥터의 비행원리는 비행기와 다르지 않다.

① 로터는 헬리콥터가 뜰 수 있는 양력과 추진력을 제공한다.
② 헬리콥터는 빠르게 회전하는 블레이드 덕분에 무거운 몸체를 띄울 수 있다.
③ 비행기도 화재 현장에서의 소화와 구난작업, 농약살포 등에 이용할 수 있다.
④ 헬리콥터는 현대사회에서 일반 비행기로는 할 수 없는 다양한 일에 사용된다.

15 다음 글에서 주장하는 내용으로 가장 알맞은 것은?

> 조력발전이란 조석간만의 차이가 큰 해안지역에 물막이 댐을 건설하고, 그곳에 수차발전기를 설치해 밀물이나 썰물의 흐름을 이용해 전기를 생산하는 발전 방식이다. 따라서 조력발전에는 댐 건설이 필수 요소다. 반면 댐을 건설하지 않고 자연적인 조류의 흐름을 이용해 발전하는 방식은 '조류발전'이라 불러 따로 구분한다.
> 조력발전이 환경에 미치는 부담 가운데 가장 큰 것이 물막이 댐의 건설이다. 물론 그동안 산업을 지탱해 온 화석연료의 고갈과 공해 문제를 생각할 때 이를 대체할 에너지원의 개발은 매우 절실하고 시급한 문제다. 그렇다 하더라도 자연환경에 엄청난 부담을 초래하는 조력발전을 친환경적이라 포장하고, 심지어 댐 건설을 부추기는 현재의 정책은 결코 용인될 수 없다.

① 댐을 건설하는 데 많은 비용이 들어가는 조력발전은 폐기되어야 한다.
② 친환경적인 조류발전을 적극 도입하여 재생에너지 비율을 높여야 한다.
③ 친환경적인 에너지 정책을 수립하기 위해 조류발전에 대해 더 잘 알아야 한다.
④ 조력발전이 친환경적이라는 시각에 바탕을 둔 현재의 에너지 정책은 재고되어야 한다.

16 다음에 해당하는 언어의 기능은?

> 이 기능은 우리가 세계를 이해하는 정도에 비례하여 수행된다. 그러면 세계를 이해한다는 것은 무엇인가? 그것은 이 세상에 존재하는 사물에 대하여 이름을 부여함으로써 발생하는 것이다. 여기 한 그루의 나무가 있다고 하자. 그런데 그것을 나무라는 이름으로 부르지 않는 한 그것은 나무로서의 행세를 못한다. 인류의 지식이라는 것은 인류가 깨달아 알게 되는 모든 대상에 대하여 이름을 붙이는 작업에서 형성되는 것이라고 말해도 좋다. 어떤 사물이건 거기에 이름이 붙으면 그 사물의 개념이 형성된다. 다시 말하면, 그 사물의 의미가 확정된다. 그러므로 우리가 쓰고 있는 언어는 모두가 사물을 대상화하여 그것에 의미를 부여하는 이름이라고 할 수 있다.

① 정보적 기능
② 친교적 기능
③ 명령적 기능
④ 관어적 기능

17 다음 글의 중심 화제로 적절한 것은?

> 창조 도시의 주된 동력을 창조 산업으로 볼 것인가 창조 계층으로 볼 것인가에 대해서는 견해가 다소 엇갈리고 있다. 창조 산업을 중시하는 관점에서는, 창조 산업이 도시에 인적·사회적·문화적·경제적 다양성을 불어넣음으로써 도시의 재구조화를 가져오고 나아가 부가가치와 고용을 창출한다고 주장한다. 창의적 기술과 재능을 소득과 고용의 원천으로 삼는 창조 산업의 예로는 광고, 디자인, 출판, 공연 예술, 컴퓨터 게임 들이 있다.

① 창조 도시의 개념
② 창조도시의 동력을 창조 산업으로 보는 관점
③ 창조도시의 동력을 창조 계층으로 보는 관점
④ 창조 환경의 필요성과 구성 요소

18~19 다음 제시된 글을 읽고 물음에 답하시오.

(가) 안녕하세요? 사내 홈페이지 운영의 총책임을 담당하고 있는 전산팀 김수현 팀장입니다. 다름이 아니라 사내 홈페이지의 익명게시판 사용 실태에 대한 말씀을 드리기 위해 이렇게 공지를 올리게 되었습니다.

요즘 ㉠익명게시판의 일부 분들의 행동으로 얼굴이 찌푸리는 일들이 많아지고 있습니다. 타부서 비판 및 인신공격은 물론이고 차마 입에 담기 어려운 욕설까지 하고 있습니다. 사내의 활발한 의견 교류 및 정보교환을 위해 만들어진 익명게시판이지만 이렇게 물의를 일으키는 공간이 된다면 더 이상 게시판의 순 목적을 달성할 수 없을 것이라 생각합니다. 그렇기 때문에 전산팀은 ㉡내일부터 익명게시판을 폐쇄하겠습니다. 애석한 일입니다만, 회사 내에서 서로 생채기를 내는 일이 더 이상 없어야 하기에 이와 같이 결정했습니다.

(나) 팀장님, 게시판을 폐쇄하시겠다는 공문은 잘 보았습니다. 물론 익명게시판의 활성화로 많은 문제가 양상된 것은 사실이지만 그 결정은 너무 성급한 것 같습니다. 한 번이라도 주의나 경고의 글을 올려 주실 수는 없었나요? 그랬으면 지금보다는 상황이 나아질 수도 있었을 텐데요.

팀장님! 이번 결정이 누구의 뜻에 의한 것인가요? 게시판의 관리는 전산팀에서 맡지만, 그 공간은 우리 회사 사원 모두의 공간이 아닌가요? 저는 홈페이지 폐쇄라는 문제가 전산팀 내에서 쉽게 정할 일이 아니라고 봅니다. 그 공간은 사내의 중요한 정보를 나누는 곳이고 친교를 행사하는 곳입니다. 즉 게시판의 주체는 '우리'라는 것입니다. 그렇기 때문에 이렇게 독단적인 결정은 받아드릴 수 없습니다. 다시 한 번 재고해주시길 바라겠습니다.

18 ㉠의 행동과 맥락이 통하는 속담을 고르면?

① 가는 말이 고와야 오는 말이 곱다.
② 미꾸라지 한 마리가 강물을 흐린다.
③ 콩 심은 데 콩 나고 팥 심은 데 팥 난다.
④ 바늘도둑이 소도둑 된다.

19 ㉡에 대한 반발의 근거로 (나)가 제시한 논거가 아닌 것은?

① 악플러에게도 한 번의 용서의 기회를 주어야 한다.
② 게시판은 회사 사원 모두의 공간이다.
③ 전산팀의 독단적인 결정은 지양되어야 한다.
④ 주의나 경고 없이 폐쇄라는 결정을 한 것은 성급한 결정이다.

┃20~21┃ 다음 글을 읽고 물음에 답하시오.

영국의 역사가 아놀드 토인비는 「역사의 연구」를 펴내며 역사 연구의 기본 단위를 국가가 아닌 문명으로 설정했다. 그는 예를 들어 영국이 대륙과 떨어져 있을지라도 유럽의 다른 나라들과 서로 영향을 미치며 발전해 왔으므로, 영국의 역사는 그 자체만으로는 제대로 이해할 수 없고 서유럽 문명이라는 틀 안에서 바라보아야 한다고 하였다. 그는 문명 중심의 역사를 이해하기 위한 몇 가지 가설들을 세웠다. 그리고 방대한 사료를 바탕으로 그 가설들을 검증하여 문명의 발생과 성장 그리고 쇠퇴 요인들을 규명하려 하였다.

토인비가 세운 가설들의 중심축은 '도전과 응전', '창조적 소수와 대중의 모방' 개념이다. 그에 의하면 환경의 도전에 대해 성공적으로 응전하는 인간 집단이 문명을 발생시키고 성장시킨다. 여기서 중요한 것은 그 환경이 역경이라는 점이다. 인간의 창의적 행동은 역경을 당해 이를 이겨 내려는 분투 과정에서 발생하기 때문이다.

토인비는 이 가설이 단순하게 도전이 강력할수록 그 도전이 주는 자극의 강도가 커지고 응전의 효력도 이에 비례한다는 식으로 해석되는 것을 막기 위해, 소위 '세 가지 상호 관계의 비교'를 제시하여 이 가설을 보완하고 있다. 즉 도전의 강도가 지나치게 크면 응전이 성공적일 수 없게 되며, 반대로 너무 작을 경우에는 전혀 반응이 나타나지 않고, 최적의 도전에서만 성공적인 응전이 나타난다는 것이다.

이렇게 성공적인 응전을 통해 나타난 문명이 성장하기 위해서는 그 후에도 지속적으로 나타나는 문제, 즉 새로운 도전들을 해결해야 한다. 토인비에 따르면 이를 해결하기 위해서는 그 사회의 창조적 인물들이 역량을 발휘해야 한다. 그러나 이들은 소수이기 때문에 응전을 성공적으로 이끌기 위해서는 다수의 대중까지 힘을 결집해야 한다. 이때 대중은 일종의 사회적 훈련인 '모방'을 통해 그들의 역할을 수행한다.

물론 모방은 모든 사회의 일반적인 특징으로서 문명을 발생시키지 못한 원시 사회에서도 찾아볼 수 있다. 여기에 대해 토인비는 모방의 유무가 중요한 것이 아니라 모방의 방향이 중요하다고 설명한다. 문명을 발생시키지 못한 원시 사회서 모방은 선조들과 구세대를 향한다. 그리고 죽은 선조들은 살아 있는 연장자의 배후에서 눈에 보이지 않게 그 권위를 강화해 준다. 그리하여 이 사회는 인습이 지배하게 되고 발전적 변화가 나타나지 않는다. 반대로 모방이 창조적 소수에게로 향하는 사회에서는 인습의 권위를 인정하지 않으므로 문명이 지속적으로 성장한다.

20 윗글에 나타난 '토인비의 견해'에 대한 이해로 적절한 것은?

① 문명은 최적의 도전에 대한 성공적 응전에서 나타난다.
② 모방의 존재 여부는 문명의 발생과 성장의 기준이 된다.
③ 역사는 국가를 기본 단위로 연구해야 제대로 이해할 수 있다.
④ 환경의 도전이 강력할수록 그에 대한 응전은 더 효과적으로 나타난다.

21 윗글을 바탕으로 다음 제시문을 이해한 내용으로 적절하지 않은 것은?

> 빙하기가 끝나고 나서 세계 여러 지역의 기후는 크게 달라졌다. 서남아시아 일부 초원 지역의 경우는 급속히 사막화가 진행되었다. 이 지역에서 수렵 생활을 하던 이들은 세 가지 서로 다른 길을 걸었다. 첫째 집단은 그대로 머물러 생활양식을 유지하며 겨우 생존만 하다가 멸망의 길로 들어섰다. 둘째 집단은 생활양식만을 변경하여 그 지역에서 유목생활을 하였다. 이들은 문명 단계에는 들어갔으나 더 이상의 발전이 없이 정체되고 말았다. 셋째 집단은 다른 지역인 티그리스, 유프라테스 강 유역으로 이주한 다음, 농경생활을 선택하여 새로운 고대 문명을 일구고 이어지는 문제들도 성공적으로 해결해 나갔다.

① 사막화는 서남아시아 일부 초원 지역 사람들이 당면했던 역경에 해당한다고 보아야겠군.
② 첫째 집단에서는 모방이 작용하는 방향이 선조들과 구세대를 향했다고 보아야겠군.
③ 둘째 집단이 문명을 발생시킨 후 이 집단의 창조적 소수들이 계속된 새로운 도전들을 해결했다고 보아야겠군.
④ 셋째 집단에서는 창조적 소수가 나타났고, 대중의 모방이 그들을 향했다고 보아야겠군.

제4회 모의고사

정답 및 해설 │ P.240

파트1 29문/20분

┃1~5┃ 다음 제시된 단어들의 상관관계를 파악하여 괄호 안에 알맞은 단어를 넣으시오.

1

사람 : 폐 = 물고기 : (   )

① 허파
③ 아가미
② 부레
④ 동물

2

(   ) : 금속 = 당근 : 채소

① 알루미늄
③ 야채
② 과일
④ 고체

3

천동설 : (   ) = 지동설 : 코페르니쿠스

① 갈릴레오 갈릴레이
③ 케플러
② 카르타고
④ 프톨레마이오스

4

새 : (   ) = 운동 : 야구

① 조류　　　　　　　　　② 하늘

③ 매　　　　　　　　　　④ 날개

5

쓰다 : 저자 = (   ) : 독자

① 화가　　　　　　　　　② 읽다

③ 그리다　　　　　　　　④ 말하다

┃6~10┃ 다음 괄호 안에 들어갈 말을 순서대로 나열한 것을 고르시오.

6

명태 : (   ) = (   ) : 개호주

① 동태, 망아지　　　　　　② 간자미, 강아지

③ 노가리, 호랑이　　　　　④ 무녀리, 부룩소

7

시각 : (   ) = (   ) : 차례

① 침, 순서　　　　　　　　② 온도, 시간

③ 분, 목차　　　　　　　　④ 시계, 숫자

8

| 타지마할 : ( ) = 빅벤 : ( ) |

① 인도, 영국　　　　　　　　② 터키, 프랑스

③ 이집트, 이탈리아　　　　　④ 싱가포르, 미국

9

| 부실하다 : ( ) = ( ) : 옹골차다 |

① 허하다, 엉성하다　　　　　② 튼튼하다, 성글다

③ 엉성하다, 다부지다　　　　④ 건강하다, 매몰차다

10

| 프랑스 : ( ) = ( ) : 오성홍기 |

① 일본, 성조기　　　　　　　② 이탈리아, 태극기

③ 성조기, 중국　　　　　　　④ 삼색기, 중국

11　소금물 300g에 물 60g과 소금 40g을 더 넣었더니 농도가 처음 농도의 2배가 되었다. 처음 소금물의 농도는 얼마인가?

① 7%　　　　　　　　　　　② 8%

③ 9%　　　　　　　　　　　④ 10%

12 PMP를 판매할 때 정가를 원가에 4할의 이익이 되도록 결정했으나 정가의 2할 할인으로 판매하여 1대에 6,000원의 이익을 얻었다. PMP의 원가는 얼마인가?

① 30,000원
② 40,000원
③ 50,000원
④ 60,000원

13 어떤 교실에서 컴퓨터 타이핑 속도를 측정한 결과 가장 빠른 학생은 1분에 50단어, 가장 느린 학생은 25단어를 소화했다. 이 두 학생이 4,500단어를 치려면 시간이 얼마나 걸리는가?

① 45분
② 50분
③ 55분
④ 60분

14 1년 중 46번째 일요일이 있는 달은?

① 9월
② 10월
③ 11월
④ 12월

15 제품 A와 B는 한 상자에 각각 lkg, 700g이다. A와 B가 각각 다른 트럭에 천 개씩 실려 있었는데 A를 실은 트럭이 너무 무거워 A 상자를 몇 개 옮겨 B 상자가 있는 트럭에 실었더니 두 트럭의 무게가 같아졌다. 옮긴 A 상자의 개수는 몇 개인가?

① 150개
② 160개
③ 170개
④ 180개

16 여학생 3명, 남학생 3명이 있다. 6명의 학생 중 임의로 대표 2명을 뽑는데 적어도 한 명은 여학생이 뽑힐 확률은?

① $\dfrac{2}{3}$

② $\dfrac{11}{15}$

③ $\dfrac{4}{5}$

④ $\dfrac{13}{15}$

17 ○○초등학교 6학년 1반의 학생 수는 50명이다. 이 중 4명을 제외한 나머지 학생 모두가 방과 후 교실 프로그램으로 영어 또는 컴퓨터를 배우고 있다. 영어를 배우는 학생이 26명이고 컴퓨터를 배우는 학생이 30명일 때, 영어와 컴퓨터를 모두 배우는 학생은 몇 명인가?

① 9명

② 10명

③ 11명

④ 12명

▎18~20▎ 다음은 일정한 규칙에 따라 배열한 수열이다. 빈칸에 알맞은 것을 고르시오.

18

3　5　8　13　21　(　　)　55

① 24

② 27

③ 31

④ 34

19

13　14　12　18　11　22　10　(　　)

① 9

② 11

③ 15

④ 26

20

$\underline{3\ \ 2\ \ 10}$ $\underline{2\ \ 6\ \ 65}$ $\underline{12\ \ 1\ \ (\quad)}$	

① 12   ② 13

③ 37   ④ 51

❙21~23❙ 다음 빈칸에 들어갈 알맞은 문자를 고르시오.

21

S − N − K − J − E − (　　)

① A   ② B

③ C   ④ D

22

가 − 러 − 소 − 추 − (　　)

① 키   ② 트

③ 노   ④ 파

23

A − B − D − (　　) − P

① F   ② H

③ J   ④ L

|24~29| 다음 도형들의 일정한 규칙을 찾아 ? 표시된 부분에 들어갈 도형을 찾으시오.

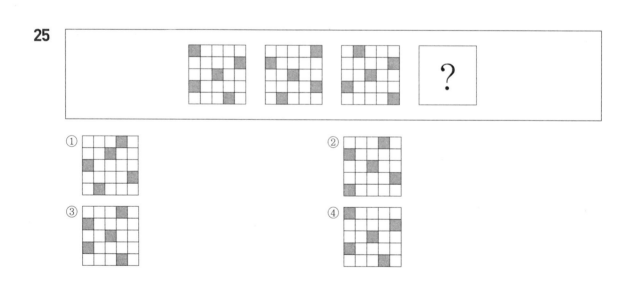

26

① ② ③ ④

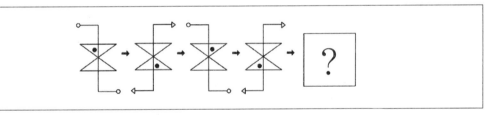

27

① ② ③ ④

28

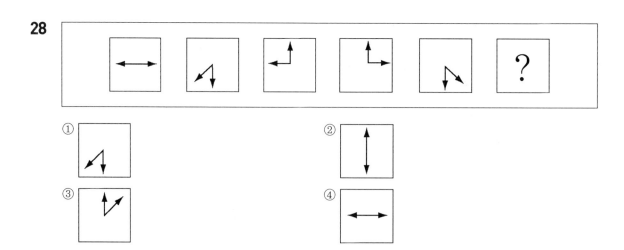

29

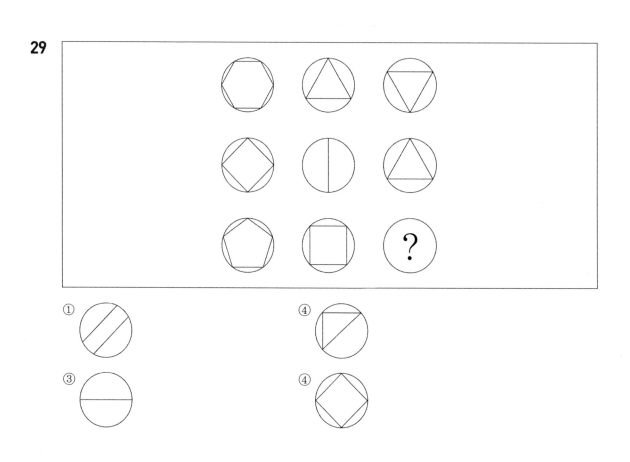

1 다음 글을 통해 알 수 있는 내용으로 적절하지 않은 것은?

> 재판이란 법원이 소송 사건에 대해 원고·피고의 주장을 듣고 그에 대한 법적 판단을 내리는 소송 절차를 말한다. 오늘날과 마찬가지로 조선 시대에도 재판 제도가 있었다. 당시의 재판은 크게 송사(訟事)와 옥사(獄事)로 나뉘었다. 송사는 개인 간의 생활 관계에서 발생하는 분쟁의 해결을 위해 관청에 판결을 호소하는 것을 말하며, 옥사는 강도, 살인, 반역 등의 중대 범죄를 다스리는 일로서 적발, 수색하여 처벌하는 것을 말한다. 송사는 다시 옥송과 사송으로 나뉜다. 옥송은 상해 및 인격적 침해 등을 이유로 하여 원(元 : 원고), 척(隻 : 피고)간에 형벌을 요구하는 송사를 말한다. 이에 반해 사송은 원, 척 간에 재화의 소유권에 대한 확인, 양도, 변상을 위한 민사 관련 송사를 말한다. 그렇다면 당시에 이러한 송사나 옥사를 맡아 처리하는 기관은 어느 곳이었을까? 조선 시대는 입법, 사법, 행정의 권력 분립이 제도화되어 있지 않았기에 재판관과 행정관의 구별이 없었다. 즉 독립된 사법 기관이 존재하지 않았으므로 재판은 중앙의 몇몇 기관과 지방 수령인 목사, 부사, 군수, 현령, 현감 등과 관찰사가 담당하였다.

① 일반적인 재판의 정의
② 조선 시대 송사의 종류
③ 조선 시대 송사와 옥사의 차이점
④ 조선 시대 재판관과 행정관의 역할

2 다음 글의 제목으로 가장 적절한 것은?

언제부터인가 이곳 속초 청호동은 본래의 지명보다 '아바이 마을'이라는 정겨운 이름으로 불리고 있다. 함경도식 먹을거리로 유명해진 곳이기도 하지만 그 사람들의 삶과 문화가 제대로 알려지지 않은 동네이기도 하다. 속초의 아바이 마을은 대한민국의 실향민 집단 정착촌을 대표하는 곳이다. 한국 전쟁이 한창이던 1951년 1·4 후퇴 당시, 함경도에서 남쪽으로 피난 왔던 사람들이 휴전과 함께 사람이 거의 살지 않던 이곳 청호동에 정착해 살기 시작했다. 동해는 사시사철 풍부한 어종이 잡히는 고마운 곳이다.

봄 바다를 가르며 달려 도착한 곳에서 고기가 다니는 길목에 설치한 '어울'을 끌어올려 보니, 속초의 봄 바다가 품고 있던 가자미들이 나온다. 다른 고기는 나오다 안 나오다 하지만 이 가자미는 일 년 열두 달 꾸준히 난다.

동해를 대표하는 어종 중에 명태는 12월에서 4월, 도루묵은 10월에서 12월, 오징어는 9월에서 12월까지 주로 잡힌다. 하지만 가자미는 사철 잡히는 생선으로, 어부들 말로는 그 자리를 지키고 있는 '자리고기'라 한다.

청호동에서 가자미식해를 담그는 광경은 이젠 낯선 일이 아니라 할 만큼 유명세를 탔다. 함경도 대표 음식인 가자미식해가 속초에서 유명하다는 것은 입맛이 정확하게 고향을 기억한다는 것과 상통한다.

속초에 새롭게 터전을 잡은 함경도 사람들은 고향 음식이 그리웠다. 가자미식해를 만들어 상에 올렸고, 이 밥상을 마주한 속초 사람들은 배타심이 아닌 호감으로 다가섰고, 또 판매를 권유하게 되면서 속초의 명물로 재탄생하게 된 것이다.

① 속초 자리고기의 유래
② 속초의 아바이 마을과 가자미식해
③ 아바이 마을의 밥상
④ 청호동 주민과 함경도 실향민의 화합

3 다음을 읽고 빈칸에 들어갈 내용으로 가장 알맞은 것을 고르면?

> 요리 프로그램의 인기 이유는 다음과 같다. 우선 요리 행위의 친숙함을 들 수 있다. 요리를 하고 음식을 먹는 것은 매일 반복되는 인간의 기본적 활동이기 때문에, 다른 사람이 요리를 하는 모습에서 시청자들은 친숙함을 느낀다. 다음으로 요리라는 소재가 가지는 매력을 들 수 있다. 요리 프로그램에서 요리가 등장하는 장면은 시청자들의 시각과 미각을 자극하여 시청자들에게 즐거움을 준다. 마지막으로 _____. 요리 프로그램은 여러 나라의 요리에 대한 정보와 전문가의 요리 비법부터 일반인들이 쉽게 따라 할 수 있는 요리법까지 다양한 정보를 제공한다.

① 불필요한 간접 광고의 노출이 많아지는 등 점차 상업화가 되어가고 있다.
② 대중들의 대중매체에 대한 의존성이 높아졌음을 의미한다.
③ 요리와 요리법에 대한 다양한 정보의 제공을 들 수 있다.
④ 방송 프로그램의 다양성이 점차 줄어들고 있음을 알 수 있다.

4 다음 글의 주된 설명 방법이 사용된 것은?

> 한지의 우수성은 양지와 대조해 보면 금방 알 수 있다. 한지는 빛과 바람 그리고 습기와 같은 자연현상과 친화성이 강해 창호지로 많이 쓰인다. 한지를 창호지로 쓰면 문을 닫아도 바람이 잘 통하고 습기를 잘 흡수해서 습도 조절의 역할까지 한다. 흔히 한지를 '살아 있는 종이'라고도 하는 연유도 여기에 있다. 반면 양지는 바람이 잘 통하지 않고 습기에 대한 친화력도 한지에 비해 약하다. 한지가 살아 숨 쉬는 종이라면 양지는 뻣뻣하게 굳어 있는 종이라고 할 것이다.

① '돌다리도 두들겨 보고 건너라.'라는 속담이 있다.
② 거미 다리는 여덟 개이지만, 개미 다리는 여섯 개이다.
③ 문학이란 인간의 사상과 감정을 언어로 표현한 예술이다.
④ 설화는 크게 신화, 전설, 민담으로 나누어져 있다.

5 두 과학자 진영 A와 B의 진술 내용과 부합하지 않는 것은?

우리 은하와 비교적 멀리 떨어져 있는 은하들이 모두 우리 은하로부터 점점 더 멀어지고 있다는 사실이 확인되었다. 이 사실을 두고 우주의 기원과 구조에 대해 서로 다른 견해를 가진 두 진영이 다음과 같이 논쟁하였다.

A진영 : 우주는 시간적으로 무한히 오래되었다. 우주가 팽창하는 것은 사실이다. 그렇다고 우리 견해가 틀렸다고 볼 필요는 없다. 우주는 팽창하지만 전체적으로 항상성을 유지한다. 은하와 은하가 멀어질 때 그 사이에서 물질이 연속적으로 생성되어 새로운 은하들이 계속 형성되기 때문이다. 비록 우주는 약간씩 변화가 있겠지만, 우주 전체의 평균 밀도는 일정하게 유지된다. 만일 은하 사이에서 새로 생성되는 은하를 관측한다면, 우리의 가설을 입증할 수 있다. 반면 우주가 자그 마한 씨앗으로부터 대폭발에 의해 생겨났다는 주장은 터무니없다. 이처럼 방대한 우주의 물질과 구조가 어떻게 그토록 작은 점에 모여 있을 수 있겠는가?

B진영 : A의 주장은 터무니없다. 은하 사이에서 새로운 은하가 생겨난다면 도대체 그 물질은 어디서 온 것이라는 말인가? 은하들이 우리 은하로부터 점점 더 멀어지고 있다는 사실은 오히려 우리 견해가 옳다는 것을 입증할 뿐이다. 팽창하는 우주를 거꾸로 돌린다면 우주가 시공간적으로 한 점에서 시작되었다는 결론을 얻을 수 있다. 만일 우주 안의 모든 물질과 구조가 한 점에 있었다면 초기 우주는 현재와 크게 달랐을 것이다. 대폭발 이후 우주의 물질들은 계속 멀어지고 있으며 우주의 밀도는 계속 낮아지고 있다. 대폭발 이후 방대한 전자기파가 방출되었는데, 만일 우리가 이를 관측한다면, 우리의 견해가 입증될 것이다.

① A에 따르면 물질의 총 질량이 보존되지 않는다.
② A에 따르면 우주는 시작이 없고, B에 따르면 우주는 시작이 있다.
③ A에 따르면 우주는 국소적인 변화는 있으나 전체적으로는 변화가 없다.
④ A와 B는 인접한 은하들 사이의 평균 거리가 커진다는 것을 받아들인다.

6 다음 글의 전개 방법으로 가장 알맞은 것은?

글에는 여러 종류가 있다. 어떤 사실이나 대상을 설명하여 상대를 이해시키려는 설명문도 있고, 자기의 생각이나 의견을 펴서 상대를 설득하려는 논설문도 있으며, 자기의 삶을 기록하는 일기나 자서전과 같은 기록문도 있다. 그리고 객관적 사실보다는 글쓴이의 주관적 정서나 가치를 주로 다루는 시나 소설과 같은 문학 작품도 있다.

문학 작품의 첫 번째 특징은 '돌려 말하기'이다. 보통 글들은 대개 말하고자 하는 바가 쉽게 드러나도록 직설적으로 말한다. 이에 비해 문학 작품은 말하고자 하는 바를 직접 말하지 않고, 비유를 사용하거나 이야기로 만들어서 돌려 말한다. 예를 들면, 보통 글에서 "봄나들이를 가고 싶다."라고 직접 말할 수 있는 것을 문학 작품에서는 "꽃 핀 봄 동산에 팔랑거리는 한 마리의 노랑나비가 되고 싶다."라고 비유적으로 말하기도 하고, 또 "착한 사람은 복을 받고 악한 사람은 벌을 받는다."라고 간단히 말할 수 있는 것을 '콩쥐팥쥐'나 '흥부전' 같은 긴 이야기를 만들어서 재미있게 돌려 말하기도 한다. 그런데 직접 말하는 것보다 돌려 말하는 것이 말하기도 어렵고, 또 이해하기도 어렵다. 그러므로 문학 작품을 읽을 때에는 이런 돌려 말하기에 많은 주의를 기울여야 한다.

문학 작품의 두 번째 특징은 '생략이 많다는 점이다. 문학 작품에서는 "한 마리의 노랑나비가 되고 싶다."라고 말하면서, 왜 하필이면 노랑나비가 되고 싶은지에 대해서는 설명하지 않는다. 그런가 하면, 콩쥐가 사는 동네가 어떤 곳인지, 흥부의 아이들이 어떻게 생겼는지에 대해서도 말하지 않는다. 따라서 문학 작품을 읽을 때에는 필요에 따라 이런 빈 부분을 스스로 채워 넣어 가며 읽어야 한다. 이런 점에서 문학 작품 읽기는 글쓴이와 읽는이가 함께 의미(意味)를 만들어 가는 일이라고 말할 수 있다.

---

① 대상의 특징을 사실적으로 묘사하였다.

② 알기 쉬운 예를 제시하여 구체화하였다.

③ 다른 사람의 생각이나 정보를 인용하였다.

④ 가상의 상황을 제시하여 이해를 돕고 있다.

│7~8│ 다음 글을 읽고 물음에 답하시오.

이것은 퍽 우려할 일이다. 즉, 위에서 본 현대 사회의 중요한 문제들에 접해서 많은 선택과 결정을 내려야 할 사람들이 이들 문제의 바탕이 되는 과학의 내용을 이해하기는커녕, 접근하기조차 힘들 정도로 과학이 일반 지식인들로부터 유리(遊離)된 것은 커다란 문제인 것이다. 더구나 이런 실정이 쉽게 해결되기가 힘든 뚜렷한 이유, 즉 과학의 내용 자체가 가지는 어려움은 계속 존재하거나 심해질 것이기 때문에 문제는 더욱 심각하다.

그러나 이러한 과학의 유리 상태를 심화시키는 데에 과학 내용의 어려움보다도 더 크게 작용하는 것은 과학에 관해 널리 퍼져 있는 잘못된 생각이다. 흔히들 현대 사회의 많은 문제들이 과학의 책임인 것으로 생각한다. 즉, 과학이 인간의 윤리나 가치 같은 것은 무시한 채 맹목적으로 발전해서 많은 문제들 - 예를 들어, 무기 개발, 전쟁 유발, 환경 오염, 인간의 기계화, 생명의 존귀성 위협 - 을 야기(惹起)시키면서도 이에 대해서 아무런 책임을 지지 않고 있다는 생각이 그것이다.

대부분의 경우, 이런 생각의 바탕에는 과학이 가치 중립적(價値中立的)이거나 혹은 가치와 무관하다는 명제(命題)가 깔려 있다. 물론, 과학이 가치 중립적이라는 생각은 여러 의미에서 타당한 생각이며 실제로 많은 사람들이 받아들이는 생각이다. 최근에 와서 이에 회의(懷疑)를 표시하는 사람들도 거의 대부분 이 명제 자체를 부정하는 것보다는 과학에 가치 중립적이 아닌 측면도 있음을 보이는 데에 그친다. 그러나 일반 사람들이 위의 문제들에 관한 책임을 과학에 돌리면서 흔히 가지는 생각은 과학의 가치 중립성에 대한 잘못된 이해에서 연유할 때가 많다.

과학이 가치 중립적이라는 말은 크게 보아서 다음 두 가지의 의미를 지니고 있다. 첫째는 자연 현상을 기술하는 데에 있어서 얻게 되는 과학의 법칙이나 이론으로부터 개인적 취향(趣向)이나 가치관에 따라 결론을 취사 선택할 수 없다는 점이고, 둘째는 과학으로부터 얻은 결론, 즉 과학 지식이 그 자체로서 가치에 대한 판단이나 결정을 내려 주지 못한다는 점이다.

사람에 따라서는 이 중 첫째는 수긍하면서 둘째에 대해서는 반론(反論)을 제기하기도 한다. 예를 들어, 그들은 인간의 질병 중 어떤 것이 유전(遺傳)한다는 유전학의 지식이 유전성 질병이 있는 사람은 아기를 낳지 못하게 해야 한다는 결론을 내린다고 생각한다. 즉, 과학적 지식이 인간의 문제에 관하여 결정을 내려 준다고 생각한다. 그러나 보다 주의 깊게 살펴보면 이것이 착각이라는 것은 분명하다.

7 이 글의 내용과 일치하지 않는 것은?

① 과학은 가치중립적이다.
② 과학은 인간의 문제에 대해 결정을 내려주지 못한다.
③ 현대의 모든 문제는 과학으로부터 해결 방안을 찾을 수 있다.
④ 흔히 현대 사회의 많은 문제들이 과학의 책임이라고 생각한다.

8 이 글 다음에 이어질 내용으로 적절한 것은?

① 과학의 발달 과정을 자세히 살펴보아야 한다.
② 인간에 관한 모든 문제는 과학이 책임져야 한다.
③ 인간과 사회의 모든 문제점을 검토해 봐야 한다.
④ 인간 문제에 관해 결정을 내리는 것은 인간 자신이다.

최근 국제 시장에서 원유(原油) 가격이 가파르게 오르면서 세계 경제를 크게 위협하고 있다. 기름 한 방울 나지 않는 나라에 살고 있는 우리로서는 매우 어려운 상황이 아닐 수 없다. 에너지 자원을 적극적으로 개발하고, 다른 한편으로는 에너지 절약을 생활화해서 이 어려움을 슬기롭게 극복해야만 한다.

다행히 우리는 1970년대 초부터 원자력 발전소 건설을 적극적으로 추진해 왔다. 그 결과 현재 원자력 발전소에서 생산하는 전력이 전체 전력 생산량의 약 40퍼센트를 차지하고 있다. 원자력을 주요 에너지 자원으로 활용함으로써 우리는 석유, 석탄, 가스와 같은 천연 자원에 대한 의존도를 어느 정도 낮출 수 있게 되었다.

그러나 그 정도로는 턱없이 부족하다. 전체 에너지 자원의 97퍼센트를 수입하는 우리는 절약을 생활화하지 않으면 안 된다. 많은 국민들은 아직도 '설마 전기가 어떻게 되랴.'하는 막연한 생각을 하면서 살고 있다. 한여름에도 찬 기운을 느낄 정도로 에어컨을 켜 놓은 곳도 많다. 이것은 지나친 에너지 낭비이다. 여름철 냉방(冷房) 온도를 1도만 높이면 약 2조 5천억 원의 건설비가 들어가는 원자로 1기를 덜 지어도 된다. ㉠'절약이 곧 생산'인 것이다.

에너지를 절약하는 방법에는 여러 가지가 있다. 가까운 거리는 걸어서 다니기, 승용차 대신 대중교통이나 자전거 이용하기, 에너지 절약형 가전제품 쓰기, 승용차 요일제 참여하기, 적정 냉·난방 온도 지키기, 사용하지 않는 가전제품의 플러그 뽑기 등이 모두 에너지를 절약하는 방법이다.

또, 에너지 절약 운동은 일회성으로 그쳐서는 안 된다. 그것은 반복적이고 지속적으로 실천해야만 할 과제이다. 국가적 어려움을 극복하기 위해서는 얼마간의 개인적 불편을 기꺼이 받아들이겠다는 마음가짐이 필요하다. ㉡에너지 절약은 더 이상 선택 사항이 아니다. 그것은 생존과 직결되므로 반드시 실천해야 할 사항이다. 고유가(高油價) 시대를 극복하기 위해서는 우리 모두 허리띠를 졸라매는 것 외에는 다른 방법이 없다. 당장 에어컨보다 선풍기를 사용해서 전기 절약을 생활화해 보자. 온 국민이 지혜를 모으고 에너지 절약에 적극적으로 동참한다면 우리는 이 어려움을 슬기롭게 극복할 수 있을 것이다.

9 ㉠에 담긴 의미로 적절한 것은?

① 절약을 하게 되면 생산이 감소한다.

② 절약으로 전력 생산량을 증가시킨다.

③ 절약은 절약일 뿐 생산과는 관련이 없다.

④ 절약하면 불필요한 생산을 하지 않아도 된다.

10 ㉡에 대한 반응으로 가장 적절한 것은?

① 새로운 에너지 개발은 불가능하다.

② 에너지 절약 제품이 더 비싸질 것이다.

③ 에너지가 풍부할 때 실컷 사용해야 한다.

④ 에너지 절약은 생존의 문제이므로 꼭 실천해야 한다.

11 다음 글에서 문자 언어에 대한 설명으로 옳지 않은 것은?

언어는 다양한 방식으로 사람과 사람 사이에 전달된다. 우리는 상대방과 서로 얼굴을 마주 보고 대화를 나누기도 하고, 신문, 잡지, 책 등에서 정보를 얻기도 한다. 또, 방송이나 인터넷을 통하여 소식을 듣거나 전하기도 한다. 이것을 의사소통이라 하며, 의사소통은 매체를 통하여 이루어진다.

매체는 의사소통을 하는 송신자와 수신자 사이에서 정보를 전달하는 수단이나 매개체를 의미하며, 매체 언어는 이러한 매체에 사용되는 언어를 말한다. 현대인은 과거에 비해 훨씬 더 많은 매체를 통해 의사소통을 하기 때문에 매체 언어를 잘 알아야 원활한 의사소통을 할 수 있다.

매체 언어의 특성을 알고 잘 사용하려면 먼저 어떤 매체들이 있는지 살펴보아야 한다.

매체를 나누는 방법에는 여러 가지가 있다. 흔히 책, 신문, 잡지 등의 인쇄 매체, 영화, 텔레비전 등의 영상 매체, 인터넷 등의 통신 매체처럼 전달하는 수단을 중심으로 나누기도 하고, 전달하는 내용을 중심으로 정보 전달 매체, 설득 매체, 정서 표현의 매체, 사회적 상호 작용 매체로 나누기도 한다.

여기에서는 매체의 유형 및 발달을 고려하여 음성 언어와 문자 언어, 영상 매체에 사용되는 영상 언어, 통신 매체에 사용되는 통신 언어로 나누어 그 특성을 살피기로 한다.

음성 언어는 같은 시간, 같은 공간에 함께 있는 송신자와 수신자 사이에서 주로 사용된다. 얼굴을 마주하고 사용하는 경우가 많으므로 말의 내용 못지않게 억양, 성량, 말의 속도 등 음성적인 요소와 표정이나 자세, 몸짓 등 비언어적인 표현도 매우 중요하다.

전화나 라디오를 통한 의사소통은 음성 언어의 단점인 공간적인 제약을 극복한 것이다. 전자 기술의 발달로 인해 시간과 공간을 함께하지 않아도 의사소통을 할 수 있게 된 것이다. 다만 얼굴을 마주하는 경우에 비해 말하는이와 듣는이가 서로의 표정이나 태도 등을 자세하게 알기는 어렵다.

문자 언어는 주로 문자에 의하여 시각적으로 전달된다. 음성 언어는 말을 하는 순간에 곧 사라지기 때문에 멀리 전달할 수도, 오래 보관할 수도 없어서 매우 불편하였다. 사람들은 말을 기록하여 보관하는 방법을 궁리하게 되었고, 그 결과 나타난 의사소통의 매체가 문자이다. 문자를 이용하여 의사소통을 하는 경우에는 송신자와 수신자가 같은 시간과 같은 공간에 함께 있지 않은 경우가 대부분이므로 표정이나 태도, 혹은 음성적인 요소가 전달되지 않는다. 따라서 문장 부호를 쓰거나 글자의 크기와 모양에 변화를 주어 이런 제약을 보완하였다.

문자 언어의 특성이 잘 드러나는 것이 인쇄 매체이다. 근대에 이르러 급속도로 발전한 인쇄술 덕분에 같은 내용을 대량으로 인쇄할 수 있게 되었다. 대량 인쇄가 가능해지자, 인쇄 매체도 급속도로 늘어나기 시작했다. 수많은 책이 간행되고 신문과 잡지가 만들어지면서 보통 사람들도 쉽게 지식과 정보를 접할 수 있게 되었다.

① 글을 다 쓴 후에도 내용을 수정할 수 있다.

② 다음 세대에 지식을 전승하는 수단으로 활용할 수 있다.

③ 복잡한 내용을 논리적으로 전달할 수 있다.

④ 송신자와 수신자가 같은 공간에 함께 있는 경우가 대부분이다.

12 다음 제시된 지문으로 유추할 수 있는 것은?

> 다이아몬드(J. Diamond)는 인류 역사를 인간의 진화와 생태학의 맥락에서 설명하려고 했다. 그는 인간 사회의 운명이 우연적 요인이나 인종적 요인에서 비롯되는 것이 아니라 다른 사람들의 혁신적이고 창의적인 성과물을 채택하려는 인간의 충동에서 나오는 것이며, 이 충동은 지리 및 생태계의 변화와 결합되어 있다는 가설을 제시하였다.
>
> 다이아몬드에 따르면, 1500년 경 유럽에서 발달된 과학 기술과 정치 조직이 현대 세계의 불평등을 낳았지만, 좀 더 거슬러 올라가면 이 불평등은 각 대륙의 발전 속도가 다른 것에서 유래했다. 그리고 각 대륙의 발전 속도의 이러한 차이를 가져온 것은 궁극적으로 지리 및 생태적 환경이었다. 더 나아가 그는 지리 및 생태적 요인이 인간 사회에 어떻게 영향을 미치는지를 비교적 자세히 설명하였다.
>
> 다이아몬드는 세계 최대의 대륙인 유라시아가 각 지역의 혁신적 성과물이 모이는 최대의 집결지라는 사실을 지적하였다. 상인, 체류자, 정복자들은 그것을 수집해 널리 전파시켰고, 교통 요충지에는 인구가 집중됨으로써 도시가 건설되어 다양하고 창의적인 아이디어의 발명과 확산을 가져왔다. 또한 유라시아는 남북으로 뻗은 아프리카나 남북 아메리카와 달리 동서로 뻗어 있어서, 한 지역에서 이용하는 작물과 가축이 비슷한 위도, 비슷한 기후의 다른 지역으로 쉽게 전파될 수 있었다.

① 현대 세계의 불평등은 해결될 수 있다.
② 다이아몬드에 따르면 인간 사회의 운명은 지리 및 생태계의 변화와 무관하다.
③ 남북으로 뻗은 아프리카나 남북 아메리카는 작물을 비슷한 기후의 다른 지역으로 전파시킬 수 있다.
④ 유라시아는 지리 및 생태적 요인으로 인해 빠르게 발전할 수 있었다.

13 동양 연극과 서양 연극의 차이점에 관한 글을 쓰려고 한다. '관객과 무대와의 관계'라는 항목에 활용하기에 적절하지 않은 것은?

> ㉠ 서양의 관객이 공연을 예술 감상의 한 형태로 본다면, 동양의 관객은 공동체적 참여를 통하여 함께 즐기고 체험한다.
> ㉡ 동양 연극은 춤과 노래와 양식화된 동작을 통해서 무대 위에서 현실을 모방하는 게 아니라, 재창조한다.
> ㉢ 서양 연극의 관객이 정숙한 분위기 속에서 격식을 갖추고 관극(觀劇)을 하는 데 비하여, 동양 연극의 관객은 매우 자유분방한 분위기 속에서 관극한다.
> ㉣ 서양 연극은 지적인 이론이나 세련된 대사로 이해되는 텍스트 중심의 연극이라면, 동양 연극은 노래와 춤과 언어가 삼위일체가 되는 형식을 지닌다.
> ㉤ 서양 연극과는 달리, 동양 연극은 공연이 시작되는 순간부터 관객이 신명나게 참여하고, 공연이 끝난 후의 뒤풀이에도 관객, 연기자 모두 하나가 되어 춤판을 벌이는 것이 특징이다.

① ㉠㉡
② ㉡㉣
③ ㉡㉢㉤
④ ㉣㉤

1405년 중국 명나라의 정화는 67척의 배에 2만 8천 명의 인원을 태운 대함대를 거느리고 참파, 자와, 수마트라, 실론 등을 거쳐 인도의 캘리컷에 도착하였다. 그는 항해를 계속하여 페르시아와 아라비아 반도를 거쳐 아프리카 동해안의 말린디, 몸바사 등지까지 갔다. 중국의 비단과 도자기는 인기가 높아 가는 곳마다 환영을 받았다.

이 후에도 정화는 6차례나 인도양을 오가며 조공 무역을 추진하기 위해 활발한 활동을 하였다. 그 결과 바닷길이 발달하고, 명에 조공을 바치게 된 나라가 30여 개국에 달하게 되었다. 또 정화의 원정에 수행한 비신의 「성라승람」, 공진의 「서양번지」 등의 견문기를 통해 중국인의 지리적 지식이 인도로부터 아프리카 방면에까지 확대되었으며, 그 결과 동남 시아 각지에 진출하는 중국인의 수는 해마다 증가했다. 오늘날 동남아시아 화교 사회의 기초는 이들에 의해 구축되었다.

이슬람 상인에는 소매상, 육로를 이용한 대상 무역상, 바닷길을 이용해 상선 무역에 종사하는 다지르 등이 있었다. 이들은 지중해는 물론 아프리카 동해안, 인도양, 중국을 연결하는 바닷길을 왕래하면서 세계 무역을 지배하였다. 중국의 비단과 도자기, 인도·동남아시아의 향신료, 아프리카의 상아·노예, 비잔티움 제국의 공예품 등 그들이 취급 하지 않은 물품이 거의 없을 정도였다. 그들은 이와 같은 상업 활동을 통해 많은 이익을 남겼으며, 무역지의 이슬람화를 촉진하여 이슬람교의 발전에도 큰 공을 세웠다. 이슬람 상인은 우리나라에도 찾아와 교역을 하였다.

신항로의 개척 이후 유럽에는 멕시코, 페루 등으로부터 금·은의 귀금속이 대량으로 반입되어 가격 혁명이 일어났다. 물가가 1세기 사이에 2~3배 정도 폭등함에 따라 고정된 지대를 받고 있던 봉건 지주는 타격을 받았다. (가) 상공업자들에게는 유리하였으며, 광대한 시장의 확대로 길드가 해체되고 상공업이 발달하는 등 유럽의 자본주의가 더욱 발달하였다. 이와 같이 신항로의 개척을 계기로 나타난 유럽의 경제적 변화를 통틀어 상업혁명이라고 일컫는다. 그리고 그것은 근대 사회의 주역이 될 시민 계급을 성장시키는 결과를 가져왔다. (나) 신항로의 개척은 유럽인의 주도하에 이루어진 것이었으므로, 유럽 세력의 확대로 인하여 아시아와 아메리카 대륙이 유럽 세력의 식민지로 전락하는 문제점을 낳았다.

14 윗글의 제목으로 가장 적절한 것은?

① 해상 무역의 의미와 종류

② 새로운 문명의 탄생과 발달

③ 해상 활동의 경과와 결과

④ 각 문명권의 교유와 그 의의

15 다음 중 (가), (나)에 들어갈 접속어를 순서대로 나열한 것은?

① 그런데, 따라서

② 그러나, 그러나

③ 그리고, 그러나

④ 또한, 그리고

16 다음 글을 읽고 유추할 수 없는 것은?

> 아리스토텔레스 과학이 제시한 자연관은 중세의 사회 구조와 밀접하게 관련되어 있었다. 우주가 지상계-불완전한 천상계-완전한 천상계로 조화롭게 삼분되어 있듯이, 세계도 인간-교회-신, 평민-귀족-왕의 삼분 구조로 이루어져, 인간 개개인은 이 구조 속에서 자기 삶의 위치를 알 수 있었다. 만물이 우주의 위계질서 속에서 자기 고유의 위치와 운동 방식을 가지고 있는 것처럼 인간도 마찬가지였다. 농부들은 세속의 지배자인 영주에게 복속되어 노동하였으며, 교회는 지상에 있는 신의 대리자로서 농부들의 정신생활을 통제하였다.

① 아리스토텔레스 과학이 제시한 자연관은 중세 신분제도와 서로 관계가 있다.
② 농민은 물리적인 면에서는 영주의 지배를 받았고, 정신적인 면에서는 교황의 통제를 받았다.
③ 인간세계를 평민, 귀족, 왕으로 삼분한 최초의 학자는 아리스토텔레스이다.
④ 지상계, 불완전한 천상계, 완전한 천상계의 관계는 중세의 평민, 귀족, 왕의 관계와 닮아 있다.

17 다음 글을 읽고 이 글에서 생략된 전제로 옳은 것은?

> 일인(一人) 독재는 때로는 정당화된다. 그런데 소수 엘리트 독재는 일인 독재에 비하면 훨씬 덜 심각한 자유권 침해이다. 그러므로 소수 엘리트 독재도 정당화된다는 경우가 있을 것이다.

① 정당한 일인 독재뿐 아니라 정당한 소수 엘리트 독재도 가끔 발생한다.
② 자유권 침해의 정도가 덜 심각한 체재는 더 쉽게 정당화된다.
③ 가장 큰 악을 피할 수 있는 유일한 방법이 일인 독재라면, 일인 독재는 정당화될 수도 있다.
④ 일인 독재는 돌이킬 수 없는 자유권 침해이지만 소수 엘리트 독재의 상처는 치유될 수 있다.

18 다음 글을 읽고 이 글에 대한 반론으로 가장 부적절한 것은?

사람들이 '영어 공용화'의 효용성에 대해서 말하면서 가장 많이 언급하는 것이 영어 능력의 향상이다. 그러나 영어 공용화를 한다고 해서 그것이 바로 영어 능력의 향상으로 이어지는 것은 아니다. 영어 공용화의 효과는 두 세대 정도 지나야 드러나며 교육제도 개선 등 부단한 노력이 필요하다. 오히려 영어를 공용화하지 않은 노르웨이, 핀란드, 네덜란드 등에서 체계적인 영어 교육을 통해 뛰어난 영어 구사자를 만들어 내고 있다.

① 필리핀, 싱가포르 등 영어 공용화 국가에서는 영어 교육의 실효성이 별로 없다.
② 우리나라는 노르웨이, 핀란드, 네덜란드 등과 언어의 문화나 역사가 다르다.
③ 영어 공용화를 하지 않으면 영어 교육을 위해 훨씬 많은 비용을 지불해야 한다.
④ 체계적인 영어 교육을 하는 일본에서는 뛰어난 영어 구사자를 발견하기 힘들다.

19 다음에 제시된 글을 가장 잘 요약한 것은?

해는 동에서 솟아 서로 진다. 하루가 흘러가는 것은 서운하지만 한낮에 갈망했던 현상이다. 그래서 해가 지면 농부는 얼씨구 좋다고 외치는 것이다. 해가 지면 신선한 바람이 불어오니 노랫소리가 절로 나오고, 아침에 모여 하루 종일 일을 같이 한 친구들과 헤어지며 내일 또 다시 만나기를 기약한다. 그리고는 귀여운 처자가 기다리는 가정으로 돌아가 빵긋 웃는 어린 아기를 만나게 된다. 행복한 가정으로 돌아가 하루의 고된 피로를 풀게 된다. 고된 일은 바로 이 행복한 가정을 위해서 있는 것이다. 그래서 고된 노동을 불평만 하지 않고, 탄식만 하지 않고 긍정함으로써 삶의 의욕을 보이는 지혜가 있었다.

① 농부들은 하루 종일 힘겨운 일을 하면서도 가정의 행복만을 생각했다.
② 농부들은 자신이 고된 일을 하는 것이 행복한 가정을 위한 것임을 깨달아 불평불만을 해소하려 애썼다.
③ 가정의 행복을 위해서라면 고된 일일지라도 불평하지 않고 긍정적으로 해 나가야 한다는 생각을 농부들은 지니고 있었다.
④ 해가 지면 집에 돌아가 가족과 행복한 시간을 보낼 수 있다는 희망에 농부들은 고된 일을 하면서도 불평을 하지 않고 즐거운 삶을 산다.

20 다음 글에 나타난 글쓴이의 태도로 적절한 것은?

삶을 수동적으로만 받아들이던 옛 사람이 아니더라도 구름의 모습에 관심을 가질 때, 그 구름이 갖는 어떤 상징을 느끼면, 고르지 못한 인생에 새삼 개탄을 하게 된다.

과학의 발달에 따라 인간의 이지(理智)가 모든 불합리성을 거부하게 되었다 할지라도, 이 '느낌'이란 것을 어찌할 수 없어, 우리는 지금도 달이라면 천체(天體) 사진을 통하여 본 달의 죽음의 지각(地殼)보다도, 먼저 계수나무의 환상을 머리에 떠올린다.

고도한 과학력은 또 인공운(人工雲)을 조성하여, 인공 강우까지도 가능케 하리라 한다. 그러나 인간의 의지로 발생한 인공 수정(人工受精)된 생명도 자연 생명과 같은 삶을 이어 갈 수밖에 없듯이, 인공으로 이루어졌다 하더라도 우리에게 오는 느낌은 자연운(自然雲)과 같은 허무(虛無) 그것일 뿐이다.

식자(識者)는 혹 이런 느낌을 황당하다고 웃을지 모르나, 그 옛날 나의 어린 정서를 흔들고 키워 준 구름에서 이제 나이 먹어 지친 지금은 또 다른 의미를 찾고자 한다. 흐르는 물과 일었다 스러지는 구름의 모습은 나에게 가르치는 것이 많다고 생각하는 것이다. 물은 언제나 흐르되 그 자리에 있고, 항상 그 자리를 채우는 것은 같은 물이 아니듯이, 하늘에 뜬 구름 역시 일었다 스러지나, 같은 모습을 띄우되 같은 것은 아니라는 것 — 그리고 모든 것은 그렇게 있게 마련이라는 것을 깨우쳐 준다. 이런 상념은 체념이 아니고 달관(達觀)이었으면 하는 것이 이즈음의 나의 소망인 것이다.

① 자연과 일체가 되는 조화로운 삶을 살고자 한다.
② 자연을 스승으로 삼아서 인생의 교훈을 얻고자 한다.
③ 자연에 순응하지 않는 적극적인 삶의 태도를 갖고자 한다.
④ 인간이 만든 과학의 성과에 대해 비판적으로 생각하고 있다.

21 다음 글의 제목으로 가장 적절한 것은?

'언어는 사고를 규정한다'고 주장하는 연구자들은 인간이 언어를 통해 사물을 인지한다고 말한다. 예를 들어, 우리나라 사람은 '벼'와 '쌀'과 '밥'을 서로 다른 것으로 범주화하여 인식하는 반면, 에스키모인은 하늘에서 내리는 눈, 땅에 쌓인 눈, 얼음처럼 굳어서 이글루를 지을 수 있는 눈을 서로 다른 것으로 범주화하여 파악한다. 이처럼 언어는 사물을 자의적으로 범주화한다. 그래서 인간이 언어를 통해 사물을 파악하는 방식도 다양할 수밖에 없다.

① 언어의 기능
② 언어와 인지
③ 언어의 다양성
④ 에스키모인의 언어

제5회 모의고사

정답 및 해설 | P.247

파트1 29문/20분

┃1~5┃ 다음 제시된 단어들의 상관관계를 파악하여 괄호 안에 알맞은 단어를 넣으시오.

1

윤동주 : 별 헤는 밤 = 이상 : (　)

① 님의 침묵
② 엄마야 누나야
③ 청노루
④ 오감도

2

책 : 위편삼절(韋編三絕) = 가을 : (　)

① 당랑거철(螳螂車轍)
② 천고마비(天高馬肥)
③ 유비무환(有備無患)
④ 삼고초려(三顧草廬)

3

아시아 : 히말라야 산맥 = 남아메리카 : (　)

① 안데스 산맥
② 알프스 산맥
③ 로키 산맥
④ 태백 산맥

4

남대문 : 례(禮) = 동대문 : (   )

① 인(仁)　　　　　　　　　② 의(義)
③ 례(禮)　　　　　　　　　④ 지(智)

5

귀주대첩 : 강감찬 = 칠천량 해전 : (   )

① 이순신　　　　　　　　　② 장보고
③ 이사부　　　　　　　　　④ 원균

┃6~10┃ 다음 괄호 안에 들어갈 말을 순서대로 나열한 것을 고르시오.

6

연대 : (   ) = 모방 : (   )

① 모임, 창조
② 개인, 모조
③ 단체, 흉내
④ 모임, 처방

7

부채 : (   ) = (   ) : 다리미

① 선풍기, 인두　　　　　　② 난로, 인두
③ 선풍기, 바늘　　　　　　④ 난로, 바늘

8

( ) : 쿠바 = 간디 : ( )

① 레닌, 인도   ② 체게바라, 인도

③ 레닌, 중국   ④ 체게바라, 중국

9

화장품 : ( ) = 필기구 : ( )

① 립스틱, 연필

② 화장, 연필

③ 립스틱, 노트

④ 화장, 필통

10

정지용 : ( ) = 김춘수 : ( )

① 향수, 날개

② 절정, 서시

③ 향수, 꽃

④ 국화, 꽃

11 어느 야구선수가 시합에 10번 참여하여 시합당 평균 0.6개의 홈런을 기록하였다. 앞으로 5번의 시합에 더 참여하여 총 15번 경기에서의 시합당 평균 홈런을 0.8개 이상으로 높이고자 한다. 남은 5번의 시합에서 최소 몇 개의 홈런을 쳐야하는가?

① 4   ② 5

③ 6   ④ 7

12 직장에서 병원에 갈 때는 60km/h로 가고, 병원에서 집에 갈 때는 30km/h로 간다. 직장에서 병원의 거리가 10km이고, 병원에서 집의 거리가 15km라면 직장에서 집까지 가는데 걸리는 시간은 얼마인가?

① 20분   ② 30분

③ 40분   ④ 50분

13 12%의 소금물 200g과 6%의 소금물 100g, 그리고 물 xg을 섞어서 8%의 소금물을 만들었다. 이 때 넣은 물의 양은 몇 g인가?

① 75g   ② 75.5g

③ 80g   ④ 80.5g

14 A마트에서 문구를 정가에서 20% 할인하는 행사를 진행했다. 미정이가 10,000원으로 정가 2,000원의 스케치북과 정가 1,000원의 색연필을 합쳐서 총 10개를 구매했을 때, 스케치북은 최대 몇 개까지 구매할 수 있는가?

① 1개   ② 2개

③ 3개   ④ 4개

15 기범이네 동아리 캠핑에서 고구마 25개, 감자 40개, 옥수수 70개를 모두에게 같은 개수대로 나누어주려고 했더니 고구마는 1개 부족하고, 감자는 1개가 남고, 옥수수는 5개가 남았다. 기범이네 동아리 인원은 최대 몇 명인가?

① 11명   ② 12명

③ 13명   ④ 14명

16 수레 A와 B에는 각각 백과사전과 국어사전이 같은 개수만큼 실려 있다. 백과사전과 국어사전 무게의 비는 3 : 2이다. 백과사전을 실은 수레가 너무 무거워서 백과사전 10권을 수레 B로 옮겼더니 두 수레에 실린 책의 무게가 같아졌을 때, 처음 수레에 실려 있던 백과사전은 총 몇 권인가?

① 50권　　　　　　　　　　　　　　② 55권

③ 60권　　　　　　　　　　　　　　④ 65권

17 10개의 공 중 빨간 공이 3개 들어 있다. 영희와 철수 두 사람이 차례로 한 개씩 공을 꺼낼 때 두 사람 중 한 사람만이 빨간 공을 꺼낼 확률을 구하면? (단, 꺼낸 공은 다시 넣지 않는다)

① $\dfrac{2}{5}$　　　　　　　　　　　　　② $\dfrac{7}{15}$

③ $\dfrac{8}{15}$　　　　　　　　　　　　　④ $\dfrac{3}{5}$

▌18~20▐ 다음은 일정한 규칙에 따라 배열한 수열이다. 빈칸에 알맞은 것을 고르시오.

18

1　2　4　7　28　33　198　( )

① 200　　　　　　　　　　　　　　② 205

③ 210　　　　　　　　　　　　　　④ 215

19

3　8　14　25　37　54　( )

① 65　　　　　　　　　　　　　　② 67

③ 72　　　　　　　　　　　　　　④ 77

20

$$\underline{2 \ 4 \ 6} \quad \underline{4 \ (\ \ ) \ 12} \quad \underline{6 \ 12 \ 18} \quad \underline{8 \ 16 \ 24}$$

① 6   ② 7
③ 8   ④ 9

‖ 21~23 ‖ 다음 빈칸에 들어갈 알맞은 문자를 고르시오.

21

$$J - H - L - J - N - (\ \ )$$

① J   ② K
③ L   ④ M

22

$$C - D - G - L - (\ \ )$$

① C   ② P
③ R   ④ S

23

$$ㄱ - ㄷ - ㄹ - ㅇ - ㅅ - ㅍ - (\ \ )$$

① ㅈ   ② ㅊ
③ ㅋ   ④ ㅌ

┃24~29┃ 다음 도형들의 일정한 규칙을 찾아 ? 표시된 부분에 들어갈 도형을 찾으시오.

24

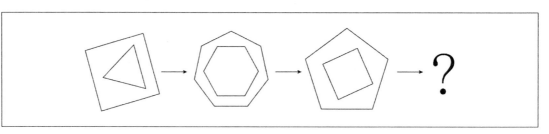

①

②

③

④

25

①

②

③

④

26

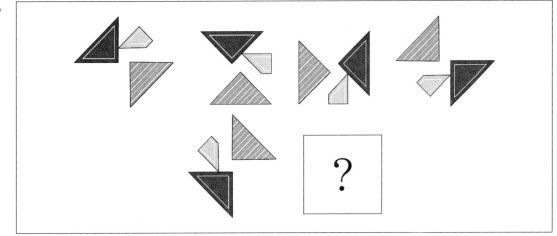

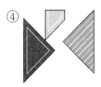

27

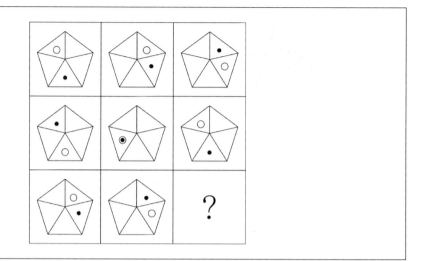

①

②

③

④

28

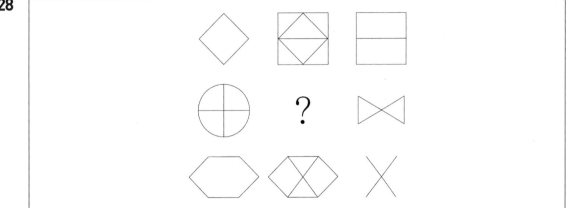

①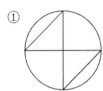

②

③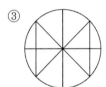

④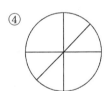

29

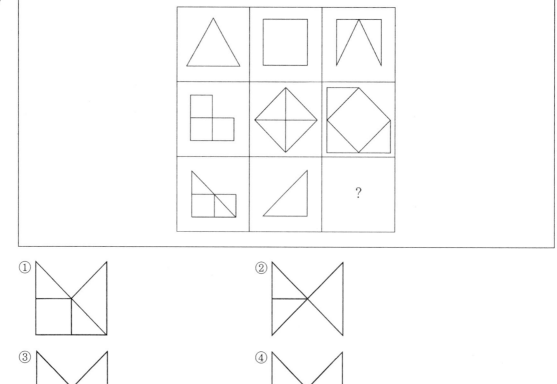

① ② ③ ④

1 다음을 읽고, 빈칸에 들어갈 내용으로 가장 알맞은 것을 고르면?

> 힐링(Healing)은 사회적 압박과 스트레스 등으로 손상된 몸과 마음을 치유하는 방법을 포괄적으로 일컫는 말이다. 우리보다 먼저 힐링이 정착된 서구에서는 질병 치유의 대체 요법 또는 영적·심리적 치료 요법 등을 지칭하고 있다.
>
> 국내에서도 최근 힐링과 관련된 갖가지 상품이 유행하고 있다. 간단한 인터넷 검색을 통해 수천 가지의 상품을 확인할 수 있을 정도다. 종교적 명상, 자연 요법, 운동 요법 등 다양한 형태의 힐링 상품이 존재한다. 심지어 고가의 힐링 여행이나 힐링 주택 등의 상품들도 나오고 있다.
>
> 그러나 _____ 우선 명상이나 기도 등을 통해 내면에 눈뜨고, 필라테스나 요가를 통해 육체적 건강을 회복하여 자신감을 얻는 것부터 출발할 수 있다.

① 힐링이 먼저 정착된 서구의 힐링 상품들을 참고해야 할 것이다.

② 많은 돈을 들이지 않고서도 쉽게 할 수 있는 일부터 찾는 것이 좋을 것이다.

③ 이러한 상품들의 값이 터무니없이 비싸다고 느껴지지는 않을 것이다.

④ 자신을 진정으로 사랑하는 법을 알아야 할 것이다.

2 다음 글의 중심 내용으로 가장 적절한 것은?

> 한 번에 두 가지 이상의 일을 할 때 당신은 마음에게 흩어지라고 지시하는 것입니다. 그것은 모든 분야에서 좋은 성과를 내는 데 필수적인 요소가 되는 집중과는 정반대입니다. 당신은 자신의 마음이 분열되는 상황에 처하도록 하는 경우도 많습니다. 마음이 흔들리도록, 과거나 미래에 사로잡히도록, 문제들을 안고 낑낑거리도록, 강박이나 충동에 따라 행동하는 때가 그런 경우입니다. 예를 들어, 읽으면서 동시에 먹을 때 마음의 일부는 읽는 데 가 있고, 일부는 먹는 데 가 있습니다. 이런 때는 어느 활동에서도 최상의 것을 얻지 못합니다. 다음과 같은 부처의 가르침을 명심하세요. '걷고 있을 때는 걸어라. 앉아 있을 때는 앉아 있어라. 갈팡질팡하지 마라.' 당신이 하는 모든 일은 당신의 온전한 주의를 받을 가치가 있는 것이어야 합니다. 단지 부분적인 주의를 받을 가치밖에 없다고 생각하면, 그것이 진정으로 할 가치가 있는지 자문하세요. 어떤 활동이 사소해 보이더라도, 당신은 마음을 훈련하고 있다는 사실을 명심하세요.

① 일을 시작하기 전에 먼저 사소한 일과 중요한 일을 구분하는 습관을 기르라.

② 한 번에 두 가지 이상의 일을 성공적으로 수행할 수 있도록 훈련하라.

③ 자신이 하는 일에 전적으로 주의를 집중하라.

④ 과거나 미래가 주는 교훈에 귀를 기울이라.

3

(가) 현재 전하고 있는 갑인자본을 보면 글자획에 필력의 약동이 잘 나타나고 글자 사이가 여유 있게 떨어지고 있으며 판면이 커서 늠름하다.

(나) 이 글자는 자체가 매우 해정(글씨체가 바르고 똑똑함)하고 부드러운 필서체로 진나라의 위부인자체와 비슷하다 하여 일명 '위부인자'라 일컫기도 한다.

(다) 경자자와 비교하면 대자와 소자의 크기가 고르고 활자의 네모가 평정하며 조판도 완전한 조립식으로 고안하여 납을 사용하는 대신 죽목으로 빈틈을 메우는 단계로 개량·발전되었다.

(라) 또 먹물이 시커멓고 윤이 나서 한결 선명하고 아름답다. 이와 같은 이유로 이 활자는 우리나라 활자본의 백미에 속한다.

(마) 갑인자는 1434년(세종 16)에 주자소에서 만든 동활자로 그보다 앞서 만들어진 경자자의 자체가 가늘고 빽빽하여 보기가 어려워지자 좀 더 큰 활자가 필요하다하여 1434년 갑인년에 왕명으로 주조된 활자이다.

(바) 이 활자를 만드는 데 관여한 인물들은 당시의 과학자나 또는 정밀한 천문기기를 만들었던 기술자들이었으므로 활자의 모양이 아주 해정하고 바르게 만들어졌다.

① (마)－(나)－(바)－(다)－(가)－(라)

② (나)－(마)－(라)－(가)－(다)－(바)

③ (마)－(가)－(바)－(다)－(나)－(라)

④ (나)－(마)－(가)－(라)－(다)－(바)

4 다음 글에 대한 평가로 적절한 것은 무엇인가?

> 원두커피 한 잔에는 인스턴트커피의 세 배인 150 mg의 카페인이 들어있다. 원두커피 판매의 요체인 커피전문점 수는 2012년 현재 9천 4백여 개로 최근 5년 새 여섯 배나 급증했다. 그런데 같은 기간 동안 우울증과 같은 정신질환과 수면장애로 병원을 찾은 사람 또한 크게 늘었다. 몸 속에 들어온 커피가 완전히 대사되기까지는 여덟 시간 정도가 걸린다. 많은 사람들이 아침, 점심뿐만 아니라 저녁 식사 후 6시나 7시 전후에도 커피를 마신다. 그런데 카페인은 뇌를 각성시켜 집중력을 높인다. 따라서 많은 사람들이 잠자리에 드는 시간인 오후 10시 이후까지도 뇌는 각성 상태에 있다.
>
> 카페인은 우울증이나 공황장애와도 관련이 있다. 우울증을 앓고 있는 청소년은 건강한 청소년보다 커피, 콜라 등 카페인이 많은 음료를 네 배 정도 더 섭취했다. 공황장애 환자에게 원두커피 세 잔에 해당하는 450mg의 카페인을 주사했더니 약 60%의 환자로부터 발작 현상이 나타났다. 공황장애 환자는 심장이 빨리 뛰면 극도의 공포감을 느끼기 쉬운데, 이로 인해 발작 현상이 나타난다. 카페인은 심장을 자극하여 심박수를 증가시킨다.
>
> 이러한 사실에 비추어 볼 때, 커피에 들어있는 카페인은 수면장애를 일으키고, 특히 정신질환자의 우울증이나 공황 장애를 악화시킨다고 볼 수 있다.

① 카페인은 심장을 자극하여 심박수를 감소시킨다.

② 발작 현상이 공포감과 무관하다는 사실이 밝혀질 경우, 위 논증의 결론은 강화된다.

③ 수면장애로 병원을 찾은 사람들이 커피를 마시지 않는다는 사실이 밝혀질 경우, 위 논증의 결론은 강화되지 않는다.

④ 건강한 청소년은 섭취하지 않는 무카페인 음료를 우울증을 앓고 있는 청소년이 많이 섭취하는 것으로 밝혀질 경우, 위 논증의 결론은 강화된다.

5 다음 글에 제시된 내용을 〈보기〉에서 모두 고르면?

> 지구에 도달하는 태양풍의 대부분은 지구의 자기장 밖으로 흩어지고, 일부는 지구의 자기장에 끌려 붙잡히기도 한다. 이렇게 붙잡힌 태양풍을 구성하는 전기를 띤 대전입자들은 자기장을 따라 자기의 북극과 남극 방향으로 지구 대기에 들어온다. 이 입자들은 자기장을 타고 나선형으로 맴돌면서 지구의 양쪽 자기극으로 쏟아진다. 하강한 대전입자는 고도 100~500km 상공에서 대기와 충돌하면서 기체(원자와 분자)를 이온화하는 과정에서 가시광선과 자외선 및 적외선 영역의 빛을 낸다. 우리는 이 중 가시광선 영역의 오로라를 보는 것이다.
> 오로라가 가장 잘 나타나는 지역은 지구자기의 북극을 중심으로 20~25도 정도 떨어진 곳인데 이를 '오로라 대'라고 한다. 오로라 대는 지구자기 위도 65~70도에서 계란형의 타원을 이룬다. 오로라 대에서는 오로라 현상이 매년 100회 이상 빈번히 나타난다. 오로라 대에 속하는 지역은 시베리아 북부 연안, 알래스카 중부, 캐나다 중북부와 허드슨 만, 래브라도 반도, 아이슬란드 남방, 스칸디나비아 반도 북부 등이다.

> 〈보기〉
> ㉠ 오로라의 발생 원인
> ㉡ 모양에 따른 오로라의 분류
> ㉢ 오로라가 잘 나타나는 위도 범위
> ㉣ 오로라의 색깔을 결정하는 요인

① ㉠㉡   ② ㉠㉢
③ ㉡㉢   ④ ㉡㉣

6 다음 중 빈칸에 들어갈 접속사로 알맞은 것은?

> 관찰 가능한 대상들은 실재한다. 기술 발전에 힘입어 인간은 감각의 한계를 넘어설 수 있다. 현대 물리이론의 대상들은 인간 감각만으로는 지각할 수도 없고 심지어 상상할 수조차 없다. _____ 현대의 첨단 장비를 통해 우리는 그런 대상을 간접적으로 지각할 수 있다. 이런 대상도 "관찰 가능하다"고 말해야 한다.

① 왜냐하면   ② 게다가
③ 또한   ④ 하지만

7 다음 글에서 추론할 수 없는 것은?

세종대 오례(五禮) 운영의 특징은 더욱 완벽한 유교적 예악(禮樂) 이념에 접근하고자 노력하였다는 점에 있다. 유교적 예악 이념을 근간으로 국가의 오례 운영을 심화시키는 과정에서 예제(禮制)와 음악, 즉 예악이 유교적 정치 질서를 이루는 중요한 요소라는 점이 인식되었고, 예제와 음악이 조화된 단계의 오례 운영이 모색되었다.

이에 따라 음악에 대한 정리가 시도되었는데, 음악연구의 심화는 박연(朴堧)에 의한 음악서 편찬으로 이어졌다. 박연은 음악을 양성음과 음성음의 대응과 조화로서 이해하였고, 박연의 의견에 따라 이후 조선시대 오례 의식에 사용되는 모든 음악은 양성음인 양률과 음성음인 음려의 화합으로 이루어지게 되었다. 음악에 대한 이해가 심화됨에 따라 자주적인 악기 제조가 가능하게 되었으며, 악공(樂工)의 연주 수준이 향상되었다.

한편으로 박연 이후 아악(雅樂)과 향악(鄕樂)의 문제가 제기되었다. 아악은 중국에서 들어온 음악으로 우리에게는 익숙한 음악이 아니었다. 따라서 우리나라 사람들이 평소에는 우리의 성음으로 이루어진 향악을 듣다가 오례 때에는 중국의 성음으로 이루어진 아악을 듣는 것에 대한 의문이 제기되었다. 이로 인해 오례에서는 으레 아악을 연주해야 한다는 관행을 벗어나, 우리의 고유 음악인 향악을 유교의 예악과 어떻게 조화시킬 것인가에 관한 문제가 공론화되기 시작하였다. 이후 여러 논의를 거쳐 오례 의식에서 향악을 반드시 연주하게 되었다.

나아가 향악에 대한 관심은 중국에서 유래된 아악과 우리 향악 사이에 음운 체계가 근본적으로 다르다는 것을 인식하게 하였다. 또한 보편적 음성이론에 의한 예악 운영에 따라 향악의 수준이 향상되는 결과를 가져왔다.

① 아악과 향악은 음운 체계가 서로 다르다.
② 향악의 수준 향상으로 아악은 점차 오례 의식에서 배제되어갔다.
③ 오례에서 연주된 향악은 양률과 음려가 화합을 이룬 음악이었다.
④ 세종대 음악에 대한 심화된 이해는 자주적인 악기 제조, 악공의 연주 수준 향상으로 이어졌다.

흔히 빛조차 빠져나올 수 없을 정도로 강한 중력을 가지고 있는 천체를 블랙홀이라 한다. 이러한 블랙홀은 우리은하에만 수천 개 존재하는데 이들은 모두 태양질량의 수~수십 배에 이른다. 하지만 우리은하 중심에는 추정질량이 태양의 460만 배에 달하는 거대한 블랙홀이 존재하는데 이는 우리은하에 있는 다른 블랙홀들을 모두 합친 것보다 무거운 것이다. 이렇게 질량이 거대한 블랙홀을 거대질량 블랙홀이라 하는데 이것들은 대다수가 은하 중심에 자리 잡고 있다. 한 예로 우리은하의 이웃이라 할 수 있는 안드로메다은하의 중심에는 태양질량의 1억 배에 달하는 블랙홀이 자리 잡고 있으며 지구에서 3억 2000만 광년 떨어진 곳에 위치한 은하에는 태양질량의 무려 100억 배인 블랙홀이 존재한다는 사실이 최근 밝혀지기도 했다.

거대질량 블랙홀은 그 질량이 태양의 100만~100억 배나 되는 매우 무거운 블랙홀을 일컫는 말로 보통 은하 하나에는 별이 약 100억~1000억 개 정도 존재하니 태양보다 100억 배 무거운 거대질량 블랙홀의 질량은 작은 은하의 질량과 맞먹을 정도라고 할 수 있다. 은하의 안쪽에는 별들이 구형 또는 타원체 모양으로 분포해 있는 팽대부라고 하는 지역이 있는데 거대질량 블랙홀은 주로 이 팽대부의 중심에 위치해 있는 것이다.

거대질량 블랙홀의 존재는 1962년 미국 칼텍의 마르텐 슈미트와 그의 동료들이 퀘이사라고 불리는 특이천체가 발견하면서 세상에 알려지게 되었다. 별은 보통 태양처럼 중심부에서 일어나는 핵융합 반응을 에너지원으로 하면서 빛나는 천체이므로 전파 영역에서는 빛(전자기파)이 매우 미약하다는 것이 상식이다. 하지만 당시 그들이 발견한 천체는 전파 영역에서 많은 빛이 발생하는 천체란 이유에서 매우 특이한 존재였다. 마르텐 슈미트와 동료들은 이 별처럼 보이는 3C273이라고 하는 전파광원의 정체를 밝히기 위해 그 천체의 스펙트럼을 관측해 분석했는데 그 결과 3C273은 우리로부터 매우 빠른 속도로 멀어지고 있는 19억 광년이나 먼 곳에 있는 천체임이 밝혀졌다. 이를 계기로 별처럼 보이지만 별이 아닌 전파를 많이 내면서 아주 멀리 존재하는 특이천체에 퀘이사라는 이름을 붙였다.

그런데 퀘이사가 이렇게 멀리 있는데도 그 겉보기 밝기가 상당하다는 것은 퀘이사들의 실제 광도가 매우 밝다는 것을 의미하고 이를 토대로 지구에서 퀘이사까지 알려진 거리와 겉보기 밝기로부터 퀘이사의 밝기를 추정해보면 퀘이사가 보통 은하보다 수십 배 더 밝다는 사실을 짐작할 수 있다. 또한 이에 비해 퀘이사 광원의 크기는 엄청나게 작다는 사실도 알려졌다. 3C273의 크기는 광속으로 1개월 정도면 갈 수 있는 거리인 약 1광월로 우리은하의 반경이 약 5만 광년이라는 점을 고려할 때 1광월이라는 크기는 60만분의 1에 불과하다. 이렇게 작은 지역에서 매우 밝은 빛이 나올 수 있는 경우는 거대질량 블랙홀 주변에 다량의 가스가 떨어지면서 그 마찰력으로 인한 고온으로 빛을 내는 경우밖에 없다. 별들을 그렇게 좁은 공간에 밀집시킬 수 있다고 하더라도 너무 많은 물질들이 한곳에 몰리게 되면 블랙홀이 돼버리는 것이다. 따라서 퀘이사의 존재는 거대질량 블랙홀의 존재에 대한 꽤 그럴듯한 증거라고 할 수 있고 이러한 거대질량 블랙홀 주변으로 떨어지는 물질은 강착원반이라고 하는 원반모양을 이루면서 빛을 내며 이런 과정을 통해 거대질량 블랙홀은 덩치를 키워나간다.

8 다음 설명 중 옳지 않은 것은?

① 우리 은하 중심에는 태양질량의 약 460만 배에 달하는 거대한 블랙홀이 존재하는데 이렇게 질량이 거대한 블랙홀을 거대질량 블랙홀이라 한다.

② 작은 지역에서 매우 밝은 빛이 나올 수 있는 경우는 거대질량 블랙홀 주변에 다량의 가스가 떨어지면서 그 마찰력으로 인한 저온으로 빛을 내는 경우밖에 없다.

③ 은하의 안쪽, 별들이 구형 또는 타원체 모양으로 분포해 있는 팽대부라는 지역 중심에 주로 거대질량 블랙홀이 위치해 있다.

④ 1962년 미국 칼텍의 마르텐 슈미트와 그의 동료들이 퀘이사라고 불리는 특이천체가 발견하면서 거대질량 블랙홀의 존재가 세상에 알려지게 되었다.

9 다음 중 거대질량 블랙홀에 속하지 않는 것은?

① 태양질량의 500만 배에 달하는 블랙홀
② 태양질량의 50만 배에 달하는 블랙홀
③ 태양질량의 50억 배에 달하는 블랙홀
④ 태양질량의 5억 배에 달하는 블랙홀

10 위의 글을 통해 알 수 있는 사실로 옳지 않은 것은?

① 우리은하의 지름은 빛의 속도로 약 10만년 가야하는 거리이다.
② 우주 공간 속에는 수많은 블랙홀이 존재할 것이다.
③ 현재 우주는 매우 빠른 속도로 계속 팽창하고 있다.
④ 블랙홀 주변으로 떨어진 물질들은 우주 어딘가에서 다시 나타난다.

11 다음 글의 서술상의 특징으로 옳지 않은 것은?

한국문학은 흔히 한국 민족에 의해 한국어를 기반으로 계승·발전한 문학을 일컫는다. 그렇다면 한국문학에는 어떤 것들이 있을까? 한국문학은 크게 세 가지로 구분할 수 있는데 차자문학, 한문학, 국문학이 그것이다. 차자문학은 고대시대에 우리말을 따로 표기할 문자가 없어 중국의 한자를 우리말 어순에 맞게 빌려와 기록한 문학으로 대표적인 예로 향가를 들 수 있다. 그리고 한문학이란 한문으로 기록된 문학을 말하는데 중세시대 동아시아의 모든 국가들이 공통 문자로 한문을 사용했다는 점에서 이 시기 한문학 또한 우리 한국문학의 하나로 볼 수 있다. 마지막으로 국문학은 조선 세종의 훈민정음 창제 이후 훈민정음(한글)로 기록된 문학을 말한다.

① 기존의 주장을 반박하는 방식으로 논지를 펼치고 있다.
② 용어의 정의를 통해 논지에 대한 독자의 이해를 돕고 있다.
③ 의문문을 사용함으로써 독자들에게 호기심을 유발시키고 있다.
④ 근거를 갖추어 주장을 펼치고 있다.

12 이 글의 주제로 가장 적절한 것은?

광고란 본래 상품을 선전하여 많이 팔 목적으로 만들어진다. 광고가 처음 등장했을 때에는, 상품이 어떤 용도로 사용되며 어떤 특징과 장점을 지녔는지를 주로 설명하였다. 그러나 오늘 날의 광고는 상품의 용도나 장점과 같은 사용 가치를 설명하는 데에만 그치지 않고 상품의 겉모습을 부각시켜서 소비자들의 욕구를 자극하고 있다. 이것은 상품의 사용 가치를 하나의 미끼로 던져 주고 상품의 겉모습을 통해서 승부를 걸겠다는 전략이라고 할 수 있다. 이 때문에 상품의 사용 가치 못지않게 상품의 겉모습이 중요해지고 있다. 실제로 오늘날 기업들은 별다른 변화도 없이 디자인만 변형시키거나 약간의 기능만을 추가하여 끊임없이 새 제품을 생산하고 있다. 이와 같은 미적 변형이나 혁신은 상품의 형태, 포장, 상표 등에까지 확장되었다. 광고에서 상품의 디자인이나 포장에 역점을 두고 있는 사실도 이런 맥락에서 이해해야 한다.

① 광고 전략의 변화
② 광고의 사용 가치의 변화
③ 광고의 본질적 목적의 변화
④ 광고를 통한 소비자 의식의 변화

13 글의 빈칸에 들어갈 단어로 가장 적절한 것은?

> 인간은 누구나 건전하고 생산적인 사회에서 타인과 함께 평화롭게 살아가길 원한다. 도덕적이고 문명화된 사회를 가능하게 하는 기본적인 사회 원리를 수용할 경우에만 인간은 생산적인 사회에서 평화롭게 살 수 있다. 기본적인 사회 원리를 수용한다면, 개인의 권리는 침해당하지 않는다. 인간의 본성에 의해 요구되는 인간 생존의 기본 조건, 즉 생각의 자유와 자신의 이성적 판단에 따라 행동할 수 있는 자유가 인정되지 않는다면, 개인의 권리는 침해당한다.
> 물리적 힘의 사용이 허용되는 경우에만 개인의 권리는 침해당한다. 어떤 사람이 다른 사람의 삶을 빼앗거나 그 사람의 의지에 반하는 것을 _____하기 위해서는 물리적 수단을 사용할 수밖에 없기 때문이다. 이성적인 수단인 토론이나 설득을 사용하여 다른 사람의 의견이나 행동에 영향을 미친다면, 개인의 권리는 침해당하지 않는다.
> 인간이 생산적인 사회에서 평화롭게 사는 것은 매우 중요하다. 왜냐하면 인간이 생산적인 사회에서 평화롭게 살 수 있을 경우에만 인간은 지식 교환의 가치를 사회로부터 얻을 수 있기 때문이다.

① 강요

② 반대

③ 인지

④ 대화

14 다음 글의 글쓴이의 주장으로 가장 적절한 것은?

> 대체로 일본사람들이 책을 많이 읽는 것으로 알려졌다. 회사원에서 가정주부에 이르기까지 언제나 손쉽게 읽을 수 있는 책을 휴대하고 다닌다고 칭찬하는 경우가 많다. 그러나 그들이 읽고 있는 책은 기껏해야 생활정보, 교양도서, 중간소설 같은 것들이다. 그럼에도 불구하고 그런 책들을 계속해서 읽고 있는 국민과 학교 졸업과 동시에 손에서 책을 놓아버리는 국민 사이의 격차가 시간의 흐름과 더불어 회복하기 어려운 간극을 노정하게 됨은 불 보듯 뻔한 일이다.

① 문화에는 우열의 차이가 없다.

② 책을 읽지 않으면 뒤떨어지게 된다.

③ 문화는 그 나라의 민족성을 반영한다.

④ 가치 없는 정보는 읽지 말고 버려야 한다.

｜15~16｜ 다음 글을 읽고 물음에 답하시오.

정보 사회라고 하는 오늘날, 우리는 실제적 필요와 지식 정보의 획득을 위해서 독서하는 경우가 많다. 일정한 목적의식이나 문제의식을 안고 달려드는 독서일수록 사실은 능률적인 것이다. 르네상스적인 만능의 인물이었던 괴테는 그림에 열중하기도 했다. 그는 그림의 대상이 되는 집이나 새를 더 관찰하기 위해서 그리는 것이라고, 의아해 하는 주위 사람에게 대답했다고 전해진다. 그림을 그리겠다는 목적의식을 가지고 집이나 꽃을 관찰하면 분명하고 세밀하게 그 대상이 떠오를 것이다. 마찬가지로 일정한 주제 의식이나 문제의식을 가지고 독서를 할 때, 보다 창조적이고 주체적인 독서 행위가 성립될 것이다.

오늘날 기술 정보 사회의 시민이 취득해야 할 상식과 정보는 무량하게 많다. 간단한 읽기, 쓰기와 셈하기 능력만 갖추고 있으면 얼마 전까지만 하더라도 문맹(文盲)상태를 벗어날 수 있었다. 오늘날 사정은 이미 동일하지 않다. 자동차 운전이나 컴퓨터 조작이 바야흐로 새 시대의 '문맹'탈피 조건으로 부상하고 있다. 현대인 앞에는 그만큼 구비해야 할 기본적 조건과 자질이 수없이 기다리고 있다.

사회가 복잡해짐에 따라 신경과 시간을 바쳐야 할 세목도 증가하게 마련이다. 그러나 어느 시인이 얘기한 대로 인간 정신이 마련해 낸 가장 위대한 세계는 언어로 된 책의 마법 세계이다. 그 세계 속에서 현명한 주민이 되기 위해서는 무엇보다도 자기 삶의 방향에 맞게 시간을 잘 활용해야 할 것이다.

15 윗글의 핵심내용으로 가장 적절한 것은?

① 현대인이 구비해야 할 조건
② 현대인이 다루어야 할 지식
③ 문맹상태를 벗어나기 위한 노력
④ 주제의식이나 문제의식을 가진 독서

16 윗글의 내용과 일치하는 것은?

① 과거에는 간단한 읽기, 쓰기와 셈하기 능력만으로 문맹상태를 벗어날 수 있었다.
② 사회가 복잡해져도 신경과 시간을 바쳐야 할 세목은 일정하다.
③ 오늘날 기술 정보의 발달로 시민이 취득해야 할 상식과 정보는 적어졌다.
④ 실제적 필요와 지식 정보의 획득을 위해서 독서하는 것이 중요하다.

17 다음을 읽고, 빈칸에 들어갈 내용으로 가장 알맞은 것은?

조선시대의 신분제도는 기본적으로 양천제(良賤制)였다. 조선은 국역(國役)을 지는 양인을 보다 많이 확보하기 위해 양천제의 법제화를 적극 추진해 나갔다. 양천제에서 천인은 공민(公民)이 아니었으므로 벼슬할 수 있는 권리가 박탈되었다. 뿐만 아니라 양인·천인 모두가 지게 되어 있는 역(役)의 경우 천인에게 부과된 역은 징벌의 의미를 띤 신역(身役)의 성격으로 남녀 노비 모두에게 부과되었다. 그에 반해 양인이 지는 역은 봉공(奉公)의 의무라는 국역(國役)의 성격을 지닌 것으로 남자에게만 부과되었다.

한편 양인 내에는 다양한 신분계층이 존재하였다. 그 중에서도 양반과 중인, 향리, 서얼 등을 제외한 대부분의 사람들은 상민(常民)이라고 불렸다. 상민은 보통 사람이란 뜻이다. 상민은 어떤 독자적인 신분 결정 요인에 의해 구별된 범주가 아니라 양인 중에서 다른 계층을 제외한 잔여 범주라고 할 수 있다. 따라서 후대로 갈수록 양인의 계층 분화가 진행됨에 따라 상민의 성격은 더욱 분명해졌고 그 범위는 축소되었다. 그럼에도 불구하고 상민은 조선시대 신분제 아래에서 가장 많은 인구를 포괄하는 주요 신분 범주 중 하나였다.

상민은 특히 양반과 대칭되는 개념으로 사용되기 시작하였는데 반상(班常)이란 표현은 이런 의미를 포함하고 있다. ＿＿＿＿＿＿＿＿＿＿＿＿＿＿＿＿＿. 상민은 현실적으로 피지배 신분의 위치에 있었지만 법적으로는 양인의 일원으로서 양반과 동등한 권리를 가지고 있었다. 정치적으로 상민은 양반처럼 과거에 응시하여 관직에 나아갈 수 있었고 관학에서 교육 받을 수 있는 권리를 가지고 있었다. 사회·경제적으로 거주 이전의 자유나 토지 소유 등 재산권 행사에 있어서도 상민과 양반의 차별은 없었다. 이는 상민이 양인의 일원이기 때문에 가능한 것이었다.

① 상민은 양반과 대칭되는 표현이었지만 양반과 동일한 대우를 받았다.
② 상민을 천하게 부를 때 '상놈'이라고 한 것도 양반과의 대칭을 염두에 둔 표현이라 할 수 있다.
③ 상민의 사전적 정의는 '양반이 아닌 보통 백성을 이르던 말'이다.
④ 상민은 양반과 대칭되는 개념이었지만 중인과는 동등한 지위였다.

18 다음 글의 주제문으로서 가장 적절한 것은?

> 표준화된 언어는 의사소통을 효과적으로 하기 위하여 의도적으로 선택해야 할 공용어로서의 가치가 있다. 반면에 방언은 지역이나 계층의 언어와 문화를 보존하고 드러냄으로써 국가 전체의 언어와 문화를 다양하게 발전시키는 토대로서의 가치가 있다. 이러한 의미에서 표준화된 언어와 방언은 상호 보완적인 관계에 있다. 표준화된 언어가 있기에 정확한 의사소통이 가능하며, 방언이 있기에 개인의 언어생활에서나 언어 예술 활동에서 자유롭고 창의적인 표현이 가능하다. 결국 우리는 표준화된 언어와 방언 둘 다의 가치를 인정해야 하며, 발화(發話) 상황(狀況)을 잘 고려해서 표준화된 언어와 방언을 잘 가려서 사용할 줄 아는 능력을 길러야 한다.

① 창의적인 예술 활동에서는 방언의 기능이 중요하다.
② 표준화된 언어와 방언에는 각각 독자적인 가치와 역할이 있다.
③ 정확한 의사소통을 위해서는 표준화된 언어가 꼭 필요하다.
④ 표준화된 언어와 방언을 구분할 줄 아는 능력을 길러야 한다.

▌19~21 ▌ 다음 제시된 글을 읽고 물음에 답하시오.

> 정부나 기업이 사업에 투자할 때에는 현재에 투입될 비용과 미래에 발생할 이익을 비교하여 사업의 타당성을 진단한다. 이 경우 물가 상승, 투자 기회, 불확실성을 포함하는 할인의 요인을 고려하여 미래의 가치를 현재의 가치로 환산한 후, 비용과 이익을 공정하게 비교해야 한다. 이러한 환산을 가능케 해 주는 개념이 할인율이다. 할인율은 이자율과 유사하지만 역으로 적용되는 개념이라고 생각하면 된다. 현재의 이자율이 연 10%라면 올해의 10억 원은 내년에는 (1+0.1)을 곱한 11억 원이 되듯이, 할인율이 연 10%라면 내년의 11억 원의 현재 가치는 (1+0.1)로 나눈 10억 원이 된다.
>
> 공공사업의 타당성을 진단할 때에는 대개 미래 세대까지 고려하는 공적 차원의 할인율을 적용하는데, 이를 사회적 할인율이라고 한다. 사회적 할인율은 사회 구성원이 느끼는 할인의 요인을 정확하게 파악하여 결정하는 것이 바람직하나, 이것은 현실적으로 매우 어렵다. 그래서 시장 이자율이나 민간 자본의 수익률을 사회적 할인율로 적용하자는 주장이 제기된다.
>
> 시장 이자율은 저축과 대출을 통한 자본의 공급과 수요에 의해 결정되는 값이다. 저축을 하는 사람들은 원금을 시장 이자율에 의해 미래에 더 큰 금액으로 불릴 수 있고, 대출을 받는 사람들은 시장 이자율만큼 대출금에 대한 비용을 지불한다. 이때의 시장 이자율은 미래의 금액을 현재 가치로 환산할 때의 할인율로도 적용할 수 있으므로, 이를 사회적 할인율로 간주하자는 주장이 제기되는 것이다. 한편 민간 자본의 수익률을 사회적 할인율로 적용하자는 주장은, 사회 전체적인 차원에서 공공사업에 투입될 자본이 민간 부문에서 이용될 수도 있으므로, 공공사업에 대해서도 민간 부문에서만큼 높은 수익률을 요구해야 한다는 것이다.
>
> 그러나 시장 이자율이나 민간 자본의 수익률을 사회적 할인율로 적용하자는 주장은 수용하기 어려운 점이 있

다. 우선 ㉠공공 부문의 수익률이 민간 부문만큼 높다면, 민간 투자가 가능한 부문에 군이 정부가 투자할 필요가 있는가 하는 문제가 제기될 수 있다. 더욱 중요한 것은 시장 이자율이나 민간 자본의 수익률이, 비교적 단기적으로 실현되는 사적 이익을 추구하는 자본 시장에서 결정된다는 점이다. 반면에 사회적 할인율이 적용되는 공공사업은 일반적으로 그 이익이 장기간에 걸쳐 서서히 나타난다. 이러한 점에서 공공사업은 미래 세대를 배려하는 지속 가능한 발전의 이념을 반영한다. 만일 사회적 할인율이 시장 이자율이나 민간 자본의 수익률처럼 높게 적용된다면, 미래 세대의 이익이 저평가되는 셈이다. 그러므로 사회적 할인율은 미래 세대를 배려하는 공익적 차원에서 결정되는 것이 바람직하다.

19 ㉠이 전제하고 있는 것은?

① 민간 투자도 공익성을 고려해서 이루어져야 한다.
② 정부는 민간 기업이 낮은 수익률로 인해 투자하기 어려운 공공 부문을 보완해야 한다.
③ 공공 투자와 민간 투자는 동등한 투자 기회를 갖는 것이 바람직하다.
④ 정부는 공공 부문에서 민간 자본의 수익률을 제한하는 것이 바람직하다.

20 윗글의 글쓴이가 상정하고 있는 핵심적인 질문으로 가장 적절한 것은?

① 시장 이자율과 사회적 할인율은 어떻게 관련되는가?
② 자본 시장에서 미래 세대의 몫을 어떻게 고려해야 하는가?
③ 사회적 할인율이 민간 자본의 수익률에 어떤 영향을 미치는가?
④ 공공사업에 적용되는 사회적 할인율은 어떤 수준에서 결정되어야 하는가?

21 윗글로 보아 다음의 ⓐ에 대한 판단으로 타당한 것은?

> 한 개발 업체가 어느 지역의 자연 환경을 개발하여 놀이동산을 건설하려고 한다. 해당 지역 주민들은 자연 환경의 가치를 중시하여 놀이동산의 건설에 반대하는 사람들과 지역 경제 활성화를 중시하여 찬성하는 사람들로 갈리어 있다. 그래서 개발 업체와 지역 주민들은 ⓐ놀이동산으로부터 장기간 파급될 지역 경제 활성화의 이익을 추정하고, 이를 현재 가치로 환산한 값을 계산해 보기로 하였다.

① 사업의 전망이 불확실하다고 판단하는 주민들은 낮은 할인율을 적용할 것이다.
② 후손을 위한 환경의 가치를 중시하는 주민들은 높은 할인율을 적용할 것이다.
③ 개발 업체는 놀이동산 개발의 당위성을 확보하기 위해 높은 할인율을 적용할 것이다.
④ 놀이동산이 소득 증진의 좋은 기회라고 생각하는 주민들은 높은 할인율을 적용할 것이다.

인성검사

인성검사 이해

1 인성(성격)검사의 개념과 목적

인성(성격)이란 개인을 특징짓는 평범하고 일상적인 사회적 이미지, 즉 지속적이고 일관된 공적 성격 (Public – personality)이며, 환경에 대응함으로써 선천적·후천적 요소의 상호작용으로 결정화된 심리적·사회적 특성 및 경향을 의미한다.

인성검사는 직무적성검사를 실시하는 대부분의 기업체에서 병행하여 실시하고 있으며, 인성검사만 독자적으로 실시하는 기업도 있다.

기업체에서는 인성검사를 통하여 각 개인이 어떠한 성격 특성이 발달되어 있고, 어떤 특성이 얼마나 부족한지, 그것이 해당 직무의 특성 및 조직문화와 얼마나 맞는지를 알아보고 이에 적합한 인재를 선발하고자 한다. 또한 개인에게 적합한 직무 배분과 부족한 부분을 교육을 통해 보완하도록 할 수 있다.

인성검사의 측정요소는 검사방법에 따라 차이가 있다. 또한 각 기업체들이 사용하고 있는 인성검사는 기존에 개발된 인성검사방법에 각 기업체의 인재상을 적용하여 자신들에게 적합하게 재개발하여 사용하는 경우가 많다. 그러므로 기업체에서 요구하는 인재상을 파악하여 그에 따른 대비책을 준비하는 것이 바람직하다. 본서에서 제시된 인성검사는 크게 '특성'과 '유형'의 측면에서 측정하게 된다.

2 성격의 특성

(1) 정서적 측면

정서적 측면은 평소 마음의 당연시하는 자세나 정신상태가 얼마나 안정되어 있는지 또는 불안정한지를 측정한다.

정서의 상태는 직무수행이나 대인관계와 관련하여 태도나 행동으로 드러난다. 그러므로 정서적 측면을 측정하는 것에 의해, 장래 조직 내의 인간관계에 어느 정도 잘 적응할 수 있을까(또는 적응하지 못할까)를 예측하는 것이 가능하다.

그렇기 때문에, 정서적 측면의 결과는 채용 시에 상당히 중시된다. 아무리 능력이 좋아도 장기적으로 조직 내의 인간관계에 잘 적응할 수 없다고 판단되는 인재는 기본적으로는 채용되지 않는다.

일반적으로 인성(성격)검사는 채용과는 관계없다고 생각하나 정서적으로 조직에 적응하지 못하는 인재는 채용단계에서 가려내지는 것을 유의하여야 한다.

① **민감성**(신경도) … 꼼꼼함, 섬세함, 성실함 등의 요소를 통해 일반적으로 신경질적인지 또는 자신의 존재를 위협받는다는 불안을 갖기 쉬운지를 측정한다.

질문	그렇다	약간 그렇다	그저 그렇다	별로 그렇지 않다	그렇지 않다
• 남을 잘 배려한다고 생각한다. • 어질러진 방에 있으면 불안하다. • 실패 후에는 불안하다. • 세세한 것까지 신경 쓴다. • 이유 없이 불안할 때가 있다.					

▶측정결과

㉠ '그렇다'가 많은 경우(상처받기 쉬운 유형) : 사소한 일에 신경쓰고 다른 사람의 사소한 한마디 말에 상처를 받기 쉽다.
  • 면접관의 심리 : '동료들과 잘 지낼 수 있을까?', '실패할 때마다 위축되지 않을까?'
  • 면접대책 : 다소 신경질적이라도 능력을 발휘할 수 있다는 평가를 얻도록 한다. 주변과 충분한 의사소통이 가능하고, 결정한 것을 실행할 수 있다는 것을 보여주어야 한다.

㉡ '그렇지 않다'가 많은 경우(정신적으로 안정적인 유형) : 사소한 일에 신경쓰지 않고 금방 해결하며, 주위 사람의 말에 과민하게 반응하지 않는다.
  • 면접관의 심리 : '계약할 때 필요한 유형이고, 사고 발생에도 유연하게 대처할 수 있다.'
  • 면접대책 : 일반적으로 '민감성'의 측정치가 낮으면 플러스 평가를 받으므로 더욱 자신감 있는 모습을 보여준다.

② **자책성(과민도)** … 자신을 비난하거나 책망하는 정도를 측정한다.

질문	그렇다	약간 그렇다	그저 그렇다	별로 그렇지 않다	그렇지 않다
• 후회하는 일이 많다. • 자신이 하찮은 존재라 생각된다. • 문제가 발생하면 자기의 탓이라고 생각한다. • 무슨 일이든지 끙끙대며 진행하는 경향이 있다. • 온순한 편이다.					

▶측정결과

㉠ '그렇다'가 많은 경우(자책하는 유형) : 비관적이고 후회하는 유형이다.
 • 면접관의 심리 : '끙끙대며 괴로워하고, 일을 진행하지 못할 것 같다.'
 • 면접대책 : 기분이 저조해도 항상 의욕을 가지고 생활하는 것과 책임감이 강하다는 것을 보여준다.
㉡ '그렇지 않다'가 많은 경우(낙천적인 유형) : 기분이 항상 밝은 편이다.
 • 면접관의 심리 : '안정된 대인관계를 맺을 수 있고, 외부의 압력에도 흔들리지 않는다.'
 • 면접대책 : 일반적으로 '자책성'의 측정치가 낮아야 좋은 평가를 받는다.

③ **기분성(불안도)** … 기분의 굴곡이나 감정적인 면의 미숙함이 어느 정도인지를 측정하는 것이다.

질문	그렇다	약간 그렇다	그저 그렇다	별로 그렇지 않다	그렇지 않다
• 다른 사람의 의견에 자신의 결정이 흔들리는 경우가 많다. • 기분이 쉽게 변한다. • 종종 후회한다. • 다른 사람보다 의지가 약한 편이라고 생각한다. • 금방 싫증을 내는 성격이라는 말을 자주 듣는다.					

▶측정결과

㉠ '그렇다'가 많은 경우(감정의 기복이 많은 유형) : 의지력보다 기분에 따라 행동하기 쉽다.
 • 면접관의 심리 : '감정적인 것에 약하며, 상황에 따라 생산성이 떨어지지 않을까?'
 • 면접대책 : 주변 사람들과 항상 협조한다는 것을 강조하고 한결같은 상태로 일할 수 있다는 평가를 받도록 한다.
㉡ '그렇지 않다'가 많은 경우(감정의 기복이 적은 유형) : 감정의 기복이 없고, 안정적이다.
 • 면접관의 심리 : '안정적으로 업무에 임할 수 있다.'
 • 면접대책 : 기분성의 측정치가 낮으면 플러스 평가를 받으므로 자신감을 가지고 면접에 임한다.

④ **독자성**(개인도) ··· 주변에 대한 견해나 관심, 자신의 견해나 생각에 어느 정도의 속박감을 가지고 있는지를 측정한다.

질문	그렇다	약간 그렇다	그저 그렇다	별로 그렇지 않다	그렇지 않다
• 창의적 사고방식을 가지고 있다.					
• 융통성이 없는 편이다.					
• 혼자 있는 편이 많은 사람과 있는 것보다 편하다.					
• 개성적이라는 말을 듣는다.					
• 교제는 번거로운 것이라고 생각하는 경우가 많다.					

▶측정결과

㉠ '그렇다'가 많은 경우 : 자기의 관점을 중요하게 생각하는 유형으로, 주위의 상황보다 자신의 느낌과 생각을 중시한다.
  • 면접관의 심리 : '제멋대로 행동하지 않을까?'
  • 면접대책 : 주위 사람과 협조하여 일을 진행할 수 있다는 것과 상식에 얽매이지 않는다는 인상을 심어준다.
㉡ '그렇지 않다'가 많은 경우 : 상식적으로 행동하고 주변 사람의 시선에 신경을 쓴다.
  • 면접관의 심리 : '다른 직원들과 협조하여 업무를 진행할 수 있겠다.'
  • 면접대책 : 협조성이 요구되는 기업체에서는 플러스 평가를 받을 수 있다.

⑤ **자신감**(자존심도) ⋯ 자기 자신에 대해 얼마나 긍정적으로 평가하는지를 측정한다.

질문	그렇다	약간 그렇다	그저 그렇다	별로 그렇지 않다	그렇지 않다
• 다른 사람보다 능력이 뛰어나다고 생각한다. • 다소 반대의견이 있어도 나만의 생각으로 행동할 수 있다. • 나는 다른 사람보다 기가 센 편이다. • 동료가 나를 모욕해도 무시할 수 있다. • 대개의 일을 목적한 대로 헤쳐나갈 수 있다고 생각한다.					

▶측정결과

㉠ '그렇다'가 많은 경우 : 자기 능력이나 외모 등에 자신감이 있고, 비판당하는 것을 좋아하지 않는다.
  • 면접관의 심리 : '자만하여 지시에 잘 따를 수 있을까?'
  • 면접대책 : 다른 사람의 조언을 잘 받아들이고, 겸허하게 반성하는 면이 있다는 것을 보여주고, 동료들과 잘 지내며 리더의 자질이 있다는 것을 강조한다.
㉡ '그렇지 않다'가 많은 경우 : 자신감이 없고 다른 사람의 비판에 약하다.
  • 면접관의 심리 : '패기가 부족하지 않을까?', '쉽게 좌절하지 않을까?'
  • 면접대책 : 극도의 자신감 부족으로 평가되지는 않는다. 그러나 마음이 약한 면은 있지만 의욕적으로 일을 하겠다는 마음가짐을 보여준다.

⑥ **고양성**(분위기에 들뜨는 정도) ⋯ 자유분방함, 명랑함과 같이 감정(기분)의 높고 낮음의 정도를 측정한다.

질문	그렇다	약간 그렇다	그저 그렇다	별로 그렇지 않다	그렇지 않다
• 침착하지 못한 편이다. • 다른 사람보다 쉽게 우쭐해진다. • 모든 사람이 아는 유명인사가 되고 싶다. • 모임이나 집단에서 분위기를 이끄는 편이다. • 취미 등이 오랫동안 지속되지 않는 편이다.					

▶측정결과

㉠ '그렇다'가 많은 경우 : 자극이나 변화가 있는 일상을 원하고 기분을 들뜨게 하는 사람과 친밀하게 지내는 경향이 강하다.

• 면접관의 심리 : '일을 진행하는 데 변덕스럽지 않을까?'

• 면접대책 : 밝은 태도는 플러스 평가를 받을 수 있지만, 착실한 업무능력이 요구되는 직종에서는 마이너스 평가가 될 수 있다. 따라서 자기조절이 가능하다는 것을 보여준다.

㉡ '그렇지 않다'가 많은 경우 : 감정이 항상 일정하고, 속을 드러내 보이지 않는다.

• 면접관의 심리 : '안정적인 업무 태도를 기대할 수 있겠다.'

• 면접대책 : '고양성'의 낮음은 대체로 플러스 평가를 받을 수 있다. 그러나 '무엇을 생각하고 있는지 모르겠다' 등의 평을 듣지 않도록 주의한다.

⑦ 허위성(진위성) ⋯ 필요 이상으로 자기를 좋게 보이려 하거나 기업체가 원하는 '이상형'에 맞춘 대답을 하고 있는지, 없는지를 측정한다.

질문	그렇다	약간 그렇다	그저 그렇다	별로 그렇지 않다	그렇지 않다
• 약속을 깨뜨린 적이 한 번도 없다. • 다른 사람을 부럽다고 생각해 본 적이 없다. • 꾸지람을 들은 적이 없다. • 사람을 미워한 적이 없다. • 화를 낸 적이 한 번도 없다.					

▶측정결과

㉠ '그렇다'가 많은 경우 : 실제의 자기와는 다른, 말하자면 원칙으로 해답할 가능성이 있다.

• 면접관의 심리 : '거짓을 말하고 있다.'

• 면접대책 : 조금이라도 좋게 보이려고 하는 '거짓말쟁이'로 평가될 수 있다. '거짓을 말하고 있다.'는 마음 따위가 전혀 없다 해도 결과적으로는 정직하게 답하지 않는다는 것이 되어 버린다. '허위성'의 측정 질문은 구분되지 않고 다른 질문 중에 섞여 있다. 그러므로 모든 질문에 솔직하게 답하여야 한다. 또한 자기 자신과 너무 동떨어진 이미지로 답하면 좋은 결과를 얻지 못한다. 그리고 면접에서 '허위성'을 기본으로 한 질문을 받게 되므로 당황하거나 또 다른 모순된 답변을 하게 된다. 겉치레를 하거나 무리한 욕심을 부리지 말고 '이런 사회인이 되고 싶다.'는 현재의 자신보다, 조금 성장한 자신을 표현하는 정도가 적당하다.

㉡ '그렇지 않다'가 많은 경우 : 냉정하고 정직하며, 외부의 압력과 스트레스에 강한 유형이다. '대쪽 같음'의 이미지가 굳어지지 않도록 주의한다.

(2) 행동적인 측면

행동적 측면은 인격 중에 특히 행동으로 드러나기 쉬운 측면을 측정한다. 사람의 행동 특징 자체에는 선도 악도 없으나, 일반적으로는 일의 내용에 의해 원하는 행동이 있다. 때문에 행동적 측면은 주로 직종과 깊은 관계가 있는데 자신의 행동 특성을 살려 적합한 직종을 선택한다면 플러스가 될 수 있다.

행동 특성에서 보여 지는 특징은 면접장면에서도 드러나기 쉬운데 본서의 모의 TEST의 결과를 참고하여 자신의 태도, 행동이 면접관의 시선에 어떻게 비치는지를 점검하도록 한다.

① **사회적 내향성** … 대인관계에서 나타나는 행동경향으로 '낯가림'을 측정한다.

질문	선택
A : 파티에서는 사람을 소개받는 편이다. B : 파티에서는 사람을 소개하는 편이다.	
A : 처음 보는 사람과는 어색하게 시간을 보내는 편이다. B : 처음 보는 사람과는 즐거운 시간을 보내는 편이다.	
A : 친구가 적은 편이다. B : 친구가 많은 편이다.	
A : 자신의 의견을 말하는 경우가 적다. B : 자신의 의견을 말하는 경우가 많다.	
A : 사교적인 모임에 참석하는 것을 좋아하지 않는다. B : 사교적인 모임에 항상 참석한다.	

▶측정결과

㉠ 'A'가 많은 경우 : 내성적이고 사람들과 접하는 것에 소극적이다. 자신의 의견을 말하지 않고 조심스러운 편이다.
　• 면접관의 심리 : '소극적인데 동료와 잘 지낼 수 있을까?'
　• 면접대책 : 대인관계를 맺는 것을 싫어하지 않고 의욕적으로 일을 할 수 있다는 것을 보여준다.
㉡ 'B'가 많은 경우 : 사교적이고 자기의 생각을 명확하게 전달할 수 있다.
　• 면접관의 심리 : '사교적이고 활동적인 것은 좋지만, 자기주장이 너무 강하지 않을까?'
　• 면접대책 : 협조성을 보여주고, 자기주장이 너무 강하다는 인상을 주지 않도록 주의한다.

② 내성성(침착도) … 자신의 행동과 일에 대해 침착하게 생각하는 정도를 측정한다.

질문	선택
A : 시간이 걸려도 침착하게 생각하는 경우가 많다. B : 짧은 시간에 결정을 하는 경우가 많다.	
A : 실패의 원인을 찾고 반성하는 편이다. B : 실패를 해도 그다지(별로) 개의치 않는다.	
A : 결론이 도출되어도 몇 번 정도 생각을 바꾼다. B : 결론이 도출되면 신속하게 행동으로 옮긴다.	
A : 여러 가지 생각하는 것이 능숙하다. B : 여러 가지 일을 재빨리 능숙하게 처리하는 데 익숙하다.	
A : 여러 가지 측면에서 사물을 검토한다. B : 행동한 후 생각을 한다.	

▶측정결과

㉠ 'A'가 많은 경우 : 행동하기 보다는 생각하는 것을 좋아하고 신중하게 계획을 세워 실행한다.
 • 면접관의 심리 : '행동으로 실천하지 못하고, 대응이 늦은 경향이 있지 않을까?'
 • 면접대책 : 발로 뛰는 것을 좋아하고, 일을 더디게 한다는 인상을 주지 않도록 한다.

㉡ 'B'가 많은 경우 : 차분하게 생각하는 것보다 우선 행동하는 유형이다.
 • 면접관의 심리 : '생각하는 것을 싫어하고 경솔한 행동을 하지 않을까?'
 • 면접대책 : 계획을 세우고 행동할 수 있는 것을 보여주고 '사려 깊다'라는 인상을 남기도록 한다.

③ **신체활동성** … 몸을 움직이는 것을 좋아하는가를 측정한다.

질문	선택
A : 민첩하게 활동하는 편이다. B : 준비행동이 없는 편이다.	
A : 일을 척척 해치우는 편이다. B : 일을 더디게 처리하는 편이다.	
A : 활발하다는 말을 듣는다. B : 얌전하다는 말을 듣는다.	
A : 몸을 움직이는 것을 좋아한다. B : 가만히 있는 것을 좋아한다.	
A : 스포츠를 하는 것을 즐긴다. B : 스포츠를 보는 것을 좋아한다.	

▶측정결과
㉠ 'A'가 많은 경우 : 활동적이고, 몸을 움직이게 하는 것이 컨디션이 좋다.
  • 면접관의 심리 : '활동적으로 활동력이 좋아 보인다.'
  • 면접대책 : 활동하고 얻은 성과 등과 주어진 상황의 대응능력을 보여준다.
㉡ 'B'가 많은 경우 : 침착한 인상으로, 차분하게 있는 타입이다.
  • 면접관의 심리 : '좀처럼 행동하려 하지 않아 보이고, 일을 빠르게 처리할 수 있을까?'

④ **지속성(노력성)** … 무슨 일이든 포기하지 않고 끈기 있게 하려는 정도를 측정한다.

질문	선택
A : 일단 시작한 일은 시간이 걸려도 끝까지 마무리한다. B : 일을 하다 어려움에 부딪히면 단념한다.	
A : 끈질긴 편이다. B : 바로 단념하는 편이다.	
A : 인내가 강하다는 말을 듣는다. B : 금방 싫증을 낸다는 말을 듣는다.	
A : 집념이 깊은 편이다. B : 담백한 편이다.	
A : 한 가지 일에 구애되는 것이 좋다고 생각한다. B : 간단하게 체념하는 것이 좋다고 생각한다.	

▶측정결과

㉠ 'A'가 많은 경우 : 시작한 것은 어려움이 있어도 포기하지 않고 인내심이 높다.
• 면접관의 심리 : '한 가지의 일에 너무 구애되고, 업무의 진행이 원활할까?'
• 면접대책 : 인내력이 있는 것은 플러스 평가를 받을 수 있지만 집착이 강해 보이기도 한다.

㉡ 'B'가 많은 경우 : 뒤끝이 없고 조그만 실패로 일을 포기하기 쉽다.
• 면접관의 심리 : '질리는 경향이 있고, 일을 정확히 끝낼 수 있을까?'
• 면접대책 : 지속적인 노력으로 성공했던 사례를 준비하도록 한다.

⑤ 신중성(주의성) … 자신이 처한 주변상황을 즉시 파악하고 자신의 행동이 어떤 영향을 미치는지를 측정한다.

질문	선택
A : 여러 가지로 생각하면서 완벽하게 준비하는 편이다. B : 행동할 때부터 임기응변적인 대응을 하는 편이다.	
A : 신중해서 타이밍을 놓치는 편이다. B : 준비 부족으로 실패하는 편이다.	
A : 자신은 어떤 일에도 신중히 대응하는 편이다. B : 순간적인 충동으로 활동하는 편이다.	
A : 시험을 볼 때 끝날 때까지 재검토하는 편이다. B : 시험을 볼 때 한 번에 모든 것을 마치는 편이다.	
A : 일에 대해 계획표를 만들어 실행한다. B : 일에 대한 계획표 없이 진행한다.	

▶측정결과

㉠ 'A'가 많은 경우 : 주변 상황에 민감하고, 예측하여 계획 있게 일을 진행한다.
• 면접관의 심리 : '너무 신중해서 적절한 판단을 할 수 있을까?', '앞으로의 상황에 불안을 느끼지 않을까?'
• 면접대책 : 예측을 하고 실행을 하는 것은 플러스 평가가 되지만, 너무 신중하면 일의 진행이 정체될 가능성을 보이므로 추진력이 있다는 강한 의욕을 보여준다.

㉡ 'B'가 많은 경우 : 주변 상황을 살펴보지 않고 착실한 계획 없이 일을 진행시킨다.
• 면접관의 심리 : '사려 깊지 않고, 실패하는 일이 많지 않을까?', '판단이 빠르고 유연한 사고를 할 수 있을까?'
• 면접대책 : 사전준비를 중요하게 생각하고 있다는 것 등을 보여주고, 경솔한 인상을 주지 않도록 한다. 또한 판단력이 빠르거나 유연한 사고 덕분에 일 처리를 잘 할 수 있다는 것을 강조한다.

(3) 의욕적인 측면

의욕적인 측면은 의욕의 정도, 활동력의 유무 등을 측정한다. 여기서의 의욕이란 우리들이 보통 말하고 사용하는 '하려는 의지'와는 조금 뉘앙스가 다르다. '하려는 의지'란 그 때의 환경이나 기분에 따라 변화하는 것이지만, 여기에서는 조금 더 변화하기 어려운 특징, 말하자면 정신적 에너지의 양으로 측정하는 것이다.

의욕적 측면은 행동적 측면과는 다르고, 전반적으로 어느 정도 점수가 높은 쪽을 선호한다. 모의검사의 의욕적 측면의 결과가 낮다면, 평소 일에 몰두할 때 조금 의욕 있는 자세를 가지고 서서히 개선하도록 노력해야 한다.

① 달성의욕 … 목적의식을 가지고 높은 이상을 가지고 있는지를 측정한다.

질문	선택
A : 경쟁심이 강한 편이다. B : 경쟁심이 약한 편이다.	
A : 어떤 한 분야에서 제1인자가 되고 싶다고 생각한다. B : 어느 분야에서든 성실하게 임무를 진행하고 싶다고 생각한다.	
A : 규모가 큰일을 해보고 싶다. B : 맡은 일에 충실히 임하고 싶다.	
A : 아무리 노력해도 실패한 것은 아무런 도움이 되지 않는다. B : 가령 실패했을 지라도 나름대로의 노력이 있었으므로 괜찮다.	
A : 높은 목표를 설정하여 수행하는 것이 의욕적이다. B : 실현 가능한 정도의 목표를 설정하는 것이 의욕적이다.	

▶측정결과

㉠ 'A'가 많은 경우 : 큰 목표와 높은 이상을 가지고 승부욕이 강한 편이다.
• 면접관의 심리 : '열심히 일을 해줄 것 같은 유형이다.'
• 면접대책 : 달성의욕이 높다는 것은 어떤 직종이라도 플러스 평가가 된다.
㉡ 'B'가 많은 경우 : 현재의 생활을 소중하게 여기고 비약적인 발전을 위하여 기를 쓰지 않는다.
• 면접관의 심리 : '외부의 압력에 약하고, 기획입안 등을 하기 어려울 것이다.'
• 면접대책 : 일을 통하여 하고 싶은 것들을 구체적으로 어필한다.

② **활동의욕** … 자신에게 잠재된 에너지의 크기로, 정신적인 측면의 활동력이라 할 수 있다.

질문	선택
A : 하고 싶은 일을 실행으로 옮기는 편이다. B : 하고 싶은 일을 좀처럼 실행할 수 없는 편이다.	
A : 어려운 문제를 해결해 가는 것이 좋다. B : 어려운 문제를 해결하는 것을 잘하지 못한다.	
A : 일반적으로 결단이 빠른 편이다. B : 일반적으로 결단이 느린 편이다.	
A : 곤란한 상황에도 도전하는 편이다. B : 사물의 본질을 깊게 관찰하는 편이다.	
A : 시원시원하다는 말을 잘 듣는다. B : 꼼꼼하다는 말을 잘 듣는다.	

▶측정결과

㉠ 'A'가 많은 경우 : 꾸물거리는 것을 싫어하고 재빠르게 결단해서 행동하는 타입이다.
 • 면접관의 심리 : '일을 처리하는 솜씨가 좋고, 일을 척척 진행할 수 있을 것 같다.'
 • 면접대책 : 활동의욕이 높은 것은 플러스 평가가 된다. 사교성이나 활동성이 강하다는 인상을 준다.

㉡ 'B'가 많은 경우 : 안전하고 확실한 방법을 모색하고 차분하게 시간을 아껴서 일에 임하는 타입이다.
 • 면접관의 심리 : '재빨리 행동을 못하고, 일의 처리속도가 느린 것이 아닐까?'
 • 면접대책 : 활동성이 있는 것을 좋아하고 움직임이 더디다는 인상을 주지 않도록 한다.

3 성격의 유형

(1) 인성검사유형의 4가지 척도

정서적인 측면, 행동적인 측면, 의욕적인 측면의 요소들은 성격 특성이라는 관점에서 제시된 것들로 각 개인의 장·단점을 파악하는 데 유용하다. 그러나 전체적인 개인의 인성을 이해하는 데는 한계가 있다.

성격의 유형은 개인의 '성격적인 특색'을 가리키는 것으로, 사회인으로서 적합한지, 아닌지를 말하는 관점과는 관계가 없다. 따라서 채용의 합격 여부에는 사용되지 않는 경우가 많으며, 입사 후의 적정 부서 배치의 자료가 되는 편이라 생각하면 된다. 그러나 채용과 관계가 없다고 해서 아무런 준비도 필요없는 것은 아니다. 자신을 아는 것은 면접 대책의 밑거름이 되므로 모의검사 결과를 충분히 활용하도록 하여야한다.

본서에서는 4개의 척도를 사용하여 기본적으로 16개의 패턴으로 성격의 유형을 분류하고 있다. 각 개인의 성격이 어떤 유형인지 재빨리 파악하기 위해 사용되며, '적성'에 맞는지, 맞지 않는지의 관점에 활용된다.

- 흥미 · 관심의 방향 : 내향형 ◄─────► 외향형
- 사물에 대한 견해 : 직관형 ◄─────► 감각형
- 판단하는 방법 : 감정형 ◄─────► 사고형
- 환경에 대한 접근방법 : 지각형 ◄─────► 판단형

(2) 성격유형

① 흥미 · 관심의 방향(내향↔외향) … 흥미 · 관심의 방향이 자신의 내면에 있는지, 주위환경 등 외면에 향하는 지를 가리키는 척도이다.

질문	선택
A : 내성적인 성격인 편이다. B : 개방적인 성격인 편이다.	
A : 항상 신중하게 생각을 하는 편이다. B : 바로 행동에 착수하는 편이다.	
A : 수수하고 조심스러운 편이다. B : 자기 표현력이 강한 편이다.	
A : 다른 사람과 함께 있으면 침착하지 않다. B : 혼자서 있으면 침착하지 않다.	

▶측정결과
㉠ 'A'가 많은 경우(내향) : 관심의 방향이 자기 내면에 있으며, 조용하고 낯을 가리는 유형이다. 행동력은 부족하나 집중력이 뛰어나고 신중하고 꼼꼼하다.
㉡ 'B'가 많은 경우(외향) : 관심의 방향이 외부환경에 있으며, 사교적이고 활동적인 유형이다. 꼼꼼함이 부족하여 대충하는 경향이 있으나 행동력이 있다.

② **일(사물)을 보는 방법(직감 ⇆ 감각)** … 일(사물)을 보는 법이 직감적으로 형식에 얽매이는지, 감각적으로 상식적인지를 가리키는 척도이다.

질문	선택
A : 현실주의적인 편이다. B : 상상력이 풍부한 편이다.	
A : 정형적인 방법으로 일을 처리하는 것을 좋아한다. B : 만들어진 방법에 변화가 있는 것을 좋아한다.	
A : 경험에서 가장 적합한 방법으로 선택한다. B : 지금까지 없었던 새로운 방법을 개척하는 것을 좋아한다.	
A : 성실하다는 말을 듣는다. B : 호기심이 강하다는 말을 듣는다.	

▶측정결과

㉠ 'A'가 많은 경우(감각) : 현실적이고 경험주의적이며 보수적인 유형이다.

㉡ 'B'가 많은 경우(직관) : 새로운 주제를 좋아하며, 독자적인 시각을 가진 유형이다.

③ **판단하는 방법(감정 ⇆ 사고)** … 일을 감정적으로 판단하는지, 논리적으로 판단하는지를 가리키는 척도이다.

질문	선택
A : 인간관계를 중시하는 편이다. B : 일의 내용을 중시하는 편이다.	
A : 결론을 자기의 신념과 감정에서 이끌어내는 편이다. B : 결론을 논리적 사고에 의거하여 내리는 편이다.	
A : 다른 사람보다 동정적이고 눈물이 많은 편이다. B : 다른 사람보다 이성적이고 냉정하게 대응하는 편이다.	
A : 남의 이야기를 듣고 감정몰입이 빠른 편이다. B : 고민 상담을 받으면 해결책을 제시해주는 편이다.	

▶측정결과

㉠ 'A'가 많은 경우(감정) : 일을 판단할 때 마음·감정을 중요하게 여기는 유형이다. 감정이 풍부하고 친절하나 엄격함이 부족하고 우유부단하며, 합리성이 부족하다.

㉡ 'B'가 많은 경우(사고) : 일을 판단할 때 논리성을 중요하게 여기는 유형이다. 이성적이고 합리적이나 타인에 대한 배려가 부족하다.

④ 환경에 대한 접근방법 ⋯ 주변상황에 어떻게 접근하는지, 그 판단기준을 어디에 두는지를 측정한다.

질문	선택
A : 사전에 계획을 세우지 않고 행동한다. B : 반드시 계획을 세우고 그것에 의거해서 행동한다.	
A : 자유롭게 행동하는 것을 좋아한다. B : 조직적으로 행동하는 것을 좋아한다.	
A : 조직성이나 관습에 속박당하지 않는다. B : 조직성이나 관습을 중요하게 여긴다.	
A : 계획 없이 낭비가 심한 편이다. B : 예산을 세워 물건을 구입하는 편이다.	

▶측정결과

㉠ 'A'가 많은 경우(지각) : 일의 변화에 융통성을 가지고 유연하게 대응하는 유형이다. 낙관적이며 질서보다는 자유를 좋아하나 임기응변식의 대응으로 무계획적인 인상을 줄 수 있다.

㉡ 'B'가 많은 경우(판단) : 일의 진행시 계획을 세워서 실행하는 유형이다. 순차적으로 진행하는 일을 좋아하고 끈기가 있으나 변화에 대해 적절하게 대응하지 못하는 경향이 있다.

(3) 성격유형의 판정

성격유형은 합격 여부의 판정보다는 배치를 위한 자료로써 이용된다. 즉, 기업은 입사시험단계에서 입사 후에도 사용할 수 있는 정보를 입수하고 있다는 것이다. 성격검사에서는 어느 척도가 얼마나 고득점이었는지에 주시하고 각각의 측면에서 반드시 하나씩 고르고 편성한다. 편성은 모두 16가지가 되나 각각의 측면을 더 세분하면 200가지 이상의 유형이 나온다.

여기에서는 16가지 편성을 제시한다. 성격검사에 어떤 정보가 게재되어 있는지를 이해하면서 자기의 성격유형을 파악하기 위한 실마리로 활용하도록 한다.

① 내향 – 직관 – 감정 – 지각(TYPE A)

관심이 내면에 향하고 조용하고 소극적이다. 사물에 대한 견해는 새로운 것에 대해 호기심이 강하고, 독창적이다. 감정은 좋아하는 것과 싫어하는 것의 판단이 확실하고, 감정이 풍부하고 따뜻한 느낌이 있는 반면, 합리성이 부족한 경향이 있다. 환경에 접근하는 방법은 순응적이고 상황의 변화에 대해 유연하게 대응하는 것을 잘한다.

② 내향 – 직관 – 감정 – 사고(TYPE B)

관심이 내면으로 향하고 조용하고 쑥스러움을 잘 타는 편이다. 사물을 보는 관점은 독창적이며, 자기 나름대로 궁리하며 생각하는 일이 많다. 좋고 싫음으로 판단하는 경향이 강하고 타인에게는 친절한 반면, 우유부단하기 쉬운 편이다. 환경 변화에 대해 유연하게 대응하는 것을 잘한다.

③ 내향 – 직관 – 사고 – 지각(TYPE C)

관심이 내면으로 향하고 얌전하고 교제범위가 좁다. 사물을 보는 관점은 독창적이며, 현실에서 먼 추상적인 것을 생각하기를 좋아한다. 논리적으로 생각하고 판단하는 경향이 강하고 이성적이지만, 남의 감정에 대해서는 무반응인 경향이 있다. 환경의 변화에 순응적이고 융통성 있게 임기응변으로 대응할 수가 있다.

④ 내향 – 직관 – 사고 – 판단(TYPE D)

관심이 내면으로 향하고 주의 깊고 신중하게 행동을 한다. 사물을 보는 관점은 독창적이며 논리를 좋아해서 이치를 따지는 경향이 있다. 논리적으로 생각하고 판단하는 경향이 강하고, 객관적이지만 상대방의 마음에 대한 배려가 부족한 경향이 있다. 환경에 대해서는 순응하는 것보다 대응하며, 한 번 정한 것은 끈질기게 행동하려 한다.

⑤ 내향 – 감각 – 감정 – 지각(TYPE E)

관심이 내면으로 향하고 조용하며 소극적이다. 사물을 보는 관점은 상식적이고 그대로의 것을 좋아하는 경향이 있다. 좋음과 싫음으로 판단하는 경향이 강하고 타인에 대해서 동정심이 많은 반면, 엄격한 면이 부족한 경향이 있다. 환경에 대해서는 순응적이고, 예측할 수 없다 해도 태연하게 행동하는 경향이 있다.

⑥ 내향 – 감각 – 감정 – 판단(TYPE F)

관심이 내면으로 향하고 얌전하며 쑥스러움을 많이 탄다. 사물을 보는 관점은 상식적이고 논리적으로 생각하는 것보다도 경험을 중요시하는 경향이 있다. 좋고 싫음으로 판단하는 경향이 강하고 사람이 좋은 반면, 개인적 취향이나 소원에 영향을 받는 일이 많은 경향이 있다. 환경에 대해서는 영향을 받지 않고, 자기 페이스대로 꾸준히 성취하는 일을 잘한다.

⑦ 내향 – 감각 – 사고 – 지각(TYPE G)

관심이 내면으로 향하고 얌전하고 교제범위가 좁다. 사물을 보는 관점은 상식적인 동시에 실천적이며, 틀에 박힌 형식을 좋아한다. 논리적으로 판단하는 경향이 강하고 침착하지만 사람에 대해서는 엄격하여 차가운 인상을 주는 일이 많다. 환경에 대해서 순응적이고, 계획적으로 행동하지 않으며 자유로운 행동을 좋아하는 경향이 있다.

⑧ 내향 – 감각 – 사고 – 판단(TYPE H)

관심이 내면으로 향하고 주의 깊고 신중하게 행동을 한다. 사물을 보는 관점이 상식적이고 새롭고 경험하지 못한 일에 대응을 잘 하지 못한다. 논리적으로 생각하고 판단하는 경향이 강하고, 공평하지만 상대방의 감정에 대해 배려가 부족할 때가 있다. 환경에 대해서는 작용하는 편이고, 질서 있게 행동하는 것을 좋아한다.

⑨ 외향 – 직관 – 감정 – 지각(TYPE I)

관심이 외향으로 향하고 밝고 활동적이며 교제범위가 넓다. 사물을 보는 관점은 독창적이고 호기심이 강하며 새로운 것을 생각하는 것을 좋아한다. 좋음 싫음으로 판단하는 경향이 강하다. 사람은 좋은 반면 개인적 취향이나 소원에 영향을 받는 일이 많은 편이다.

⑩ 외향 – 직관 – 감정 – 판단(TYPE J)

관심이 외향으로 향하고 개방적이며 누구와도 쉽게 친해질 수 있다. 사물을 보는 관점은 독창적이고 자기 나름대로 궁리하고 생각하는 면이 많다. 좋음과 싫음으로 판단하는 경향이 강하고, 타인에 대해 동정적이기 쉽고 엄격함이 부족한 경향이 있다. 환경에 대해서는 작용하는 편이고 질서 있는 행동을 하는 것을 좋아한다.

⑪ 외향 – 직관 – 사고 – 지각(TYPE K)

관심이 외향으로 향하고 태도가 분명하며 활동적이다. 사물을 보는 관점은 독창적이고 현실과 거리가 있는 추상적인 것을 생각하는 것을 좋아한다. 논리적으로 생각하고 판단하는 경향이 강하고, 공평하지만 상대에 대한 배려가 부족할 때가 있다.

⑫ 외향 – 직관 – 사고 – 판단(TYPE L)

관심이 외향으로 향하고 밝고 명랑한 성격이며 사교적인 것을 좋아한다. 사물을 보는 관점은 독창적이고 논리적인 것을 좋아하기 때문에 이치를 따지는 경향이 있다. 논리적으로 생각하고 판단하는 경향이 강하고 침착성이 뛰어나지만 사람에 대해서 엄격하고 차가운 인상을 주는 경우가 많다. 환경에 대해 작용하는 편이고 계획을 세우고 착실하게 실행하는 것을 좋아한다.

⑬ 외향 – 감각 – 감정 – 지각(TYPE M)

관심이 외향으로 향하고 밝고 활동적이고 교제범위가 넓다. 사물을 보는 관점은 상식적이고 종래대로 있는 것을 좋아한다. 보수적인 경향이 있고 좋아함과 싫어함으로 판단하는 경향이 강하며 타인에게는 친절한 반면, 우유부단한 경우가 많다. 환경에 대해 순응적이고, 융통성이 있고 임기응변으로 대응할 가능성이 높다.

⑭ 외향 – 감각 – 감정 – 판단(TYPE N)

관심이 외향으로 향하고 개방적이며 누구와도 쉽게 대면할 수 있다. 사물을 보는 관점은 상식적이고 논리적으로 생각하기보다는 경험을 중시하는 편이다. 좋아함과 싫어함으로 판단하는 경향이 강하고 감정이 풍부하며 따뜻한 느낌이 있는 반면에 합리성이 부족한 경우가 많다. 환경에 대해서 작용하는 편이고, 한 번 결정한 것은 끈질기게 실행하려고 한다.

⑮ 외향 – 감각 – 사고 – 지각(TYPE O)

관심이 외향으로 향하고 시원한 태도이며 활동적이다. 사물을 보는 관점이 상식적이며 동시에 실천적이고 명백한 형식을 좋아하는 경향이 있다. 논리적으로 생각하고 판단하는 경향이 강하고, 객관적이지만 상대 마음에 대해 배려가 부족한 경향이 있다.

⑯ 외향 – 감각 – 사고 – 판단(TYPE P)

관심이 외향으로 향하고 밝고 명랑하며 사교적인 것을 좋아한다. 사물을 보는 관점은 상식적이고 경험하지 못한 새로운 것에 대응을 잘 하지 못한다. 논리적으로 생각하고 판단하는 경향이 강하고 이성적이지만 사람의 감정에 무심한 경향이 있다. 환경에 대해서는 작용하는 편이고, 자기 페이스대로 꾸준히 성취하는 것을 잘한다.

4 인성검사의 대책

(1) 미리 알아두어야 할 점

① 출제 문항 수…인성검사의 출제 문항 수는 특별히 정해진 것이 아니며 각 기업체의 기준에 따라 달라질 수 있다. 보통 100문항 이상에서 600문항까지 출제된다고 예상하면 된다.

② 출제형식

　㉠ '예' 아니면 '아니오'의 형식

다음 문항을 읽고 자신에게 해당되는지 안 되는지를 판단하여 해당될 경우 '예'를, 해당되지 않을 경우 '아니오'를 고르시오.

질문	예	아니오
1. 자신의 생각이나 의견은 좀처럼 변하지 않는다.	○	
2. 구입한 후 끝까지 읽지 않은 책이 많다.		○

다음 문항에 대해서 평소에 자신이 생각하고 있는 것이나 행동하고 있는 것에 ○표를 하시오.

질문	그렇다	약간 그렇다	그저 그렇다	별로 그렇지 않다	그렇지 않다
1. 시간에 쫓기는 것이 싫다.		○			
2. 여행가기 전에 계획을 세운다.			○		

　㉡ A와 B의 선택형식

A와 B에 주어진 문장을 읽고 자신에게 해당되는 것을 고르시오.

질문	선택
A : 걱정거리가 있어서 잠을 못 잘 때가 있다.	(○)
B : 걱정거리가 있어도 잠을 잘 잔다.	( )

ⓒ 하나의 상황이 주어지고 각 상황에 대한 반응의 적당한 정도를 선택하는 형식

당신은 회사에 입사한지 1년 반이 넘어 처음으로 A회사의 B와 함께 하나의 프로젝트를 맡았다. 당신은 열의에 차 있지만 B는 프로젝트 준비를 하는 동안 당신에게만 일을 떠넘기고 적당히 하려고 하고 있다. 이렇게 계속된다면 기간 내에 프로젝트를 끝내지 못할 상황이다. 당신은 어떻게 할 것인가?

a. B에게 나의 생각을 솔직히 얘기하고 열심히 일 할 것을 요구한다.

매우 바람직하다		그저 그렇다.			전혀 바람직하지 않다
① ②	③	④	⑤	⑥	⑦

b. 나의 상사에게 현재 상황을 보고한다.

매우 바람직하다		그저 그렇다.			전혀 바람직하지 않다
① ②	③	④	⑤	⑥	⑦

c. B의 상사에게 보고하고 다른 사람으로 교체해 줄 것을 요구한다.

매우 바람직하다		그저 그렇다.			전혀 바람직하지 않다
① ②	③	④	⑤	⑥	⑦

d. 나도 B가 일하는 만큼만 적당히 일한다.

매우 바람직하다		그저 그렇다.			전혀 바람직하지 않다
① ②	③	④	⑤	⑥	⑦

(2) 임하는 자세

① 솔직하게 있는 그대로 표현한다 … 인성검사는 평범한 일상생활 내용들을 다룬 짧은 문장과 어떤 대상이나 일에 대한 선호를 선택하는 문장으로 구성되었으므로 평소에 자신이 생각한 바를 너무 골똘히 생각하지 말고 문제를 보는 순간 떠오른 것을 표현한다.

② 모든 문제를 신속하게 대답한다 … 인성검사는 시간제한이 없는 것이 원칙이지만 기업체들은 일정한 시간제한을 두고 있다. 인성검사는 개인의 성격과 자질을 알아보기 위한 검사이기 때문에 정답이 없다. 다만, 기업체에서 바람직하게 생각하거나 기대되는 결과가 있을 뿐이다. 따라서 시간에 쫓겨서 대충 대답을 하는 것은 바람직하지 못하다.

※ 다음 질문을 읽고, 자신에게 적합하다고 생각하면 YES, 그렇지 않다면 NO, 잘 모르겠다면 ?를 선택하시오.
(인성검사는 응시자의 인성을 파악하기 위한 자료이므로 정답이 존재하지 않습니다.) 【167문/30분】

	YES	NO	?
1. 조금이라도 나쁜 소식은 절망의 시작이라고 생각해버린다.	( )	( )	( )
2. 언제나 실패가 걱정이 되어 어쩔 줄 모른다.	( )	( )	( )
3. 다수결의 의견에 따르는 편이다.	( )	( )	( )
4. 혼자서 식당에 들어가는 것은 전혀 두려운 일이 아니다.	( )	( )	( )
5. 승부근성이 강하다.	( )	( )	( )
6. 자주 흥분해서 침착하지 못하다.	( )	( )	( )
7. 지금까지 살면서 타인에게 폐를 끼친 적이 없다.	( )	( )	( )
8. 소곤소곤 이야기하는 것을 보면 자기에 대해 험담하고 있는 것으로 생각된다.	( )	( )	( )
9. 무엇이든지 내가 잘못했다고 생각하는 편이다.	( )	( )	( )
10. 자신을 변덕스러운 사람이라고 생각한다.	( )	( )	( )
11. 고독을 즐기는 편이다.	( )	( )	( )
12. 자존심이 강하다고 생각한다.	( )	( )	( )
13. 금방 흥분하는 성격이다.	( )	( )	( )
14. 거짓말을 한 적이 없다.	( )	( )	( )
15. 신경질적인 편이다.	( )	( )	( )
16. 끙끙대며 고민하는 타입이다.	( )	( )	( )
17. 감정적인 사람이라고 생각한다.	( )	( )	( )
18. 자신만의 신념을 가지고 있다.	( )	( )	( )
19. 다른 사람을 바보 같다고 생각한 적이 있다.	( )	( )	( )
20. 생각나는 대로 말해버리는 편이다.	( )	( )	( )
21. 싫어하는 사람이 없다.	( )	( )	( )

YES　NO　?

22. 대재앙이 오지 않을까 항상 걱정을 한다. ·····························(　)(　)(　)

23. 쓸데없는 고생을 하는 일이 많다. ································(　)(　)(　)

24. 자주 결정이 바뀌는 편이다. ·····································(　)(　)(　)

25. 문제점을 해결하기 위해 여러 사람과 상의한다. ···················(　)(　)(　)

26. 내 방식대로 일을 한다. ··(　)(　)(　)

27. 영화를 보고 운 적이 많다. ······································(　)(　)(　)

28. 어떤 것에 대해서도 화낸 적이 없다. ····························(　)(　)(　)

29. 사소한 충고에도 걱정을 한다. ··································(　)(　)(　)

30. 자신은 도움이 안 되는 사람이라고 생각한다. ····················(　)(　)(　)

31. 금방 싫증을 내는 편이다. ······································(　)(　)(　)

32. 개성적인 사람이라고 생각한다. ·································(　)(　)(　)

33. 자기주장이 강한 편이다. ·······································(　)(　)(　)

34. 정신없다는 말을 들은 적이 있다. ·······························(　)(　)(　)

35. 학교를 쉬고 싶다고 생각한 적이 한 번도 없다. ···················(　)(　)(　)

36. 사람들과 관계 맺는 것을 잘하지 못한다. ·······················(　)(　)(　)

37. 사려 깊은 편이다. ···(　)(　)(　)

38. 몸을 움직이는 것을 좋아한다. ··································(　)(　)(　)

39. 끈기가 있는 편이다. ···(　)(　)(　)

40. 신중한 편이라고 생각한다. ·····································(　)(　)(　)

41. 인생의 목표는 큰 것이 좋다. ···································(　)(　)(　)

42. 어떤 일이라도 바로 시작하는 타입이다. ························(　)(　)(　)

43. 낯가림이 심한 편이다. ···(　)(　)(　)

44. 생각하고 나서 행동하는 편이다. ·······························(　)(　)(　)

45. 쉬는 날은 밖으로 나가는 경우가 많다. ·························(　)(　)(　)

46. 시작한 일은 반드시 완성시킨다. ·······························(　)(　)(　)

47. 미리 계획을 세운 여행을 좋아한다. ····························(　)(　)(　)

48. 야망이 있는 편이라고 생각한다. ·······························(　)(　)(　)

49. 활동력이 있는 편이다. ···(　)(　)(　)

50. 많은 사람들과 왁자지껄하게 식사하는 것을 좋아하지 않는다. ·······(　)(　)(　)

51. 돈을 허비한 적이 없다. ···( )( )( )
52. 어릴 때 운동회를 아주 좋아하고 기대했다. ···························( )( )( )
53. 하나의 취미에 열중하는 타입이다. ·····································( )( )( )
54. 모임에서 리더에 어울린다고 생각한다. ·······························( )( )( )
55. 입신출세의 성공이야기를 좋아한다. ····································( )( )( )
56. 어떠한 일도 의욕을 가지고 임하는 편이다. ·························( )( )( )
57. 학급에서는 존재가 희미했다. ··( )( )( )
58. 항상 무언가를 생각하고 있다. ···( )( )( )
59. 스포츠는 보는 것보다 하는 게 좋다. ·································( )( )( )
60. 칭찬 듣는 것이 기쁘다. ··( )( )( )
61. 흐린 날은 반드시 우산을 가지고 간다. ······························( )( )( )
62. 주연상을 받을 수 있는 배우를 좋아한다. ···························( )( )( )
63. 공격적인 타입이라고 생각한다. ··( )( )( )
64. 리드를 받는 편이다. ···( )( )( )
65. 너무 신중해서 기회를 놓친 적이 있다. ······························( )( )( )
66. 시원시원하게 움직이는 타입이다. ·······································( )( )( )
67. 야근을 해서라도 업무를 끝낸다. ··( )( )( )
68. 누군가를 방문할 때는 반드시 사전에 확인한다. ···················( )( )( )
69. 노력해도 결과가 따르지 않으면 의미가 없다. ······················( )( )( )
70. 가만히 앉아있는 것보다 활동적인 일이 더 좋다. ·················( )( )( )
71. 움직이는 것을 몹시 귀찮아하는 편이라고 생각한다. ·············( )( )( )
72. 특별히 소극적이라고 생각하지 않는다. ·······························( )( )( )
73. 이것저것 평하는 것이 싫다. ···( )( )( )
74. 자신은 성급하지 않다고 생각한다. ····································( )( )( )
75. 꾸준히 노력하는 것을 잘 하지 못한다. ······························( )( )( )
76. 내일의 계획은 머릿속에 기억한다. ·····································( )( )( )
77. 협동성이 있는 사람이 되고 싶다. ······································( )( )( )
78. 열정적인 사람이라고 생각하지 않는다. ·······························( )( )( )
79. 다른 사람 앞에서 이야기를 잘한다. ···································( )( )( )

80. 행동력이 있는 편이다. ···(　)(　)(　)

81. 엉덩이가 무거운 편이다. ···(　)(　)(　)

82. 특별히 구애받는 것이 없다. ···(　)(　)(　)

83. 돌다리는 두들겨 보지 않고 건너도 된다. ····································(　)(　)(　)

84. 자신에게는 권력욕이 없다. ···(　)(　)(　)

85. 업무를 할당받으면 부담스럽다. ···(　)(　)(　)

86. 활동적인 사람이라고 생각한다. ···(　)(　)(　)

87. 비교적 보수적이다. ···(　)(　)(　)

88. 어떤 일을 결정할 때 나에게 손해인지 이익인지로 정할 때가 많다. ·······(　)(　)(　)

89. 전통을 견실히 지키는 것이 적절하다. ···(　)(　)(　)

90. 교제 범위가 넓은 편이다. ···(　)(　)(　)

91. 상식적인 판단을 할 수 있는 타입이라고 생각한다. ·······················(　)(　)(　)

92. 너무 객관적이어서 실패한다. ··(　)(　)(　)

93. 보수적인 면을 추구한다. ···(　)(　)(　)

94. 내가 누구의 팬인지 주변의 사람들이 안다. ································(　)(　)(　)

95. 가능성보다 현실이다. ··(　)(　)(　)

96. 그 사람이 필요한 것을 선물하고 싶다. ·······································(　)(　)(　)

97. 여행은 계획적으로 하는 것이 좋다. ···(　)(　)(　)

98. 구체적인 일에 관심이 있는 편이다. ···(　)(　)(　)

99. 일은 착실히 하는 편이다. ···(　)(　)(　)

100. 괴로워하는 사람을 보면 우선 이유를 생각한다. ························(　)(　)(　)

101. 가치기준은 자신의 밖에 있다고 생각한다. ·······························(　)(　)(　)

102. 밝고 개방적인 편이다. ···(　)(　)(　)

103. 현실 인식을 잘하는 편이라고 생각한다. ···································(　)(　)(　)

104. 공평하고 공적인 상사를 만나고 싶다. ······································(　)(　)(　)

105. 시시해도 계획적인 인생이 좋다. ···(　)(　)(　)

106. 적극적으로 사람들과 관계를 맺는 편이다. ································(　)(　)(　)

107. 활동적인 편이다. ··(　)(　)(　)

108. 몸을 움직이는 것을 좋아하지 않는다. ······································(　)(　)(　)

109. 쉽게 질리는 편이다. ……………………………………………………………( )( )( )

110. 경솔한 편이라고 생각한다. ………………………………………………( )( )( )

111. 인생의 목표는 손이 닿을 정도면 된다. …………………………………( )( )( )

112. 무슨 일도 좀처럼 바로 시작하지 못한다. ………………………………( )( )( )

113. 초면인 사람과도 바로 친해질 수 있다. …………………………………( )( )( )

114. 행동하고 나서 생각하는 편이다. …………………………………………( )( )( )

115. 쉬는 날은 집에 있는 경우가 많다. ………………………………………( )( )( )

116. 완성되기 전에 포기하는 경우가 많다. …………………………………( )( )( )

117. 계획 없는 여행을 좋아한다. ………………………………………………( )( )( )

118. 욕심이 없는 편이라고 생각한다. …………………………………………( )( )( )

119. 활동력이 별로 없다. …………………………………………………………( )( )( )

120. 많은 사람들과 어울릴 수 있는 모임에 가는 것을 좋아한다. ………( )( )( )

121. 많은 친구랑 사귀는 편이다. ………………………………………………( )( )( )

122. 목표 달성에 별로 구애받지 않는다. ……………………………………( )( )( )

123. 평소에 걱정이 많은 편이다. ………………………………………………( )( )( )

124. 체험을 중요하게 여기는 편이다. …………………………………………( )( )( )

125. 정이 두터운 사람을 좋아한다. ……………………………………………( )( )( )

126. 도덕적인 사람을 좋아한다. ………………………………………………( )( )( )

127. 성격이 규칙적이고 꼼꼼한 편이다. ………………………………………( )( )( )

128. 결과보다 과정이 중요하다. ………………………………………………( )( )( )

129. 쉬는 날은 집에서 보내고 싶다. …………………………………………( )( )( )

130. 무리한 도전을 할 필요는 없다고 생각한다. ……………………………( )( )( )

131. 공상적인 편이다. ……………………………………………………………( )( )( )

132. 계획을 정확하게 세워서 행동하는 것을 못한다. ………………………( )( )( )

133. 감성이 풍부한 사람이 되고 싶다고 생각한다. …………………………( )( )( )

134. 주변의 일을 여유 있게 해결한다. ………………………………………( )( )( )

135. 물건은 계획적으로 산다. …………………………………………………( )( )( )

136. 돈이 없으면 걱정이 된다. …………………………………………………( )( )( )

137. 하루 종일 책상 앞에 앉아 있는 일은 잘 하지 못한다. ………………( )( )( )

138. 너무 진중해서 자주 기회를 놓치는 편이다. ……………………………( )( )( )

139. 실용적인 것을 추구하는 경향이 있다. ································( )( )( )

140. 거래처 접대에 자신 있다. ·······································( )( )( )

141. 어려움에 처해 있는 사람을 보면 동정한다. ·····················( )( )( )

142. 같은 일을 계속해서 잘 하지 못한다. ···························( )( )( )

143. 돈이 없어도 어떻게든 되겠지 생각한다. ························( )( )( )

144. 생각날 때 물건을 산다. ···( )( )( )

145. 신문사설을 주의 깊게 읽는다. ··································( )( )( )

146. 한 가지 일에 매달리는 편이다. ·································( )( )( )

147. 연구는 실용적인 결실을 만들어 내는데 의미가 있다. ··········( )( )( )

148. 남의 주목을 받고 싶어 하는 편이다. ···························( )( )( )

149. 사람을 돕는 일이라면 규칙을 벗어나도 어쩔 수 없다. ··········( )( )( )

150. 연극 같은 문화생활을 즐기는 것을 좋아한다. ·················( )( )( )

151. 모험이야말로 인생이라고 생각한다. ····························( )( )( )

152. 일부러 위험에 접근하는 것은 어리석다고 생각한다. ············( )( )( )

153. 남의 눈에 잘 띄지 않은 편이다. ·······························( )( )( )

154. 연구는 이론체계를 만들어 내는데 의의가 있다. ···············( )( )( )

155. 결과가 과정보다 중요하다. ·····································( )( )( )

156. 이론만 내세우는 일을 싫어한다. ·······························( )( )( )

157. 타인의 감정을 존중한다. ·······································( )( )( )

158. 사람 사귀는 일에 자신 있다. ···································( )( )( )

159. 식사시간이 정해져 있지 않다. ··································( )( )( )

160. 좋아하는 문학 작가가 많다. ····································( )( )( )

161. 평소 자연과학에 관심 있다. ····································( )( )( )

162. 인라인 스케이트 타는 것을 좋아한다. ··························( )( )( )

163. 재미있는 것을 추구하는 경향이 있다. ··························( )( )( )

164. 잘 웃는 편이다. ···( )( )( )

165. 소외된 이웃들에 항상 관심을 갖고 있다. ·······················( )( )( )

166. 자동차 구조에 흥미를 갖고 있다. ·······························( )( )( )

167. 좋아하는 스포츠팀을 응원하는 것을 즐긴다. ·····················( )( )( )

PART

04

면접

01 면접의 기본

1 면접

(1) 면접의 기본 원칙

① **면접의 의미** … 면접이란 다양한 면접기법을 활용하여 지원한 직무에 필요한 능력을 지원자가 보유하고 있는지를 확인하는 절차라고 할 수 있다. 즉, 지원자의 입장에서는 채용 직무수행에 필요한 요건들과 관련하여 자신의 환경, 경험, 관심사, 성취 등에 대해 기업에 직접 어필할 수 있는 기회를 제공받는 것이며, 기업의 입장에서는 서류전형만으로 알 수 없는 지원자에 대한 정보를 직접적으로 수집하고 평가하는 것이다.

② **면접의 특징** … 면접은 기업의 입장에서 서류전형이나 필기전형에서 드러나지 않는 지원자의 능력이나 성향을 볼 수 있는 기회로, 면대면으로 이루어지며 즉흥적인 질문들이 포함될 수 있기 때문에 지원자가 완벽하게 준비하기 어려운 부분이 있다. 하지만 지원자 입장에서도 서류전형이나 필기전형에서 모두 보여주지 못한 자신의 능력 등을 기업의 인사담당자에게 어필할 수 있는 추가적인 기회가 될 수도 있다.

[서류 · 필기전형과 차별화되는 면접의 특징]

- 직무수행과 관련된 다양한 지원자 행동에 대한 관찰이 가능하다.
- 면접관이 알고자 하는 정보를 심층적으로 파악할 수 있다.
- 서류상의 미비한 사항과 의심스러운 부분을 확인할 수 있다.
- 커뮤니케이션 능력, 대인관계 능력 등 행동 · 언어적 정보도 얻을 수 있다.

③ **면접의 유형**
  ㉠ **구조화 면접** : 구조화 면접은 사전에 계획을 세워 질문의 내용과 방법, 지원자의 답변 유형에 따른 추가 질문과 그에 대한 평가 역량이 정해져 있는 면접 방식으로 표준화 면접이라고도 한다.
    - 표준화된 질문이나 평가요소가 면접 전 확정되며, 지원자는 편성된 조나 면접관에 영향을 받지 않고 동일한 질문과 시간을 부여받을 수 있다.

- 조직 또는 직무별로 주요하게 도출된 역량을 기반으로 평가요소가 구성되어, 조직 또는 직무에서 필요한 역량을 가진 지원자를 선발할 수 있다.
- 표준화된 형식을 사용하는 특성 때문에 비구조화 면접에 비해 신뢰성과 타당성, 객관성이 높다.
ⓛ **비구조화 면접** : 비구조화 면접은 면접 계획을 세울 때 면접 목적만을 명시하고 내용이나 방법은 면접관에게 전적으로 일임하는 방식으로 비표준화 면접이라고도 한다.
- 표준화된 질문이나 평가요소 없이 면접이 진행되며, 편성된 조나 면접관에 따라 지원자에게 주어지는 질문이나 시간이 다르다.
- 면접관의 주관적인 판단에 따라 평가가 이루어져 평가 오류가 빈번히 일어난다.
- 상황 대처나 언변이 뛰어난 지원자에게 유리한 면접이 될 수 있다.

④ **경쟁력 있는 면접 요령**
ㄱ **면접 전에 준비하고 유념할 사항**
- 예상 질문과 답변을 미리 작성한다.
- 작성한 내용을 문장으로 외우지 않고 키워드로 기억한다.
- 지원한 회사의 최근 기사를 검색하여 기억한다.
- 지원한 회사가 속한 산업군의 최근 기사를 검색하여 기억한다.
- 면접 전 1주일간 이슈가 되는 뉴스를 기억하고 자신의 생각을 반영하여 정리한다.
- 찬반토론에 대비한 주제를 목록으로 정리하여 자신의 논리를 내세운 예상답변을 작성한다.
ㄴ **면접장에서 유념할 사항**
- **질문의 의도 파악** : 답변을 할 때에는 질문 의도를 파악하고 그에 충실한 답변이 될 수 있도록 질문사항을 유념해야 한다. 많은 지원자가 하는 실수 중 하나로 답변을 하는 도중 자기 말에 심취되어 질문의 의도와 다른 답변을 하거나 자신이 알고 있는 지식만을 나열하는 경우가 있는데, 이럴 경우 의사소통능력이 부족한 사람으로 인식될 수 있으므로 주의하도록 한다.
- **답변은 두괄식** : 답변을 할 때에는 두괄식으로 결론을 먼저 말하고 그 이유를 설명하는 것이 좋다. 미괄식으로 답변을 할 경우 용두사미의 답변이 될 가능성이 높으며, 결론을 이끌어 내는 과정에서 논리성이 결여될 우려가 있다. 또한 면접관이 결론을 듣기 전에 말을 끊고 다른 질문을 추가하는 예상치 못한 상황이 발생될 수 있으므로 답변은 자신이 전달하고자 하는 바를 먼저 밝히고 그에 대한 설명을 하는 것이 좋다.

- 지원한 회사의 기업정신과 인재상을 기억 : 답변을 할 때에는 회사가 원하는 인재라는 인상을 심어주기 위해 지원한 회사의 기업정신과 인재상 등을 염두에 두고 답변을 하는 것이 좋다. 모든 회사에 해당되는 두루뭉술한 답변보다는 지원한 회사에 맞는 맞춤형 답변을 하는 것이 좋다.
- 나보다는 회사와 사회적 관점에서 답변 : 답변을 할 때에는 자기중심적인 관점을 피하고 좀 더 넓은 시각으로 회사와 국가, 사회적 입장까지 고려하는 인재임을 어필하는 것이 좋다. 자기중심적 시각을 바탕으로 자신의 출세만을 위해 회사에 입사하려는 인상을 심어줄 경우 면접에서 불이익을 받을 가능성이 높다.
- 난처한 질문은 정직한 답변 : 난처한 질문에 답변을 해야 할 때에는 피하기보다는 정면 돌파로 정직하고 솔직하게 답변하는 것이 좋다. 난처한 부분을 감추고 드러내지 않으려 회피하려는 지원자의 모습은 인사담당자에게 입사 후에도 비슷한 상황에 처했을 때 회피할 수도 있다는 우려를 심어줄 수 있다. 따라서 직장생활에 있어 중요한 덕목 중 하나인 정직을 바탕으로 솔직하게 답변을 하도록 한다.

(2) 면접의 종류 및 준비 전략

① 인성면접

ⓐ 면접 방식 및 판단기준
- 면접 방식 : 인성면접은 면접관이 가지고 있는 개인적 면접 노하우나 관심사에 의해 질문을 실시한다. 주로 입사지원서나 자기소개서의 내용을 토대로 지원동기, 과거의 경험, 미래 포부 등을 이야기하도록 하는 방식이다.
- 판단기준 : 면접관의 개인적 가치관과 경험, 해당 역량의 수준, 경험의 구체성·진실성 등

ⓑ 특징 : 인성면접은 그 방식으로 인해 역량과 무관한 질문들이 많고 지원자에게 주어지는 면접질문, 시간 등이 다를 수 있다. 또한 입사지원서나 자기소개서의 내용을 토대로 하기 때문에 지원자별 질문이 달라질 수 있다.

ⓒ 예시 문항 및 준비전략

• 예시 문항

> • 3분 동안 자기소개를 해 보십시오.
> • 자신의 장점과 단점을 말해 보십시오.
> • 학점이 좋지 않은데 그 이유가 무엇입니까?
> • 최근에 인상 깊게 읽은 책은 무엇입니까?
> • 회사를 선택할 때 중요시하는 것은 무엇입니까?
> • 일과 개인생활 중 어느 쪽을 중시합니까?
> • 10년 후 자신은 어떤 모습일 것이라고 생각합니까?
> • 휴학 기간 동안에는 무엇을 했습니까?

• 준비전략 : 인성면접은 입사지원서나 자기소개서의 내용을 바탕으로 하는 경우가 많으므로 자신이 작성한 입사지원서와 자기소개서의 내용을 충분히 숙지하도록 한다. 또한 최근 사회적으로 이슈가 되고 있는 뉴스에 대한 견해를 묻거나 시사상식 등에 대한 질문을 받을 수 있으므로 이에 대한 대비도 필요하다. 자칫 부담스러워 보이지 않는 질문으로 가볍게 대답하지 않도록 주의하고 모든 질문에 입사 의지를 담아 성실하게 답변하는 것이 중요하다.

② 발표면접

㉠ 면접 방식 및 판단기준
• 면접 방식 : 지원자가 특정 주제와 관련된 자료를 검토하고 그에 대한 자신의 생각을 면접관 앞에서 주어진 시간 동안 발표하고 추가 질의를 받는 방식으로 진행된다.
• 판단기준 : 지원자의 사고력, 논리력, 문제해결력 등

㉡ 특징 : 발표면접은 지원자에게 과제를 부여한 후, 과제를 수행하는 과정과 결과를 관찰·평가한다. 따라서 과제수행 결과뿐 아니라 수행과정에서의 행동을 모두 평가할 수 있다.

© 예시 문항 및 준비전략

• 예시 문항

[신입사원 조기 이직 문제]

※ 지원자는 아래에 제시된 자료를 검토한 뒤, 신입사원 조기 이직의 원인을 크게 3가지로 정리하고 이에 대한 구체적인 개선안을 도출하여 발표해 주시기 바랍니다.

※ 본 과제에 정해진 정답은 없으나 논리적 근거를 들어 개선안을 작성해 주십시오.

• A기업은 동종업계 유사기업들과 비교해 볼 때, 비교적 높은 재무안정성을 유지하고 있으며 업무강도가 그리 높지 않은 것으로 외부에 알려져 있음.

• 최근 조사결과, 동종업계 유사기업들과 연봉을 비교해 보았을 때 연봉 수준도 그리 나쁘지 않은 편이라는 것이 확인되었음.

• 그러나 지난 3년간 1~2년차 직원들의 이직률이 계속해서 증가하고 있는 추세이며, 경영진 회의에서 최우선 해결과제 중 하나로 거론되었음.

• 이에 따라 인사팀에서 현재 1~2년차 사원들을 대상으로 개선되어야 하는 A기업의 조직문화에 대한 설문조사를 실시한 결과, '상명하복식의 의사소통'이 36.7%로 1위를 차지했음.

• 이러한 설문조사와 함께, 신입사원 조기 이직에 대한 원인을 분석한 결과 파랑새 증후군, 셀프홀릭 증후군, 피터팬 증후군 등 3가지로 분류할 수 있었음.

〈동종업계 유사기업들과의 연봉 비교〉

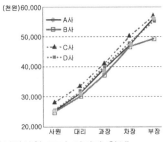

〈우리 회사 조직문화 중 개선되었으면 하는 것〉

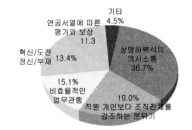

〈신입사원 조기 이직의 원인〉

• 파랑새 증후군
- 현재의 직장보다 더 좋은 직장이 있을 것이라는 막연한 기대감으로 끊임없이 새로운 직장을 탐색함.
- 학력 수준과 맞지 않는 '하향지원', 전공과 적성을 고려하지 않고 일단 취업하고 보자는 '묻지마 지원'이 파랑새 증후군을 초래함.

• 셀프홀릭 증후군
- 본인의 역량에 비해 가치가 낮은 일을 주로 하면서 갈등을 느낌.

• 피터팬 증후군
- 기성세대의 문화를 무조건 수용하기보다는 자유로움과 변화를 추구함.
- 상명하복, 엄격한 규율 등 기성세대가 당연시하는 관행에 거부감을 가지며 직장에 답답함을 느낌.

- 준비전략 : 발표면접의 시작은 과제 안내문과 과제 상황, 과제 자료 등을 정확하게 이해하는 것에서 출발한다. 과제 안내문을 침착하게 읽고 제시된 주제 및 문제와 관련된 상황의 맥락을 파악한 후 과제를 검토한다. 제시된 기사나 그래프 등을 충분히 활용하여 주어진 문제를 해결할 수 있는 해결책이나 대안을 제시하며, 발표를 할 때에는 명확하고 자신 있는 태도로 전달할 수 있도록 한다.

③ 토론면접

　㉠ 면접 방식 및 판단기준

- 면접 방식 : 상호갈등적 요소를 가진 과제 또는 공통의 과제를 해결하는 내용의 토론 과제를 제시하고, 그 과정에서 개인 간의 상호작용 행동을 관찰하는 방식으로 면접이 진행된다.
- 판단기준 : 팀워크, 적극성, 갈등 조정, 의사소통능력, 문제해결능력 등

　㉡ 특징 : 토론을 통해 도출해 낸 최종안의 타당성도 중요하지만, 결론을 도출해 내는 과정에서의 의사소통능력이나 갈등상황에서 의견을 조정하는 능력 등이 중요하게 평가되는 특징이 있다.

　㉢ 예시 문항 및 준비전략

- 예시 문항

> - 군 가산점제 부활에 대한 찬반토론
> - 담뱃값 인상에 대한 찬반토론
> - 비정규직 철폐에 대한 찬반토론
> - 대학의 영어 강의 확대 찬반토론
> - 워크숍 장소 선정을 위한 토론

- 준비전략 : 토론면접은 무엇보다 팀워크와 적극성이 강조된다. 따라서 토론과정에 적극적으로 참여하며 자신의 의사를 분명하게 전달하며, 갈등상황에서 자신의 의견만 내세울 것이 아니라 다른 지원자의 의견을 경청하고 배려하는 모습도 중요하다. 갈등상황을 일목요연하게 정리하여 조정하는 등의 의사소통능력을 발휘하는 것도 좋은 전략이 될 수 있다.

④ 상황면접

　㉠ 면접 방식 및 판단기준

- 면접 방식 : 상황면접은 직무 수행 시 접할 수 있는 상황들을 제시하고, 그러한 상황에서 어떻게 행동할 것인지를 이야기하는 방식으로 진행된다.
- 판단기준 : 해당 상황에 적절한 역량의 구현과 구체적 행동지표

ⓒ 특징 : 실제 직무 수행 시 접할 수 있는 상황들을 제시하므로 입사 이후 지원자의 업무수행능력을 평가하는 데 적절한 면접 방식이다. 또한 지원자의 가치관, 태도, 사고방식 등의 요소를 통합적으로 평가하는 데 용이하다.

ⓒ 예시 문항 및 준비전략

• 예시 문항

> 당신은 생산관리팀의 팀원으로, 생산팀이 기한에 맞춰 효율적으로 제품을 생산할 수 있도록 관리하는 역할을 맡고 있습니다. 3개월 뒤에 제품A를 정상적으로 출시하기 위해 생산팀의 생산 계획을 수립한 상황입니다. 그러나 원가가 곧 실적으로 이어지는 구매팀에서는 최대한 원가를 줄여 전반적 단가를 낮추려고 원가절감을 위한 제안을 하였으나, 연구개발팀에서는 구매팀이 제안한 방식으로 제품을 생산할 경우 대부분이 구매팀의 실적으로 산정될 것이므로 제대로 확인도 해보지 않은 채 적합하지 않은 방식이라고 판단하고 있습니다. 당신은 어떻게 하겠습니까?

• 준비전략 : 상황면접은 먼저 주어진 상황에서 핵심이 되는 문제가 무엇인지를 파악하는 것에서 시작한다. 주질문과 세부질문을 통하여 질문의 의도를 파악하였다면, 그에 대한 구체적인 행동이나 생각 등에 대해 응답할수록 높은 점수를 얻을 수 있다.

⑤ 역할면접

㉠ 면접 방식 및 판단기준

• 면접 방식 : 역할면접 또는 역할연기 면접은 기업 내 발생 가능한 상황에서 부딪히게 되는 문제와 역할을 가상적으로 설정하여 특정 역할을 맡은 사람과 상호작용하고 문제를 해결해 나가도록 하는 방식으로 진행된다. 역할연기 면접에서는 면접관이 직접 역할연기를 하면서 지원자를 관찰하기도 하지만, 역할연기 수행만 전문적으로 하는 사람을 투입할 수도 있다.

• 판단기준 : 대처능력, 대인관계능력, 의사소통능력 등

㉡ 특징 : 역할면접은 실제 상황과 유사한 가상 상황에서의 행동을 관찰함으로서 지원자의 성격이나 대처 행동 등을 관찰할 수 있다.

㉢ 예시 문항 및 준비전략

• 예시 문항

> [금융권 역할면접의 예]
> 당신은 ○○은행의 신입 텔러이다. 사람이 많은 월말 오전 한 할아버지(면접관 또는 역할담당자)께서 ○○은행을 사칭한 보이스피싱으로 500만 원을 피해 보았다며 소란을 일으키고 있다. 실제 업무상황이라고 생각하고 상황에 대처해 보시오.

• 준비전략 : 역할연기 면접에서 측정하는 역량은 주로 갈등의 원인이 되는 문제를 해결 하고 제시된 해결방안을 상대방에게 설득하는 것이다. 따라서 갈등해결, 문제해결, 조정 · 통합, 설득력과 같은 역량이 중요시된다. 또한 갈등을 해결하기 위해서 상대방에 대한 이해도 필수적인 요소이므로 고객지향을 염두에 두고 상황에 맞게 대처해야 한다.

역할면접에서는 변별력을 높이기 위해 면접관이 압박적인 분위기를 조성하는 경우가 많기 때문에 스트레스 상황에서 불안해하지 않고 유연하게 대처할 수 있도록 시간과 노력을 들여 충분히 연습 하는 것이 좋다.

02 면접 이미지 메이킹

(1) 성공적인 이미지 메이킹 포인트

① 복장 및 스타일

  ㉠ 남성

- 양복 : 양복은 단색으로 하며 넥타이나 셔츠로 포인트를 주는 것이 효과적이다. 짙은 회색이나 감청색이 가장 단정하고 품위 있는 인상을 준다.
- 셔츠 : 흰색이 가장 선호되나 자신의 피부색에 맞추는 것이 좋다. 푸른색이나 베이지색은 산뜻한 느낌을 줄 수 있다. 양복과의 배색도 고려하도록 한다.
- 넥타이 : 의상에 포인트를 줄 수 있는 아이템이지만 너무 화려한 것은 피한다. 지원자의 피부색은 물론, 정장과 셔츠의 색을 고려하며, 체격에 따라 넥타이 폭을 조절하는 것이 좋다.
- 구두 & 양말 : 구두는 검정색이나 짙은 갈색이 어느 양복에나 무난하게 어울리며 깔끔하게 닦아 준비한다. 양말은 정장과 동일한 색상이나 검정색을 착용한다.
- 헤어스타일 : 머리스타일은 단정한 느낌을 주는 짧은 헤어스타일이 좋으며 앞머리가 있다면 이마나 눈썹을 가리지 않는 선에서 정리하는 것이 좋다.

© 여성

- 의상 : 단정한 스커트 투피스 정장이나 슬랙스 슈트가 무난하다. 블랙이나 그레이, 네이비, 브라운 등 차분해 보이는 색상을 선택하는 것이 좋다.
- 소품 : 구두, 핸드백 등은 같은 계열로 코디하는 것이 좋으며 구두는 너무 화려한 디자인이나 굽이 높은 것을 피한다. 스타킹은 의상과 구두에 맞춰 단정한 것으로 선택한다.
- 액세서리 : 액세서리는 너무 크거나 화려한 것은 좋지 않으며 과하게 많이 하는 것도 좋은 인상을 주지 못한다. 착용하지 않거나 작고 깔끔한 디자인으로 포인트를 주는 정도가 적당하다.
- 메이크업 : 화장은 자연스럽고 밝은 이미지를 표현하는 것이 좋으며 진한 색조는 인상이 강해 보일 수 있으므로 피한다.
- 헤어스타일 : 커트나 단발처럼 짧은 머리는 활동적이면서도 단정한 이미지를 줄 수 있도록 정리한다. 긴 머리의 경우 하나로 묶거나 단정한 머리망으로 정리하는 것이 좋으며, 짙은 염색이나 화려한 웨이브는 피한다.

② 인사

㉠ 인사의 의미 : 인사는 예의범절의 기본이며 상대방의 마음을 여는 기본적인 행동이라고 할 수 있다. 인사는 처음 만나는 면접관에게 호감을 살 수 있는 가장 쉬운 방법이 될 수 있기도 하지만 제대로 예의를 지키지 않으면 지원자의 인성 전반에 대한 평가로 이어질 수 있으므로 각별히 주의해야 한다.

㉡ 인사의 핵심 포인트

- 인사말 : 인사말을 할 때에는 밝고 친근감 있는 목소리로 하며, 자신의 이름과 수험번호 등을 간략하게 소개한다.
- 시선 : 인사는 상대방의 눈을 보며 하는 것이 중요하며 너무 빤히 쳐다본다는 느낌이 들지 않도록 주의한다.
- 표정 : 인사는 마음에서 우러나오는 존경이나 반가움을 표현하고 예의를 차리는 것이므로 살짝 미소를 지으며 하는 것이 좋다.
- 자세 : 인사를 할 때에는 가볍게 목만 숙인다거나 흐트러진 상태에서 인사를 하지 않도록 주의하며 절도 있고 확실하게 하는 것이 좋다.

③ 시선처리와 표정, 목소리

  ㉠ 시선처리와 표정 : 표정은 면접에서 지원자의 첫인상을 결정하는 중요한 요소이다. 얼굴표정은 사람의 감정을 가장 잘 표현할 수 있는 의사소통 도구로 표정 하나로 상대방에게 호감을 주거나, 비호감을 사기도 한다. 호감이 가는 인상의 특징은 부드러운 눈썹, 자연스러운 미간, 적당히 볼록한 광대, 올라간 입 꼬리 등으로 가볍게 미소를 지을 때의 표정과 일치한다. 따라서 면접 중에는 밝은 표정으로 미소를 지어 호감을 형성할 수 있도록 한다. 시선은 면접관과 고르게 맞추되 생기 있는 눈빛을 띄도록 하며, 너무 빤히 쳐다본다는 인상을 주지 않도록 한다.

  ㉡ 목소리 : 면접은 주로 면접관과 지원자의 대화로 이루어지므로 목소리가 미치는 영향이 상당하다. 답변을 할 때에는 부드러우면서도 활기차고 생동감 있는 목소리로 하는 것이 면접관에게 호감을 줄 수 있으며 적당한 제스처가 더해진다면 상승효과를 얻을 수 있다. 그러나 적절한 답변을 하였음에도 불구하고 콧소리나 날카로운 목소리, 자신감 없는 작은 목소리는 답변의 신뢰성을 떨어뜨릴 수 있으므로 주의하도록 한다.

④ 자세

  ㉠ 걷는 자세
  • 면접장에 입실할 때에는 상체를 곧게 유지하고 발끝은 평행이 되게 하며 무릎을 스치듯 11자로 걷는다.
  • 시선은 정면을 향하고 턱은 가볍게 당기며 어깨나 엉덩이가 흔들리지 않도록 주의한다.
  • 발바닥 전체가 닿는 느낌으로 안정감 있게 걸으며 발소리가 나지 않도록 주의한다.
  • 보폭은 어깨넓이만큼이 적당하지만, 스커트를 착용했을 경우 보폭을 줄인다.
  • 걸을 때도 미소를 유지한다.

  ㉡ 서있는 자세
  • 몸 전체를 곧게 펴고 가슴을 자연스럽게 내민 후 등과 어깨에 힘을 주지 않는다.
  • 정면을 바라본 상태에서 턱을 약간 당기고 아랫배에 힘을 주어 당기며 바르게 선다.
  • 양 무릎과 발뒤꿈치는 붙이고 발끝은 11자 또는 V형을 취한다.
  • 남성의 경우 팔을 자연스럽게 내리고 양손을 가볍게 쥐어 바지 옆선에 붙이고, 여성의 경우 공수 자세를 유지한다.

ⓒ 앉은 자세

• 남성

> • 의자 깊숙이 앉고 등받이와 등 사이에 주먹 1개 정도의 간격을 두며 기대듯 앉지 않도록 주의한다. (남녀 공통 사항)
> • 무릎 사이에 주먹 2개 정도의 간격을 유지하고 발끝은 11자를 취한다.
> • 시선은 정면을 바라보며 턱은 가볍게 당기고 미소를 짓는다. (남녀 공통 사항)
> • 양손은 가볍게 주먹을 쥐고 무릎 위에 올려놓는다.
> • 앉고 일어날 때에는 자세가 흐트러지지 않도록 주의한다. (남녀 공통 사항)

• 여성

> • 스커트를 입었을 경우 왼손으로 뒤쪽 스커트 자락을 누르고 오른손으로 앞쪽 자락을 누르며 의자에 앉는다.
> • 무릎은 붙이고 발끝을 가지런히 한다.
> • 양손을 모아 무릎 위에 모아 놓으며 스커트를 입었을 경우 스커트 위를 가볍게 누르듯이 올려놓는다.

(2) 면접 예절

① 행동 관련 예절

ⓐ 지각은 절대금물 : 시간을 지키는 것은 예절의 기본이다. 지각을 할 경우 면접에 응시할 수 없거나, 면접 기회가 주어지더라도 불이익을 받을 가능성이 높아진다. 따라서 면접장소가 결정되면 교통편과 소요시간을 확인하고 가능하다면 사전에 미리 방문해 보는 것도 좋다. 면접 당일에는 서둘러 출발하여 면접 시간 20~30분 전에 도착하여 회사를 둘러보고 환경에 익숙해지는 것도 성공적인 면접을 위한 요령이 될 수 있다.

ⓑ 면접 대기 시간 : 지원자들은 대부분 면접장에서의 행동과 답변 등으로만 평가를 받는다고 생각하지만 그렇지 않다. 면접관이 아닌 면접진행자 역시 대부분 인사실무자이며 면접관이 면접 후 지원자에 대한 평가에 있어 확신을 위해 면접진행자의 의견을 구한다면 면접진행자의 의견이 당락에 영향을 줄 수 있다. 따라서 면접 대기 시간에도 행동과 말을 조심해야 하며, 면접을 마치고 돌아가는 순간까지도 긴장을 늦춰서는 안 된다. 면접 중 압박적인 질문에 답변을 잘 했지만, 면접장을 나와 흐트러진 모습을 보이거나 욕설을 한다면 면접 탈락의 요인이 될 수 있으므로 주의해야 한다.

ⓒ 입실 후 태도 : 본인의 차례가 되어 호명되면 또렷하게 대답하고 들어간다. 만약 면접장 문이 닫혀 있다면 상대에게 소리가 들릴 수 있을 정도로 노크를 두세 번 한 후 대답을 듣고 나서 들어가야 한다. 문을 여닫을 때에는 소리가 나지 않게 조용히 하며 공손한 자세로 인사한 후 성명과 수험 번호를 말하고 면접관의 지시에 따라 자리에 앉는다. 이 경우 착석하라는 말이 없는데 먼저 의자 에 앉으면 무례한 사람으로 보일 수 있으므로 주의한다. 의자에 앉을 때에는 끝에 앉지 말고 무 릎 위에 양손을 가지런히 얹는 것이 예절이라고 할 수 있다.

ⓔ 옷매무새를 자주 고치지 마라. : 일부 지원자의 경우 옷매무새 또는 헤어스타일을 자주 고치거나 확 인하기도 하는데 이러한 모습은 과도하게 긴장한 것 같아 보이거나 면접에 집중하지 못하는 것 으로 보일 수 있다. 남성 지원자의 경우 넥타이를 자꾸 고쳐 맨다거나 정장 상의 끝을 너무 자주 만지작거리지 않는다. 여성 지원자는 머리를 계속 쓸어 올리지 않고, 특히 짧은 치마를 입고서 신경이 쓰여 치마를 끌어 내리는 행동은 좋지 않다.

ⓜ 다리를 떨거나 산만한 시선은 면접 탈락의 지름길 : 자신도 모르게 다리를 떨거나 손가락을 만지는 등의 행동을 하는 지원자가 있는데, 이는 면접관의 주의를 끌 뿐만 아니라 불안하고 산만한 사람 이라는 느낌을 주게 된다. 따라서 가능한 한 바른 자세로 앉아 있는 것이 좋다. 또한 면접관과 시선을 맞추지 못하고 여기저기 둘러보는 듯한 산만한 시선은 지원자가 거짓말을 하고 있다고 여겨지거나 신뢰할 수 없는 사람이라고 생각될 수 있다.

② 답변 관련 예절

ⓖ 면접관이나 다른 지원자와 가치 논쟁을 하지 않는다. : 질문을 받고 답변하는 과정에서 면접관 또는 다른 지원자의 의견과 다른 의견이 있을 수 있다. 특히 평소 지원자가 관심이 많은 문제이거나 잘 알고 있는 문제인 경우 자신과 다른 의견에 대해 이의가 있을 수 있다. 하지만 주의할 것은 면접에서 면접관이나 다른 지원자와 가치 논쟁을 할 필요는 없다는 것이며 오히려 불이익을 당 할 수도 있다. 정답이 정해져 있지 않은 경우에는 가치관이나 성장배경에 따라 문제를 받아들이 는 태도에서 답변까지 충분히 차이가 있을 수 있으므로 굳이 면접관이나 다른 지원자의 가치관 을 지적하고 고치려 드는 것은 좋지 않다.

ⓛ 답변은 항상 정직해야 한다. : 면접이라는 것이 아무리 지원자의 장점을 부각시키고 단점을 축소시 키는 것이라고 해도 절대로 거짓말을 해서는 안 된다. 거짓말을 하게 되면 지원자는 불안하거나 꺼림칙한 마음이 들게 되어 면접에 집중을 하지 못하게 되고 수많은 지원자를 상대하는 면접관 은 그것을 놓치지 않는다. 거짓말은 그 지원자에 대한 신뢰성을 떨어뜨리며 이로 인해 다른 스펙 이 아무리 훌륭하다고 해도 채용에서 탈락하게 될 수 있음을 명심하도록 한다.

ⓒ 경력직을 경우 전 직장에 대해 험담하지 않는다. : 지원자가 전 직장에서 무슨 업무를 담당했고 어떤 성과를 올렸는지는 면접관이 관심을 둘 사항일 수 있지만, 이전 직장의 기업문화나 상사들이 어땠는지는 그다지 궁금해 하는 사항이 아니다. 전 직장에 대해 험담을 늘어놓는다든가, 동료와 상사에 대한 악담을 하게 된다면 오히려 지원자에 대한 부정적인 이미지만 심어줄 수 있다. 만약 전 직장에 대한 말을 해야 할 경우가 생긴다면 가능한 한 객관적으로 이야기하는 것이 좋다.

ⓔ 자기 자신이나 배경에 대해 자랑하지 않는다. : 자신의 성취나 부모 형제 등 집안사람들이 사회 · 경제적으로 어떠한 위치에 있는지에 대한 자랑은 면접관으로 하여금 지원자에 대해 오만한 사람이거나 배경에 의존하려는 나약한 사람이라는 이미지를 갖게 할 수 있다. 따라서 자기 자신이나 배경에 대해 자랑하지 않도록 하고, 자신이 한 일에 대해서 너무 자세하게 얘기하지 않도록 주의해야 한다.

03 면접 질문 및 답변 포인트

(1) 가족 및 대인관계에 관한 질문

① 당신의 가정은 어떤 가정입니까?

면접관들은 지원자의 가정환경과 성장과정을 통해 지원자의 성향을 알고 싶어 이와 같은 질문을 한다. 비록 가정 일과 사회의 일이 완전히 일치하는 것은 아니지만 '가화만사성'이라는 말이 있듯이 가정이 화목해야 사회에서도 화목하게 지낼 수 있기 때문이다. 그러므로 답변 시에는 가족사항을 정확하게 설명하고 집안의 분위기와 특징에 대해 이야기하는 것이 좋다.

② 친구 관계에 대해 말해 보십시오.

지원자의 인간성을 판단하는 질문으로 교우관계를 통해 답변자의 성격과 대인관계능력을 파악할 수 있다. 새로운 환경에 적응을 잘하여 새로운 친구들이 많은 것도 좋지만, 깊고 오래 지속되어온 인간관계를 말하는 것이 더욱 바람직하다.

(2) 성격 및 가치관에 관한 질문

① 당신의 PR포인트를 말해 주십시오.

PR포인트를 말할 때에는 지나치게 겸손한 태도는 좋지 않으며 적극적으로 자기를 주장하는 것이 좋다. 앞으로 입사 후 하게 될 업무와 관련된 자기의 특성을 구체적인 일화를 더하여 이야기하도록 한다.

② 당신의 장·단점을 말해 보십시오.

지원자의 구체적인 장·단점을 알고자 하기 보다는 지원자가 자기 자신에 대해 얼마나 알고 있으며 어느 정도의 객관적인 분석을 하고 있나, 그리고 개선의 노력 등을 시도하는지를 파악하고자 하는 것이다. 따라서 장점을 말할 때는 업무와 관련된 장점을 뒷받침할 수 있는 근거와 함께 제시하며, 단점을 이야기할 때에는 극복을 위한 노력을 반드시 포함해야 한다.

③ 가장 존경하는 사람은 누구입니까?

존경하는 사람을 말하기 위해서는 우선 그 인물에 대해 알아야 한다. 잘 모르는 인물에 대해 존경한다고 말하는 것은 면접관에게 바로 지적당할 수 있으므로, 추상적이라도 좋으니 평소에 존경스럽다고 생각했던 사람에 대해 그 사람의 어떤 점이 좋고 존경스러운지 대답하도록 한다. 또한 자신에게 어떤 영향을 미쳤는지도 언급하면 좋다.

(3) 학교생활에 관한 질문

① 지금까지의 학교생활 중 가장 기억에 남는 일은 무엇입니까?

가급적 직장생활에 도움이 되는 경험을 이야기하는 것이 좋다. 또한 경험만을 간단하게 말하지 말고 그 경험을 통해서 얻을 수 있었던 교훈 등을 예시와 함께 이야기하는 것이 좋으나 너무 상투적인 답변이 되지 않도록 주의해야 한다.

② 성적은 좋은 편이었습니까?

면접관은 이미 서류심사를 통해 지원자의 성적을 알고 있다. 그럼에도 불구하고 이 질문을 하는 것은 지원자가 성적에 대해서 어떻게 인식하느냐를 알고자 하는 것이다. 성적이 나빴던 이유에 대해서 변명하려 하지 말고 담백하게 받아드리고 그것에 대한 개선노력을 했음을 밝히는 것이 적절하다.

③ 학창시절에 시위나 집회 등에 참여한 경험이 있습니까?

기업에서는 노사분규를 기업의 사활이 걸린 중대한 문제로 인식하고 거시적인 차원에서 접근한다. 이러한 기업문화를 제대로 인식하지 못하여 학창시절의 시위나 집회 참여 경험을 자랑스럽게 답변할 경우 감점요인이 되거나 심지어는 탈락할 수 있다는 사실에 주의한다. 시위나 집회에 참가한 경험을 말할 때에는 타당성과 정도에 유의하여 답변해야 한다.

(4) 지원동기 및 직업의식에 관한 질문

① 왜 우리 회사를 지원했습니까?

이 질문은 어느 회사나 가장 먼저 물어보고 싶은 것으로 지원자들은 기업의 이념, 대표의 경영능력, 재무구조, 복리후생 등 외적인 부분을 설명하는 경우가 많다. 이러한 답변도 적절하지만 지원 회사의 주력 상품에 관한 소비자의 인지도, 경쟁사 제품과의 시장점유율을 비교하면서 입사동기를 설명한다면 상당히 주목 받을 수 있을 것이다.

② 만약 이번 채용에 불합격하면 어떻게 하겠습니까?

불합격할 것을 가정하고 회사에 응시하는 지원자는 거의 없을 것이다. 이는 지원자를 궁지로 몰아넣고 어떻게 대응하는지를 살펴보며 입사 의지를 알아보려고 하는 것이다. 이 질문은 너무 깊이 들어가지 말고 침착하게 답변하는 것이 좋다.

③ 당신이 생각하는 바람직한 사원상은 무엇입니까?

직장인으로서 또는 조직의 일원으로서의 자세를 묻는 질문으로 지원하는 회사에서 어떤 인재상을 요구하는 가를 알아두는 것이 좋으며, 평소에 자신의 생각을 미리 정리해 두어 당황하지 않도록 한다.

④ 직무상의 적성과 보수의 많음 중 어느 것을 택하겠습니까?

이런 질문에서 회사 측에서 원하는 답변은 당연히 직무상의 적성에 비중을 둔다는 것이다. 그러나 적성만을 너무 강조하다 보면 오히려 솔직하지 못하다는 인상을 줄 수 있으므로 어느 한 쪽을 너무 강조하거나 경시하는 태도는 바람직하지 못하다.

⑤ 상사와 의견이 다를 때 어떻게 하겠습니까?

과거와 다르게 최근에는 상사의 명령에 무조건 따르겠다는 수동적인 자세는 바람직하지 않다. 회사에서는 때에 따라 자신이 판단하고 행동할 수 있는 직원을 원하기 때문이다. 그러나 지나치게 자신의 의견만을 고집한다면 이는 팀원 간의 불화를 야기할 수 있으며 팀 체제에 악영향을 미칠 수 있으므로 선호하지 않는다는 것에 유념하여 답해야 한다.

⑥ 근무지가 지방인데 근무가 가능합니까?

근무지가 지방 중에서도 특정 지역은 되고 다른 지역은 안 된다는 답변은 바람직하지 않다. 직장에서는 순환 근무라는 것이 있으므로 처음에 지방에서 근무를 시작했다고 해서 계속 지방에만 있는 것은 아님을 유의하고 답변하도록 한다.

(5) 여가 활용에 관한 질문 – 취미가 무엇입니까?

기초적인 질문이지만 특별한 취미가 없는 지원자의 경우 대답이 애매할 수밖에 없다. 그래서 가장 많이 대답하게 되는 것이 독서, 영화감상, 혹은 음악감상 등과 같은 흔한 취미를 말하게 되는데 이런 취미는 면접관의 주의를 끌기 어려우며 설사 정말 위와 같은 취미를 가지고 있다하더라도 제대로 답변하기는 힘든 것이 사실이다. 가능하면 독특한 취미를 말하는 것이 좋으며 이제 막 시작한 것이라도 열의를 가지고 있음을 설명할 수 있으면 그것을 취미로 답변하는 것도 좋다.

(6) 지원자를 당황하게 하는 질문

① 성적이 좋지 않은데 이 정도의 성적으로 우리 회사에 입사할 수 있다고 생각합니까?

비록 자신의 성적이 좋지 않더라도 이미 서류심사에 통과하여 면접에 참여하였다면 기업에서는 지원자의 성적보다 성적 이외의 요소, 즉 성격·열정 등을 높이 평가했다는 것이라고 할 수 있다. 그러나 이런 질문을 받게 되면 지원자는 당황할 수 있으나 주눅 들지 말고 침착하게 대처하는 면모를 보인다면 더 좋은 인상을 남길 수 있다.

② 우리 회사 회장님 함자를 알고 있습니까?

회장이나 사장의 이름을 조사하는 것은 면접일을 통고받았을 때 이미 사전 조사되었어야 하는 사항이다. 단답형으로 이름만 말하기보다는 그 기업에 입사를 희망하는 지원자의 입장에서 답변하는 것이 좋다.

③ 당신은 이 회사에 적합하지 않은 것 같군요.

이 질문은 지원자의 입장에서 상당히 곤혹스러울 수밖에 없다. 질문을 듣는 순간 그렇다면 면접은 왜 참가시킨 것인가 하는 생각이 들 수도 있다. 하지만 당황하거나 흥분하지 말고 침착하게 자신의 어떤 면이 회사에 적당하지 않은지 겸손하게 물어보고 지적당한 부분에 대해서 고치겠다는 의지를 보인다면 오히려 자신의 능력을 어필할 수 있는 기회로 사용할 수도 있다.

④ 다시 공부할 계획이 있습니까?

이 질문은 지원자가 합격하여 직장을 다니다가 공부를 더 하기 위해 회사를 그만 두거나 학습에 더 관심을 두어 일에 대한 능률이 저하될 것을 우려하여 묻는 것이다. 이때에는 당연히 학습보다는 일을 강조해야 하며, 업무 수행에 필요한 학습이라면 업무에 지장이 없는 범위에서 야간학교를 다니거나 회사에서 제공하는 연수 프로그램 등을 활용하겠다고 답변하는 것이 적당하다.

⑤ 지원한 분야가 전공한 분야와 다른데 여기 일을 할 수 있겠습니까?

수험생의 입장에서 본다면 지원한 분야와 전공이 다르지만 서류전형과 필기전형에 합격하여 면접을 보게 된 경우라고 할 수 있다. 이는 결국 해당 회사의 채용 방침상 전공에 크게 영향을 받지 않는다는 것이므로 무엇보다 자신이 전공하지는 않았지만 어떤 업무도 적극적으로 임할 수 있다는 자신감과 능동적인 자세를 보여주도록 노력하는 것이 좋다.

CHAPTER 02

면접기출

※ 스타벅스커피 코리아 채용면접은 1차(필기, 토론, 직무)면접과 2차(인성)면접으로 이루어지며, 본서에서는 인성면접 기출 질문을 복원하여 수록하였습니다.

- 지원동기에 대해 이야기해 보시오.

- 본인의 장점에 대해 이야기해 보시오.

- 성장환경에 대해 이야기해 보시오.

- 회사에 대한 자부심을 가지고 장기간 일을 할 수 있는지에 대한 당신의 생각을 이야기해 보시오.

- 출신 학교 및 학과가 좋은데 본사를 지원한 이유를 이야기해 보시오.

- 본인의 생각과 다른 업무가 주어진다면 어떻게 할 것인지 이야기해 보시오.

- 스타벅스 경영인 중 아는 사람이 있는지 이야기해 보시오.

- 스타벅스에 대해 아는 대로 이야기해 보시오.

- 스타벅스의 근무체계에 대해 아는 대로 이야기해 보시오.

- 스타벅스 입사 후 목표에 대해 이야기해 보시오.

- 스타벅스 외 다른 서비스 직종 경험에 대해 이야기해 보시오.

- (자기소개서에 기술한 경력과 관련하여) 경험했던 직무에 대해 설명해 보시오.

- 입사한 매장에서 일을 하다가 다른 매장으로 발령이 날 수도 있는데 어떻게 대처할 것인가?

- (학업을 병행하는 지원자에 대하여) 학업과 병행함에 있어 일에 지장이 있지는 않은지.

- 서비스직이 무엇이라고 생각하는가?

- 외국 관광객이 많은 지점에서 수월하게 일을 할 수 있겠는가?

정답 및 해설

제1회 정답 및 해설

파트1

1	①	2	②	3	②	4	②	5	③	6	②	7	③	8	①	9	①	10	①
11	②	12	④	13	④	14	①	15	②	16	④	17	④	18	④	19	④	20	③
21	①	22	④	23	③	24	④	25	④	26	①	27	④	28	②	29	③		

1 ①

보통 태풍은 강한 바람을 동반하는 경우가 많으며 해일이란 해저지진, 강한 바람의 영향으로 연안에서 흘러넘치는 것으로 파도보다 더 강하고 큰 것을 뜻한다.

2 ②

위도에 따라 온도가 달라지며, 경도에 따라 시각이 달라진다.

3 ②

계몽사상은 프랑스 혁명의 사상의 배경이고, 휴머니즘은 르네상스의 고전적 교양이념이다.

4 ②

칫솔은 세면도구에 해당하고, 순대는 분식에 해당한다.

5 ③

러 · 일 전쟁과 일본이라는 관계에서 보면 러시아와 일본의 전쟁에서 두 번째 주체를 말하며, 미국의 남부와 북부의 전쟁인 남북전쟁에서 두 번째 주체는 북부를 가리킴을 알아야 한다.

6 ②

'제사'를 지내는 이유는 '조상숭배'이며, '미라'를 만든 이유는 '영혼불멸'이므로 ②번이 가장 적절하다.

7 ③

경찰은 순찰을 하고, 의사는 회진을 한다.

8 ①

액체가 끓으면서 증발하여 발생하는 기체를 증기라고 하며, 물체가 불에 탈 때 발생하는 기체를 연기라고 한다.

9 ①

'가친(家親)'은 남에게 자기 아버지를 높여 이르는 말이며, '선고(先考)'는 남에게 돌아가신 자기 아버지를 이르는 말이다. 남에게 자기 어머니를 높여 이를 때는 '모친(母親)'이라고 쓰며, 남에게 돌아가신 자기 어머니를 이를 때는 '선비(先妣)'라고 써야 한다.

② 선친 : 남에게 돌아가신 자기 아버지를 이르는 말

③④ 자당, 훤당 : 남의 어머니를 높여 이르는 말

10 ①

충년(沖年)은 10대, 이순(耳順)은 60세를 나타내는 말이다.

11 ②

전체의 양을 1이라고 하면 하루 주영이는 $\frac{1}{10}$, 선우는 $\frac{1}{25}$만큼 한다. 주영이가 혼자 일한 날을 x라고 하면,

$\frac{1}{10} \times 4 + \frac{1}{25} \times x = 1, x = 15$일

12 ④

귀걸이의 가격을 x라고 하면 목걸이의 가격은 $(4-x)$이다. 할인을 적용하여 계산하면

$(1-0.2)x + (1-0.4)(4-x) = 3$

$0.8x - 0.6x + 2.4 = 3$

$x = 3$(만 원)

13 ④

B의 나이를 x, C의 나이를 y라 놓으면

A의 나이는 $x+12$, $2y-4$가 되는데 B와 C는 동갑이므로 $x=y$이다.

$x+12 = 2x-4 \rightarrow x = 16$

따라서 A의 나이는 $16+12 = 28$(살)이 된다.

14 ①

집에서 학원까지의 거리를 x라고 하면 $\dfrac{x}{4}+\dfrac{x}{6}=\dfrac{50}{60}$, $30x+20x=100$, $50x=100$, $x=2km$ 이다.

15 ②

정가를 x원이라 하면,

(판매가)$=x-x\times\dfrac{20}{100}=x\left(1-\dfrac{20}{100}\right)=0.8x$(원)

(이익)$=100\times\dfrac{4}{100}=4$(원)

따라서 식을 세우면 $0.8x-100=4$

$x=130$(원)

정가는 130원이므로 원가에 $y\%$의 이익을 붙인다고 하면

$100+100\times\dfrac{y}{100}=130$

$y=30$

따라서 30%의 이익을 붙여 정가를 정해야 한다.

16 ④

올라간 거리를 x라고 하면

$\dfrac{x}{3}+\dfrac{x+5}{6}=4\dfrac{5}{6}$

$x=8km$

따라서 걸은 거리는 8+8+5=21(km)

17 ④

물탱크의 양을 1로 두고,

한 시간 동안 채워지는 물의 양은 $A=\dfrac{1}{3}, B=\dfrac{1}{4}, C=\dfrac{1}{6}$ 이다.

B, C호스를 함께 사용한 시간을 x시간이라 하면,

(A 호스로 1시간)+(B, C 호스를 함께 사용한 시간 x시간)=1

$\dfrac{1}{3}\times 1+\left(\dfrac{1}{4}+\dfrac{1}{6}\right)\times x=1$

$5x=8$

$x=\dfrac{8}{5}$

이므로 1시간 36분이 걸린다.

18 ④

제시된 수열은 각 항에 5부터 1씩 작아지는 수가 더해지는 규칙을 가지고 있다.

3 (+5) 8 (+4) 12 (+3) 15 (+2) 17 (+1) 18 (+0) '18'

따라서 빈칸에 들어 갈 수는 18이다.

19 ④

제시된 수열은 첫 항에 3의 제곱수를 차례로 더한 수의 나열이다.

318 (+3) 321 (+9) 330 (+27) 357 (+81) 438 (+243) '681'

20 ③

전전항에 $\times 2$를 한 다음 전항의 수를 더한 값이 다음 항의 값이 되는 원리이다.

$1 \times 2 + 1 = 3$

$1 \times 2 + 3 = 5$

$3 \times 2 + 5 = 11$

$5 \times 2 + 11 = 21$

$11 \times 2 + 21 = 43$

$21 \times 2 + 43 = 85$

21 ①

알파벳을 순서대로 나열했을 때 첫 번째 알파벳에서 2의 배수로 증가하며 순환하고 있다.

D (+2) F (+4) J (+6) P (+8) X (+10) 'H'

22 ④

주어진 문자는 알파벳을 순서대로 나열했을 때 +3, −1이 반복되면서 시행되고 있다.

A (+3) D (−1) C (+3) F (−1) E (+3) "H" (−1) G

23 ③

주어진 문자는 한글은 순서대로 나열했을 때 자음과 모음이 모두 처음 제시된 글자에서 +4가 되는 규칙을 가지고 있다.

ㄹ (+4) ㅇ (+4) ㅌ (+4) ㄴ (+4) ㅂ

ㅐ (+4) ㅖ (+4) ㅚ (+4) ㅞ (+4) ㅢ

24 ④

주어진 도형에서 삼각형은 90°씩 시계 방향으로 회전하고 있고 원은 시계 방향으로 한 칸씩 이동하고 있다. 따라서 ?에 올 수 있는 도형은 ④이다.

25 ④

흰색 큰 도형 내부에 색칠된 도형은 다음 순서에 흰색 외부 도형이 된다. 따라서 삼각형 안에 마름모와 오각형 중 오각형이 다음 순서에 외부 도형이 되고 다음 순서에 외부 도형이 될 도형은 색칠되어 표시된 ④가 ?에 오는 것이 적절하다.

26 ①

주어진 도형은 반시계 방향으로 90°씩 회전하고 있다.

27 ④

주어진 도형은 사각형 안에 나타난 선분의 수가 1개씩 증가하며, 선분의 수에 해당하는 도형이 포함되어 있다. 따라서 ?에는 6개의 선분과 육각형 도형이 포함되어 있어야 한다.

28 ②

주어진 도형은 색칠된 도형은 시계 방향으로 돌아가며 색칠된 도형은 다음 순서에 개수가 하나씩 늘어나는 규칙을 가지고 있다. 마지막 도형에서 하트에 색칠이 되어있으므로 다음 도형에서는 하트는 1개 늘어나며 다음 순서인 사각형이 색칠되어야 한다.

29 ③

a	b	c
d	e	f
g	h	i

알파벳을 숫자로 치환하여 문제를 푼다.
a, c, g, i칸은 1씩, b, d, f, h칸은 2씩 e칸은 3씩 증가하며 변환된다.

1	③	2	②	3	④	4	③	5	③	6	④	7	②	8	②	9	①	10	③
11	①	12	②	13	③	14	②	15	④	16	②	17	③	18	④	19	③	20	③
21	④																		

1 ③

첫 번째 문단에서 문제를 알면서도 고치지 않았던 두 칸을 수리하는 데 수리비가 많이 들었고, 비가 새는 것을 알자마자 수리한 한 칸은 비용이 많이 들지 않았다고 하였다. 또한 두 번째 문단에서 잘못을 알면서도 바로 고 치지 않으면 자신이 나쁘게 되며, 잘못을 알자마자 고치기를 꺼리지 않으면 다시 착한 사람이 될 수 있다 하며 이를 정치에 비유해 백성을 좀먹는 무리들을 내버려 두어서는 안 된다고 서술하였다. 따라서 글의 중심내용으 로는 잘못을 알게 되면 바로 고쳐 나가는 것이 중요하다가 적합하다.

2 ②

인상주의의 방식에 문제를 제기한 화가는 반 고흐와 세잔이다. 고갱은 그가 본 인생과 예술 전부에 대해 철저 하게 불만을 느꼈다고 했으므로 인상주의에 대한 문제제기라고 볼 수 없다.

3 ④

과거에 일어난 수많은 사건들은 사실(事實)이라고 하면 이러한 사실(事實) 중에 역사적 가치와 의미가 있다고 판단되는 것, 유효하다고 선택받은 것, 그 선택이 동시대, 후대의 사람들에게 폭넓은 동의를 얻을 수 있는 것 을 사실(史實)이라고 한다.

4 ③

제시된 글은 '읽지 않은 책'에 대하여 말하는 것 역시 창조적 활동이지만 학생들은 읽지 않은 책에 대해 의사를 표현하는 법을 배우지 못하는 상황에 대한 문제제기를 한다. 이는 책에 대해 이야기할 때 반드시 그 책을 읽어 야만 한다는 고정관념에 대한 문제제기라고 할 수 있다.

5 ③

지문의 중심내용은 기존 시장 포화의 대안으로 내놓은 vip 마케팅으로 인해 오히려 어려움을 겪고 있다는 것이다.

③ **자승자박**(自繩自縛) : 스스로 만든 줄로 제 몸을 묶는다는 뜻으로, 자신이 한 행동과 말에 구속되어 어려움을 겪는 것

① **견강부회**(牽强附會) : 되지도 않는 말 또는 주장을 억지로 자신의 조건이나 주장에 맞도록 하는 것

② **비육지탄**(髀肉之嘆) : 보람 있는 일을 하지 못한 채 세월만 헛되이 보내는 것을 한탄하는 것

④ **화이부동**(和而不同) : 주위와 조화를 이루며 지내기는 하나 부화뇌동이나 편향된 행동 등을 하지 않으며 같아지지 않는 것

6 ④

주어진 글에서 포퍼는 그 예측을 도출한 가설이 하나씩 새로운 지식으로 추가된다고 주장하는데 이에 이어지는 콰인의 주장은 포퍼의 견해와 상반되므로 '하지만'이 적절하다. 또한 두 번째 빈칸의 뒤로는 앞선 내용이 뒤의 내용의 이유나 원인되므로 '그러므로'가 적절하다.

7 ②

(나)에서 '보유효과'라는 주제를 제시하고 있으므로 가장 앞에 등장한다. (가)는 어떤 실험 결과를 제시하고 있으므로 실험에 대한 이야기가 나오는 (다)의 뒤에 위치하며 주제에 대한 추가적인 의견을 제시하는 (라)가 가장 마지막에 위치하는 것이 적절하다.

8 ②

주어진 글을 보면 냉장고는 많은 음식을 저장할 수 있어 남은 음식은 나누지 않고 냉장고에 보관하게 되고 결국 그 음식들을 버리게 되었다고 말한다. 그러므로 빈칸에 들어갈 말은 ②가 적절하다.

9 ①

① 같은 조건이라면 좀 더 좋고 편리한 것을 택한다.

② 일이 우연히 잘 맞아 감을 비유적으로 이르는 말

③ 남의 덕으로 분에 넘치는 행세를 하거나 대접을 받고 우쭐대는 모습을 비유적으로 표현하는 말

④ 아무리 훌륭한 것이라도 다듬어 쓸모 있게 만들어야 값어치가 있음

10 ③

주어진 글은 리셋 증후군의 개념과 증상에 대해 설명하는 글이다. 따라서 ③에서 정신적 질환의 일종으로 분류된다는 진술은 앞 문장(리셋 증후군의 행동 양상)과 뒤 문장(청소년기 리셋 증후군의 영향)과 어울리지 않아 삭제하는 것이 적절하다.

11 ①

〈보기〉의 내용은 우리가 흔히 민주주의의 시작이라고 생각하는 고대 그리스의 민주주의나 대헌장은 대중 민주주의와는 거리가 멀다는 내용이다. ①의 뒤에 오는 내용은 대중 민주주의의 시작에 대해 말하고 있으므로 〈보기〉의 위치는 ①에 오는 것이 적절하다.

12 ②

주어진 글은 협동하며 살아가는 개미를 통해 자연계의 생물들의 생존 법칙이 '적자생존'이 아닌 '공생'임을 강조하고 있다.

13 ③

주어진 글에서는 살아남는 존재들의 비결은 공생이라고 말하고 있다.

14 ②

② 카데킨은 테아플라빈과 테아루비딘으로 이루어져 있는 것이 아니라 산화 과정에서 카데킨의 일부가 테아플라빈과 테아루비딘이라는 또 다른 항산화 물질로 전환되는 것이다.
① 활성산소는 노화나 질병을 일으킬 수 있으며 항산화 물질은 활성산소를 제거해준다.
③ 제조 과정에서 산화 과정이 일어나지 않아서 비산화 차로 분류되는 녹차는 카데킨을 많이 함유하고 있다.
④ 테아플라빈은 차의 색깔을 오렌지색 계통의 금색으로 변화시키며 다소 투박하고 떫은 맛을 내게 한다.

15 ④

②의 함유는 문맥상 '물질이 어떤 성분을 포함하고 있음'을 뜻하는 '含有'로 적는 것이 적절하다.

16 ②

(다)는 윗글의 전제가 되고 (가)(마)에서 (가)는 (마)의 '이러한 의사교환의 방법'에 해당하는 예시가 되고, (마)는 (가)의 반론이 된다. (라)는 (마)에 자연스럽게 이어지는 부연설명이고 (나)는 윗글 전체의 결론이 되므로 (다)(가)(마)(라)(나)의 순서가 되어야 한다.

17 ③

㉠은 앞문장과 구체적인 예시를 이어주고 있으므로 예시를 나타내는 접속사가 어울리며 ㉡은 앞문장과 뒷문장을 동등하게 연결하는 '그리고'가 어울린다.

18 ④

주어진 글에서 알려지지 않은 상태는 불안한 것이고 알려진 상태에서 편안과 만족을 느낀다고 말한다. 불안한 상태를 없애기 위해서는 알려지지 않은 것을 알려진 것으로 전환해야 한다.

④ 전환 : 다른 방향이나 상태로 바뀌거나 바꿈

① 대비 : 앞으로 일어날지도 모르는 어떠한 일에 대응하기 위하여 미리 준비함. 또는 그런 준비

② 유추 : 같은 종류의 것 또는 비슷한 것에 기초하여 다른 사물을 미루어 추측하는 일

③ 추천 : 어떤 조건에 적합한 대상을 책임지고 소개함

19 ③

주어진 글에서 묘사는 사용되지 않았다.

① 위 글에서 '즉', '다시 말해'와 같은 연결어를 사용하여 앞선 단어 혹은 문장을 이해하기 쉽게 풀어서 설명하고 있다.

② 각 문단마다 데모크리토스, 데카르트, 뉴턴, 라이프니츠의 주장을 나열하고 있다.

④ 뉴턴에게 3차원 공간을 튼튼한 집에 빗대어 설명하고 있다.

20 ③

화자는 과학적 이론이나 가설을 검사하는 과정에서 일상적 언어가 사용될 수 밖에 없다고 말한다. 매우 불명료하고 엄밀하게 정의될 수 없는 용어들이 포함된 발룽엔은 명확한 규정이 어렵다고 말하며 이를 염두에 두면 '과학적 가설과 증거의 논리적 관계를 정확하게 판단할 수 있다는 생각은 잘못된 것이다.'라고 결론지을 수 있으므로 ③이 가장 적절하다.

21 ④

④ '표준어를 글자로 적는 방식에는 두 가지가 있다.'라는 말에서 두 가지 방식은 소리 나는 대로 적는 방식과 의미가 잘 드러나도록 적는 방식이다. 또한 의미가 잘 드러나도록 적는 방식은 어법을 고려해 적는 방식이다. 그러므로 한글 맞춤법은 소리와 어법을 고려해 표준어를 적는 방법을 규정한 것이라 할 수 있다.

① 한글 맞춤법은 '표준어를 어떻게 글로 적을까'에 대한 원칙을 규정해 놓은 것이지 표준어를 정하는 원칙을 규정한 것이 아니다.

③ 실사를 밝혀 적는다는 것은 어법에 맞도록 적는다는 의미이다.

파트1

1	②	2	④	3	③	4	①	5	③	6	②	7	③	8	②	9	③	10	②
11	④	12	④	13	④	14	③	15	②	16	③	17	①	18	②	19	②	20	①
21	③	22	①	23	②	24	①	25	①	26	④	27	③	28	③	29	③		

1 ②

폐쇄와 개방은 서로 의미가 상반된 단어이다. 보기 중 총명의 반의어는 우둔이다.

2 ④

객과 손님은 동의어이다. 명의 동의어는 목숨이다.

3 ③

스포츠 종목과 그 선수와의 연결이다. 손흥민은 축구 선수, 김연경은 배구 선수다.

4 ①

맥주는 보리로 만들고 치즈는 우유로 만든다.

5 ③

제시된 단어의 관계는 화가와 작품의 관계이다. 피카소의 작품은 아비뇽의 처녀들이다.
'별이 빛나는 밤'은 고흐의 작품, '사과와 오렌지'는 폴 세잔, '유디트'는 구스타프 클림트의 작품이다.

6 ②

제시된 단어는 동사와 동사에 명사를 만드는 접미사 -ㅁ이 붙은 말이다.

7 ③

제시된 단어는 단위성 의존 명사이다. '쌈'은 바늘을 묶어 세는 단위이고 '거리'는 오이나 가지 따위를 묶어 세는 단위이다.

8 ②

황순원과 이상은 작가이다. 소나기는 황순원 작품, 봉별기는 이상의 작품이다.
'봄봄'은 김유정의 작품, '그 여자네 집'은 박완서, '병신과 머저리'는 이청준, '무진기행'은 김승옥, '눈길'은 이청준, '장마'는 윤흥길의 작품이다.

9 ③

각각 생물과 문학의 하위어이다.

10 ②

제시된 단어는 정도 반의어 관계이다.

11 ④

$(\text{직각삼각형의 대각선})^2 = (\text{밑변})^2 \times (\text{높이})^2$
$x^2 + 8^2 = (x+4)^2 \Rightarrow x^2 + 64 = x^2 + 8x + 16$
$\therefore x = 6$

12 ④

$8+8+7+6+x \geq 38$
$\therefore x \geq 9$

13 ④

두 주사위를 동시에 던질 때 나올 수 있는 모든 경우의 수는 36이다. 숫자의 합이 7이 될 수 있는 확률은 $(1,6)$, $(2,5)$, $(3,4)$, $(4,3)$, $(5,2)$, $(6,1)$ 총 6가지, 두 주사위가 같은 수가 나올 확률은 $(1,1)$, $(2,2)$, $(3,3)$, $(4,4)$, $(5,5)$, $(6,6)$ 총 6가지다.

$\therefore \dfrac{6}{36} + \dfrac{6}{36} = \dfrac{1}{3}$

14 ③

나중에 섞은 소금물의 농도를 x라고 할 때,

$$\frac{15}{100} \times 100 + \frac{x}{100} \times 150 = \frac{12}{100} \times 250$$

$$\frac{150}{100} x = 15$$

$$\therefore x = 10$$

15 ②

작년 일반 성인입장료를 x원이라 할 때, A시민 성인입장료는 $0.5x$원이다.

각각 5,000원씩 할인하면 $(x-5,000):(0.5x-5,000)=5:2$이므로 외항과 내항을 곱하여 계산한다.

$$5(0.5x-5,000) = 2(x-5,000)$$

$$2.5x - 25,000 = 2x - 10,000$$

$$0.5x = 15,000$$

$$x = 30,000(원)$$

$\therefore$ 올해 일반 성인입장료는 5,000원 할인된 25,000원이다.

16 ③

정아가 파란 공을 뽑지 않고 수진이 파란 공을 뽑을 확률

$$\frac{7}{10} \times \frac{3}{9} = \frac{21}{90}$$

정아가 파란 공을 뽑고 수진도 파란 공을 뽑을 확률

$$\frac{3}{10} \times \frac{2}{9} = \frac{6}{90}$$

$$\therefore \frac{21}{90} + \frac{6}{90} = \frac{3}{10} = 0.3$$

17 ①

$\dfrac{거리}{속력} =$ 시간 이고, 처음 집에서 공원을 간 거리를 x라고 할 때,

$$\frac{x}{2} + \frac{x+3}{4} = 6 \Rightarrow 3x = 21$$

$$\therefore x = 7$$

18 ②

소수를 나열하여 2부터 다음 수를 더한 값이다.

2 3 5 7 11 13 17 …

2 5 10 17 28 '41' 58

19 ②

홀수 번째 숫자는 −4의 규칙으로 감소하고 짝수 번째 숫자는 +2의 규칙으로 증가한다.

20 ①

주어진 수열은 세 번째 항부터 앞의 두 항을 더한 값이 다음의 항이 되는 규칙을 가지고 있다. 따라서 빈칸에 들어갈 수는 64+105=169이다.

21 ③

처음 문자에서 +2, +3, +4 순으로 변함으로 다음은 5번째 문자가 와야 한다.

22 ①

알파벳이 순서대로 순환하며 +6의 순서로 나타난다.

23 ②

자음은 +2, 모음은 +2,+3,+4로 증가하고 있으므로 자음은 'ㅈ', 모음은 'ㅔ'가 된다.

24 ①

큰 삼각형은 시계 반대 방향으로 움직이고 있으며 정점의 색이 검은색과 흰색으로 반복되고 있다.

25 ①

도형이 좌우 반전과 상하 반전을 반복하는 규칙을 찾을 수 있다. 빈 도형의 순서에는 좌우 반전의 순서이다.

26 ④

작은 도형 하나는 다음 차례에 큰 도형 하나가 되고 큰 도형 하나는 다음 차례에 두 개가 된다. 따라서 큰 네모가 두 개가 되고 작은 세모가 큰 세모로 들어있는 ④번이 정답이다.

27 ③

순서가 바뀔 때마다 5칸씩 시계방향으로 이동하여 칸이 채워지고 칸은 네모, 점, 선의 순으로 채워졌다가 빈칸이 된다.

28 ③

화살표는 시계방향으로 선을 따라 3칸씩 이동하고 도형들은 처음 위치에서 반 시계방향으로 한 칸씩 이동한다.

29 ③

한 번은 아래로 한 칸씩 움직이고 한 번은 좌우 순서가 반전되는 규칙으로 반복된다. 물음표가 있는 차례에는 좌우 순서를 반전할 차례이다

1	②	2	②	3	③	4	①	5	②	6	④	7	②	8	④	9	②	10	④
11	③	12	①	13	①	14	③	15	④	16	②	17	①	18	④	19	②	20	④
21	④																		

1 ②

구비문학은 계속적으로 변하며, 그 변화가 누적되어 개별적인 작품이 존재하는 특징을 지니므로 유동문학(流動文學), 적층문학(積層文學)이라고도 한다.

2 ②

지레에 대한 정의(ⓒ)를 말한 뒤 지레의 힘점, 받침점, 작용점을 설명(②)하고 각 지점들이 작용하는 원리(③)를 통해 돌림힘의 개념을 설명(ⓒ)하고 있다.

3 ③

총알고둥류와 따개비들은 물 밖에 노출되어 있을 때 수분 손실을 막기 위해 패각과 덮개 판을 꼭 닫은 채 물이 밀려올 때까지 버텨낼 수 있다.

4 ①

'나'는 자신이 난초에 너무 집념했다는 것을 깨닫고 벗어나야겠다는 결심을 한다. 난을 가꿔야 하기 때문에 나그넷길도 떠나지 못하고 방을 비우거나 길을 나설 때에도 항상 난을 신경쓰느라 편하지 못했다는 이야기를 한다. 이를 통해 무언가에 집착을 하는 것이 곧 괴로움이라는 것을 깨달은 것이다.

5 ②

감정을 표면에 드러내지 않는 것을 군자의 덕으로 생각하는 동양에서는, 헤프게 웃는 것을 경계해 온 사실에 대해 '기우(杞憂)'라고 표현한 것을 볼 때 웃음을 인격 완성의 조건으로 보고 있지 않다는 것을 알 수 있다.

6 ④

체면으로 인하여 인간 생활에 있어서 웃음의 가치를 깨닫지 못하는 삶의 태도를 경계하고 있다.

7 ②

빈칸은 순수미의 영역이 존재함을 인정하면서 역접의 접속어 '하지만' 다음에 위치한다. 또한 빈칸 뒤에는 '미'가 사회 경제적 문화적 맥락의 영향을 받는다는 내용이 부가 설명 되어 있음으로 좋아하던 노래가 독재자를 지지하는 선전곡이었다는 사회적 맥락의 영향으로 곡을 혐오하게 되었다는 예시가 들어가는 가는 것이 적절하다.

8 ④

이 글은 '화랑도'에 대한 용어를 정의한 후 그 특징을 서술하고 있다.

9 ②

㉠의 바로 앞에서 미결정성의 문제에 대해 말하고 그 구체적인 예를 들고 있으므로 예시를 나타내는 접속어가 오는 것이 어울린다.

하나의 예측이 다른 예측보다 더 낫다고 결정하는 것은 여전히 불가능하다는 말에 이어 이와 같은 문제가 있음에도 현대 철학자들이 귀납을 사용하고 있다는 것은 상반된 내용이므로 ㉡에 역접의 접속어가 오는 것이 어울린다.

10 ④

라이헨바흐의 '현실적 구제책'은 자연이 일양적인지 그렇지 않은지 알 수 없는 상황에서 귀납을 사용하는 것이 옳은 선택이라고 하고 있는 것이지 자연에 대한 판단을 선행해야 함을 강조하는 것은 아니다.

11 ③

'획정하다'는 '경계 따위를 명확히 구별하여 정하다.'는 의미로 '확정하다(일을 확실하게 정하다.)'와 바꿔 쓸 수 없다.

'직면하다' 어떠한 일이나 사물을 직접 당하거나 접하다.
'귀결되다' 어떤 결말이나 결과에 이르게 되다.
'부합하다' 사물이나 현상이 서로 꼭 들어맞다.

12 ①

인체 냉동 기술은 인체의 소생 가능성을 높인다는 점에서 긍정적 측면이 있는 기술이다. 그러나 냉동인간은 기술 개발과는 별도로 윤리적 문제도 야기될 수 있는 기술이다. 이렇게 보면 인체 냉동 기술은 '양날의 칼에 비유할 수 있다.

13 ①

저자는 '로마'를 '문명이란 무엇인가'라는 물음에 대해 가장 진지하게 반성할 수 있는 도시'라고 설명한다. 그렇기 때문에 여행 시 가장 먼저 로마를 둘러 볼 것을 권하는 것이다. 문명관은 곧 우리의 가치관과 연결되어 있고 이것이 새로운 문명에 대한 전망으로 이어진다고 말한다.

14 ③

A의 앞에서 시인의 존재가 문화의 비싼 장식일 수 있다고 말하고 이어, 시인은 장식의 의미를 떠나 민족의 예언가, 선구자가 될 수 있다고 말한다. 두 문장이 서로 역접의 관계로 역접의 접속어 그러나, 그렇지만, 하지만 등이 오는 것이 자연스럽다.

B의 뒤에는 폴란드 사람들과 이탈리아 사람들의 예시가 나타나기 때문에 '예를 들면, 예컨대'와 같은 접속어가 오늘 것이 자연스럽다.

15 ④

글의 마지막 문장은 글의 주제를 함축하고 있는 문장으로 사람들이 소유에서 오는 행복은 소중히 여기면서 정신적 창조와 인격적 성장에서 오는 행복은 소홀히 한다는 내용으로 바꾸지 않는 것이 옳은 문장이다.

16 ②

이 글의 핵심문장은 "현대인의 삶에서 대중매체의 중요성은 더욱 높아지고 있으며 따라서 이제 더 이상 대중문화를 무시하고 엘리트 문화지향성을 가진 교육을 하기는 힘든 시기에 접어들었다." 이다. 그러므로 대중문화의 중요성에 대해 언급하고 있는 ②번이 정답이다.

17 ①

연속적으로 이루어져 있는 현실 세계를 불연속적인 것으로 분절하여 표현하는 특성은 언어의 분절성이다.

18 ④

제시된 글은 '청 태종이 척화론자들을 압송하라 요구 – 조선 집권층이 요구 무시 – 이에 그 해 12월 조선에 침입 ~'와 같이 역사적 사건이 전개된 시간의 흐름에 따라 서술하고 있다.

19 ②

위 글은 '우월성 추구'에 대한 개념을 자세히 밝히고 있으며(2번째 문단) 3번째 문단에서 '우월성의 추구는 다음과 같은 특징들로 설명된다.~' 그 특징들을 자세히 설명하고 있다.
개인적인 체험, 개념에 대한 문제점, 다양한 개념은 제시되어 있지 않다.

20 ④

④ 우월성의 추구는 많은 힘과 노력을 소모하는 것이므로 긴장이 해소되기보다는 오히려 증가한다.
① 우월성 추구의 노력은 인간을 현 단계에서 보다 넓은 단계의 발달로 이끌어 준다.
② 우월성 추구는 그 자체가 수천 가지 방법으로 나타날 수 있으며, 모든 사람들은 자신의 성취나 성숙을 추구하는 일정한 노력의 형태를 가지고 있다고 한다.
③ 우월성의 추구는 개인 및 사회 수준에서 동시에 일어난다. 즉 개인의 완성을 넘어서 문화의 완성도 도모한다는 것이다. 이러한 관점에서 아들러는 개인과 사회의 관계가 갈등하는 관계가 아니라 조화로운 관계로 파악하였다.

21 ④

필자는 완곡함이 없는 글이 군림하는 세상이 살풍경하다고 말한다. 때문에 필자는 듣고 읽는 이가 비켜갈 틈이 있고 화자와 독자의 교행이 이루어지는 공간이 존재하며 상상의 여지를 남기는 완곡함을 예찬한다. 그래서 그는 완곡함이 없는 세상, 물태와 인정이 극으로 나뉘는 세상을 완곡함이 없는 부정적인 세상으로 인식한다.

CHAPTER

제3회 정답 및 해설

파트1

1	③	2	②	3	①	4	②	5	①	6	①	7	②	8	④	9	②	10	④
11	②	12	①	13	③	14	④	15	③	16	④	17	③	18	③	19	②	20	③
21	③	22	①	23	①	24	①	25	②	26	②	27	④	28	③	29	②		

1 ③

동의와 동조는 유의관계이다. 숙연은 분위기나 의식이 장엄하고 정숙함을 이르는 엄숙과 유의관계이다.

2 ②

바닥에 깐 널빤지를 마루라고 하고, 돌을 쌓은 둑을 제방이라 한다.

3 ①

부결과 통과는 반의어 관계이다. 보기 중 소담의 변의어는 부족이다.

4 ②

제시된 관계는 각 나라와 그 나라의 수도를 나타낸 것이다.
네덜란드의 수도는 암스테르담이다.

5 ①

'온도계'와 '열'은 측정도구와 측정되는 것의 관계이다.

6 ①

메주는 콩으로 만들며 한지는 닥나무로 만든다.

7 ②

실로폰과 마림바는 모두 타악기이다. 기린과 원숭이는 모두 포유류 동물이다.

8 ④

입석과 좌석은 중간의미가 없는 모순관계이다. 구두와 서면은 중간의미가 없는 모순관계이다.

9 ②

명함은 자기를 소개하기 위한 수단이다. 현미경은 관찰을 하기 위한 수단이다.

10 ④

콩쥐팥쥐에서 주인공은 콩쥐, 악역은 팥쥐이다. 신데렐라의 주인공은 신데렐라, 악역은 새언니들이다.

11 ②

$13+11+11+5=40$이므로 최소 4번을 쏘아야 한다.

12 ①

20리터가 연료탱크 용량의 $\frac{2}{3}-\frac{1}{3}=\frac{1}{3}$에 해당한다.

휘발유를 넣은 직후 연료는 40리터가 있으므로

300km 주행 후 남은 연료의 양은 $40\text{L}-\dfrac{300\text{km}}{12\text{km/L}}=40\text{L}-25\text{L}=15\text{L}$이다.

13 ③

갑이 당첨제비를 뽑고, 을도 당첨제비를 뽑을 확률 $\dfrac{4}{10}\times\dfrac{3}{9}=\dfrac{12}{90}$

갑은 당첨제비를 뽑지 못하고, 을만 당첨제비를 뽑을 확률 $\dfrac{6}{10}\times\dfrac{4}{9}=\dfrac{24}{90}$

따라서 을이 당첨제비를 뽑을 확률은 $\dfrac{12}{90}+\dfrac{24}{90}=\dfrac{36}{90}=\dfrac{4}{10}=0.4$

14 ④

문제의 조건을 식으로 세우면,
$$\begin{cases} x+y=1000 \\ 1.1x+0.9y=1000\times1.04=1040 \end{cases}$$
연립방정식의 해는 $x=700$, $y=300$이다.

∴ 올해 생산된 x제품의 수는 $700\times1.1=770$(개)

15 ③

12시 위치에서 시계방향으로 각도를 잰다고 할 때, 시침은 210° 위치에서 분당 0.5°씩 더하는 방향으로 움직이고, 분침은 0°에서 분당 6°씩 더해지게 된다.

$$210° + \frac{30°}{60분} \times x분 = \frac{360°}{60분} \times x분 \implies \therefore x = 38$$

16 ④

30명의 인원이 2할을 할인 받는 경우의 입장료는 $30 \times 1500 \times \frac{80}{100} = 36000$(원)이다.

미술 전람회에 입장하는 인원을 x명이라 하면 $1500x > 36000$에서
최소 25명부터 단체권을 사는 것이 유리하다.

17 ③

주어진 조건에 따라 식으로 나타내면 다음과 같다.
㉠ 갑=70, ㉡ 70+을=병+정, ㉢ 을<정, ㉣ 70+을>무+70, ㉤ 병=정+무
㉣은 '을>무'이므로 ㉢, ㉣, ㉤을 통해 '병>정>을>무'가 됨을 알 수 있다.
㉡에서 '갑'은 적어도 '병'보다 무거우므로 최종적으로 '갑>병>정>을>무'가 된다.
따라서 가운데 앉는 사람은 '정'이다.

18 ③

```
3    4    8    9    18   19   38
 \__/ \__/ \__/ \__/ \__/ \__/
  +1   ×2   +1   ×2   +1   ×2
```

19 ①

```
1    6    3    18   9    54   (   )
 \__/ \__/ \__/ \__/ \__/ \__/
 ×6   ÷2   ×6   ÷2   ×6   ÷2
```
빈칸에 알맞은 수는 27이다.

20 ③

2 3 6 5 11에서 첫 번째 수와 두 번째 수를 곱하면 세 번째 수가 나온다. 세 번째 수에서 네 번째 수를 더하면 다섯 번째 수가 나온다.
∴ (   ) 안에 들어갈 수는 2×1=2가 된다.

21 ③

문자를 알파벳 숫자로 변환한 뒤 숫자와의 차이를 보면 한 항씩 건너뛰며 +1, −1이 반복되고 있으므로 (   ) 안의 수는 17인 Q가 된다.

22 ①

첫째 줄과 둘째 줄 모두 차이가 5로 반복되고 있다.

23 ①

첫 번째 줄의 경우 2, 3, 4로 늘어나고 있고, 두 번째 줄의 경우 각 문자가 −2로 반복되며, 세 번째 줄의 경우 각 문자의 차가 3씩 늘어나고 있으며, 네 번째 줄의 경우 5, 10, 15씩 늘어나고 있다.

24 ①

도형 자체가 아닌 도형을 구성하는 요소에 관한 규칙성을 찾는 문제인데 도형을 이루고 있는 선의 수가 2개, 3개, … 로 늘어나고 있다. 전 단계에서 선 3개로 삼각형이 이루어졌으므로 선이 4개 사용된 사각형의 그림이 와야 한다.

25 ②

평행사변형의 선의 숫자가 하나씩 늘어나고 있는데 선이 원에 겹치지 않는다.

26 ②

한 개만 제시된 도형은 다음 도형에서 세 개로 변하고 있으며 같은 도형 세 개 중에 하나는 검은색이 된다.

27 ④

2열은 1열에서 선이 하나 그어지고 3열은 2열에서 선이 하나 더 그어졌다. 또한 1행, 2행, 3행은 90°씩 회전하고 있다.

28 ③

1열과 2열의 색칠된 부분이 합해져서 3열의 무늬가 나온다.

29 ②

각 행마다 반시계 방향으로 45°씩 회전하고 있으며 끝 부분의 도형은 모두 모양이 다르다.

1	④	2	③	3	④	4	①	5	②	6	③	7	④	8	④	9	④	10	②
11	④	12	③	13	③	14	③	15	④	16	①	17	②	18	②	19	①	20	①
21	③																		

1 ④

고급문화와 대중문화의 경계가 무너지고 장르 간 구분이 모호해지면서 서로 다른 문화가 뒤섞여 새로운 문화가 생겨나고 있다고 언급하고 있다.

2 ③

'뿐만 아니라'의 쓰임으로 볼 때 이 글의 앞부분에는 문화와 경제의 영역이 무너지고 있다는 내용이 언급되어야 한다. 따라서 (나) 뒤에 이어지는 것이 적절하다.

3 ④

①② 부득불(不得不), 불가불(不可不) : 하지 아니할 수 없어 또는 마음이 내키지 아니하나 마지못하여
③ 미상불(未嘗不) : 아닌 게 아니라 과연
④ 불가분(不可分) : 나눌 수가 없음

4 ①

② 한글은 우리나라의 문맹률을 낮추었고, 지식과 정보를 공유하는 데에 결정적인 기여를 하여 민주주의에 영향을 끼쳤다.
③ 문자 체계에 대한 그들의 독점 체제를 유지하기 위해 사대부들은 한글 보급을 반대했다.
④ 비록 문학작품을 중심으로 보급되기는 했지만 조선 후기에 신분 체계에 유동성이 생기고 상업이나 공업 등 근대적 산업에 대한 인식이 서서히 바뀌기 시작되어 한글이 보급되었다.

5 ②

인터넷을 중심으로 개별적이면서도 대량의 정보가 유통되는 컴퓨터 통신 시대에 필요한 한글의 역할은 유통되는 지식과 정보를 공유할 수 있게 만드는 역할이라고 볼 수 있다.

6 ③

주어진 글은 금강산을 유람 중에 이름난 곳들 외에도 곳곳이 서린 기이하고 아름다운 경관을 보며 사람도 이와 같이 유명한 사람이 아니더라도 본받을 만한 사람이 많은데 이름없이 잊혀지는 것에 대한 안타까움을 이야기하고 있다.

7 ④

제시된 글은 '청소년들 사이에 문화사대주의 현상'에 대한 문제점을 밝히는 글이다.
㈏ 청소년들 사이의 문화사대주의 문제(문제제기) → ㈎ 대중 매체의 편향된 외래문화 수용(원인) → ㈐ 청소년의 대중문화 수용태도(근거) → ㈐ 대중 매체의 책임의식 요구(주장)의 구성이다.

8 ④

㈐ 17세기 네덜란드의 그림 취향
㈏ 예시, 루뱅 보쟁의 〈체스 판이 있는 정물–오감〉
㈎ 〈체스 판이 있는 정물–오감〉에 그려진 사물들의 의미
㈐ 다른 작품들과는 구분되는 의미를 지닌 〈체스 판이 있는 정물–오감〉

9 ④

이어지는 접속어가 '하지만'이므로 앞부분에서는 '신문의 특정 후보 지지'가 지니는 긍정성이 언급되어야 한다.

10 ②

빈칸이 있는 문장의 시작에 "이런 맥락에서"라고 제시되어 있으므로 앞의 문맥을 살펴야 한다. 앞에서 사물놀이의 창안자들이 새로운 발전을 이루어 내지 못한 채 그 예술적 성과와 대중적 인기에 안주하고 있다는 것에 대해 이야기하고 있으므로 빈칸에 들어갈 가장 적절한 것은 ②이다.

11 ④

우리말의 경우 '나'와 '너'를 먼저 밝히고 그 다음에 '나의 생각'을 밝히는 것에 비하여, 영어에서는 '나'가 나오고 그 다음에 '나의 생각'이 나온 뒤에 목적어인 '너'가 나오는 어순의 차이는 나의 의사보다 상대방에 대한 관심을 먼저 보이는 우리들과, 나의 의사를 밝히는 것이 먼저인 영어를 사용하는 사람들의 문화 차이에서 기인한 것이라고 언급되어있다. 우리말의 문장 표현에서는 나의 생각보다 상대방에 대한 관심을 우선시한다고 볼 수 있다.

12 ③

윗글에서는 세계화 시대에 영어를 모르면 국제 사회에서 제대로 활동하기 어렵다며 영어를 공용어로 삼아야 한다고 주장하고 있다. 그런데 본문의 글쓴이는 우리말에는 우리 민족의 문화와 세계 인식이 녹아 있기 때문에 우리말에 대한 애정은 우리 문화를 사랑하고 우리의 정체성을 살릴 수 있는 길이라고 주장하고 있다. 따라서 언어는 단순히 의사 표현의 수단에 불과한 것이 아니기 때문에 영어를 공용어로 삼으면 우리 민족 문화는 위태로워질 것이라는 ③이 정답이다.

13 ③

(가)에서 과학자가 설계의 문제점을 인식하고도 노력하지 않았기 때문에 결국 우주왕복선이 폭발하고 마는 결과를 가져왔다고 말하고 있다. (나)에서는 자신이 개발한 물질의 위험성을 알리고 사회적 합의를 도출하는 데 협조해야 한다고 말하고 있다. 두 글을 종합해보았을 때 공통적으로 말하고자 하는 바는 '과학자로서의 윤리적 책무를 다해야 한다.'라는 것을 알 수 있다.

14 ③

귀성행렬의 사진촬영, 육로로 접근이 불가능한 지역으로의 물자나 인원이 수송, 화재 현장에서의 소화와 구난작업, 농약살포 등에 헬리콥터가 등장하는 이유는 일반 비행기로는 할 수 없는 호버링(공중정지), 전후진 비행, 수직 착륙, 저속비행 등이 가능하기 때문이라고 하였다. 따라서 이 글을 바탕으로 ②와 같은 추론을 하는 것은 적절하지 않다.

15 ④

마지막 문장을 통하여 조력발전에 대한 잘못된 인식과 올바르지 못한 정책이 재고되어야 함을 피력하고 있다는 것을 알 수 있다.

16 ①

언어의 기능

㉠ **표현적 기능** : 말하는 사람의 감정이나 태도를 나타내는 기능이다. 언어의 개념적 의미보다는 감정적인 의미가 중시된다. → [예 느낌, 놀람 등 감탄의 말이나 욕설, 희로애락의 감정표현, 폭언 등]

㉡ **정보전달기능** : 말하는 사람이 알고 있는 사실이나 지식, 정보를 상대방에게 알려 주기 위해 사용하는 기능이다. → [예 설명, 신문기사, 광고 등]

㉢ **사교적 기능(친교적 기능)** : 상대방과 친교를 확보하거나 확인하여 서로 의사소통의 통로를 열어 놓아주는 기능이다. → [예 인사말, 취임사, 고별사 등]

㉣ **미적 기능** : 언어예술작품에 사용되는 것으로 언어를 통해 미적인 가치를 추구하는 기능이다. 이 경우에는 감정적 의미만이 아니라 개념적 의미도 아주 중시된다. → [예 시에 사용되는 언어]

㉤ **지령적 기능(감화적 기능)** : 말하는 사람이 상대방에게 지시를 하여 특정 행위를 하게 하거나, 하지 않도록 함으로써 자신의 목적을 달성하려는 기능이다. → [예 법률, 각종 규칙, 단체협약, 명령, 요청, 광고문 등의 언어]

17 ②

창조 도시의 주된 동력을 창조 산업으로 볼 것인가 창조 계층으로 볼 것인가에 대한 견해에 대해 이야기하고 창조도시의 동력을 창조 산업으로 보는 관점의 주장과 예를 들고 있다.

18 ②

한 사람의 좋지 않은 행동이 집단 전체에 나쁜 영향을 미친다는 뜻으로 일부 사람들의 비윤리적 행태가 게시판 폐쇄라는 결과로 이어진 현 상황에 적절한 속담이라 볼 수 있다.

19 ①

(나)는 게시판을 폐쇄하겠다는 (가)의 의견에 반박하고 있으나 악플러에게도 한 번의 용서의 기회를 주어야 한다는 의견은 찾아 볼 수 없다.

20 ①

② 선조들과 구세대를 향한 모방은 문명을 일으킬 수 없다고 했다.

③ '역사 연구의 기본 단위를 국가가 아닌 문명으로 설정했다.'고 했다.

④ '도전의 강도가 지나치게 크면 응전이 성공적일 수 없게 되며, 반대로 너무 작을 경우에는 전혀 반응이 나타나지 않고, 최적의 도전에서만 성공적인 응전이 나타난다'고 했다.

21 ③

둘째 집단은 생활양식만을 변경하여 사막화된 지역에서 유목 생활을 지속하였다. 그리하여 이들은 문명 단계에는 들어갔으나 더 이상의 발전이 없이 정체되고 말았다. 때문에 토인비의 견해에 따르면 이 집단은 수렵 생활을 하던 사람들이 급속한 사막화라는 환경적 역경에 대해 성공적인 응전을 통해 문명을 발생시킨 경우라고 할 수 있다. 하지만 성공적인 응전을 통해 문명이 성장하기 위해서는 그 후에도 지속적으로 나타나는 문제를 해결하기 위해 그 사회의 창조적 인물(소수)들이 역량을 발휘해야 한다고 하였는데, 제시문의 둘째 집단은 더 이상 문명의 발전 없이 정체되고 말았다고 하였으므로, 둘째 집단은 그 집단의 창조적 소수들이 계속된 새로운 도전들을 해결했다고 볼 수 없다.

제4회 정답 및 해설

파트1

1	③	2	①	3	④	4	③	5	②	6	③	7	④	8	①	9	③	10	④
11	②	12	③	13	④	14	③	15	①	16	③	17	②	18	④	19	④	20	②
21	②	22	④	23	②	24	①	25	②	26	③	27	③	28	④	29	③		

1 ③

사람은 폐로 숨을 쉬고, 물고기는 아가미로 숨을 쉰다.

2 ①

당근은 채소에 속하므로 금속에 속하는 것은 알루미늄이다.

3 ④

'프톨레마이오스'는 2세기 중엽에 알렉산드리아에서 활동한 그리스의 천문학자로서 천동설의 완성자이다. '코페르니쿠스'는 지동설의 제창자로 알려진 폴란드의 천문학자이다.

4 ③

운동과 야구는 상하관계이다.

5 ②

글을 쓰는 사람을 저자, 글을 읽는 사람을 독자라고 한다.

6 ③

물고기 또는 짐승의 이름과 그 새끼의 이름이 짝지어진 관계이다.

7 ④

시각은 시계로 나타낼 수 있고, 숫자는 숫자의 순서인 차례로 나타낼 수 있다.

8 ①

타지마할과 빅벤은 각각 인도와 영국의 건축물이다.

9 ③

'부실하다'는 '몸, 마음, 행동 따위가 튼튼하지 못하고 약하다'는 뜻으로, '허하다, 엉성하다'와 유의관계이다. '옹골차다'는 '매우 실속이 있게 속이 꽉 차 있다'는 뜻으로, '단단하다, 야무지다, 다부지다'와 유의관계이다.

10 ④

국가와 그 나라의 국기(國旗) 이름의 관계이다.

11 ②

처음 소금물의 농도를 x 라 하면

농도 $x\%$의 소금물 300g에 들어 있는 소금의 양은 $300 \times \left(\dfrac{x}{100}\right) = 3x$

농도 $= \dfrac{3x+40}{(300+60+40)} \times 100 = 2x = 3x+40 = 8x$

$5x = 40$

$x = 8(\%)$

12 ③

원가를 x 라고 하면 $(1+0.4)x \times (1-0.2) = x + 6{,}000$

$1.12x = x + 6{,}000$

$0.12x = 6{,}000$

$x = 50{,}000$

∴ 원가 $= 50{,}000$ 원

13 ④

구하는 시간을 x 라 하면

$50x + 25x = 4{,}500$

$75x = 4{,}500$

$x = 60(분)$

14 ③

7일에 한 번씩 일요일이 있으므로 365일을 7일로 나누면 52주하고 1일이 남는다. 한 달에 최대 5번의 일요일이 있을 수 있으므로 12월의 일요일은 49번째 혹은 48번째 일요일부터 시작된다. 두 경우 모두 46번째 일요일은 11월에 있게 된다.

15 ①

옮긴 상자의 개수를 x개라 할 때 각 트럭에 실린 상자의 무게는
$1,000g \times (1,000개 - x개) = 700g \times 1,000개 + 1,000g \times x개$
$1,000 - x = 700 + x$
$\therefore x = 150(개)$

16 ③

전체 경우의 수에서 2명 모두 남자가 뽑히는 경우의 수를 빼면,
$_6C_2 - _3C_2 = \dfrac{6 \times 5}{2 \times 1} - \dfrac{3 \times 2}{2 \times 1} = 15 - 3 = 12$
$\therefore \dfrac{12}{15} = \dfrac{4}{5}$

17 ②

전체 학생의 집합을 U, 영어를 배우는 학생의 집합을 A, 컴퓨터를 배우는 학생의 집합을 B라 하면
n(U)=50, n(A)=26, n(B)=30
4명을 제외한 모든 학생이 영어 또는 컴퓨터를 배운다고 하였으므로
방과 후 교실 프로그램에 참여하는 모든 학생 수는 50−4=46(명)이다.
따라서 영어와 컴퓨터를 모두 배우는 학생의 수는
n(A)+n(B)−46=26+30−46=10(명)이다.

18 ④

세 번째 항부터 이전의 두 항을 더한 값으로 이루어지게 되는 전형적인 피보나치수열이다.
따라서 55−21=34

19 ④

홀수 번째 숫자는 −1의 규칙으로 감소하고, 짝수 번째 숫자는 +4의 규칙으로 증가한다.

20 ②

첫째 수를 둘째 수로 거듭제곱하여 1을 더해준 값이 셋째 수가 된다.
$3^2 + 1 = 10$, $2^6 + 1 = 65$
$\therefore 12^1 + 1 = 13$

21 ②

각 문자의 차가 5, 3, 1의 순서로 바뀌고 있다.

22 ④

자음은 처음의 문자에 +3, +6, +9… 식으로 3의 배수를 더해가며 진행한다.
모음은 처음의 문자에 +2, +4, +6… 식으로 2의 배수를 더해가며 진행한다.
그러므로 다음에 올 문자의 자음은 ㄱ에 12를 더한 'ㅍ'이고, 모음은 ㅏ에 10을 더해 한 바퀴를 돌아 다시 'ㅏ'가 된다.

23 ②

A(1) − B(2) − D(4) − (?) − P(16)
공비가 2인 등비수열이므로 빈칸에 들어갈 문자는 H(8)이다.

24 ①

각각의 도형은 각 모서리를 따라 이동하고 있다. 원모양은 반시계방향으로, 삼각형은 시계방향으로 이동하는 규칙에 따라 도형을 선택하도록 한다.

25 ②

첫 번째 그림과 두 번째 그림이 좌우대칭으로 바뀌고 있다. 따라서 세 번째 그림과 좌우대칭인 그림이 정답이다.

26 ③

△ 도형이 상, 우, 하로 인접한 부분의 도형과 자리를 바꾸어 가면서 이동하고 있다.

27 ③

제시된 도형의 경우 첫 번째, 세 번째와 두 번째 네 번째 도형으로 나누어 생각할 수 있다. 첫 번째 세 번째 도형의 경우 모양은 같은 채 삼각형에 있는 검은색 원의 위치만 바뀌고 있으므로 다섯 번째에는 검은색 원이 왼쪽에 위치해야 한다.

28 ④

4번째 그림부터는 이전 그림들과 좌우대칭이 되고 있다.

29 ③

1열에서 원에 내접한 도형의 변의 개수에서 2열의 원에 있는 선분의 수를 **뺀** 것이 3열에 선분의 수가 된다.

1	④	2	②	3	③	4	②	5	④	6	②	7	③	8	④	9	④	10	④
11	④	12	④	13	②	14	③	15	②	16	③	17	②	18	①	19	④	20	②
21	②																		

1 ④

조선 시대는 입법, 사법, 행정의 권력 분립이 제도화되지 않아 재판관과 행정관의 구별이 없었다고 하였다. 따라서 글을 통해서는 조선 시대 재판관과 행정관의 역할은 알 수 없다.

2 ②

속초 청호동이 '아바이 마을'로 불리게 된 이유와 가자미식해에 관련된 일화를 설명하고 있다. 따라서 ②가 글의 제목으로 적절하다.

3 ③

문단 전체적으로 요리 프로그램의 인기 이유를 나열하고 있고, 빈칸 이후의 문장에서 다양한 정보를 제공하고 있다고 제시하고 있으므로 ③이 가장 적절하다.

4 ②

주어진 글은 한지와 양지를 대조하여 한지의 우수성을 설명하고 있다. 이와 같은 대조의 방법이 사용된 것은 ②이다.
① 속담을 '인용'하여 설명하고 있다.
③ 문학의 뜻을 구체적으로 풀이하는 '정의'의 방법을 사용하고 있다.
④ 설화의 종류를 '분류'하여 설명하고 있다.

5 ④

A는 은하와 은하가 멀어질 때 그 사이에서 물질이 연속적으로 생성되어 새로운 은하들이 계속 형성되기 때문에, 우주가 팽창하지만 전체적으로 항상성을 유지하며 평균 밀도가 일정하게 유지된다고 보고 있다.

6 ②

주어진 글의 (나)와 (다)에서 시 구절이나 '콩쥐팥쥐', '흥부전' 같은 이야기를 예로 들어 문학 작품이 가지고 있는 특징을 설명하고 있다. 이와 같이 예를 들어 이해를 돕는 설명 방식을 '예시'라고 한다.

7 ③

과학으로부터 많은 문제가 발생하고 있음을 밝히고 있지만 과학으로부터 해결 방안을 찾을 수 있다는 내용은 언급되어 있지 않다.

8 ④

마지막 문장에서 과학적 지식이 인간의 문제에 관하여 결정을 내려주는 것은 착각이라고 말한 것으로 볼 때, 결정을 내리는 것은 인간이라는 내용이 이어져야 한다.

9 ④

④ 절약은 소비를 줄이는 행동이지만 이를 통해 원자력 발전소 하나를 짓는 효과를 얻을 수 있다는 말이다.
① 절약을 통해 생산이 감소한다는 것은 단순하게 이해한 것으로, 절약을 통해 불필요한 생산을 막을 수 있다는 의미가 드러나지 않았다.
② 절약으로 전력 사용량을 감소시킬 수 있다.
③ 절약을 통해 불필요한 생산을 막을 수 있기 때문에 생산과 관련이 있다.

10 ④

글쓴이는 우리가 처해진 문제 상황을 제시하고 이 속에서 에너지의 절약은 선택 사항이 아니라 반드시 해야 하는 필수임을 강조하고 있다.

11 ④

④ 문자를 이용하여 의사소통을 하는 경우에는 송신자와 수신자가 같은 시간과 같은 공간에 함께 있지 않은 경우가 대부분이다.
① 문자 언어는 충분한 시간을 갖고 쓸 수 있기 때문에 글을 다 쓴 후에도 상대방에게 전달하기 전에 마음에 들지 않는 내용은 수정하여 전달할 수 있다.
② 문자 언어는 시간과 공간의 제약이 없기 때문에 다음 세대에 지식을 전승하는 수단이 된다.
③ 문자 언어를 사용하는 경우는 길이의 제약이 없기 때문에 많은 내용을 쓸 수 있다. 따라서 복잡한 내용을 논리적으로 전달하는 데 유용하다.

12 ④

지리 및 생태적 요인이 대륙의 발전을 가져오며, 이것은 대륙의 발전 속도에도 차이를 준다고 하였다. 유라시아는 지리적 요인 덕분에 빨리 발전할 수 있다는 것을 유추할 수 있다.

13 ②

'관객과 무대와의 관계'에서의 동서양 연극의 차이점을 드러내는 내용을 찾으면, ㉠, ㉢, ㉤이다. ㉡에는 동양 연극만 드러나 있고, ㉣에는 관객과 무대와의 관계에 관한 내용이 나타나 있지 않으므로, ㉡과 ㉣은 자료로 활용하기에 적절하지 않다.

14 ③

'1405년과 그 이후, 신항로 개척 이후, 1세기 이후'의 시대 순으로 해상 활동의 경과와 결과를 설명하고 있다.

15 ②

'봉건지주는 타격을 받았으나 상공업자들에게는 유리하였다'는 내용은 서로 상반되는 내용이므로 역접으로 연결되어야 한다. 또한 '신항로의 개척이 유럽의 산업화와 시민 계급 성장을 가져온 반면 아시아와 아메리카 대륙을 식민지로 전락시켰다'는 내용도 역접의 관계이므로 ㈎, ㈏ 모두 '그러나'가 오는 것이 적절하다.

16 ③

아리스토텔레스가 인간세계를 평민, 귀족, 왕으로 삼분한 최초의 학자라는 이야기는 찾을 수 없고 단지 아리스토텔레스 과학이 제시한 자연관이 조화롭게 삼분되어 있듯이 세계도 삼분구조로 이루어져 있다고 제시되어 있을 뿐이다.

17 ②

논증에서 소수 엘리트 독재는 일인 독재보다 자유권 침해가 덜하기 때문에 정당화될 수 있다는 것을 이끌어낼 수 있으므로 자유권 침해의 정도가 덜 심각한 체재는 더 쉽게 정당화된다는 전제가 필요하다.

18 ①

영어 공용화를 한다고 해서 바로 영어 능력의 향상으로 이어지는 것은 아니며, 오히려 영어 공용화를 하지 않은 국가들이 체계적인 영어 교육을 통해 뛰어난 영어 구사자를 만들어 내고 있다고 말하고 있다.

19 ④

해가 지면 행복한 가정에서 하루의 고된 피로를 풀기 때문에 농부들이 고된 노동에도 긍정적인 삶의 의욕을 보일 수 있다는 내용을 찾으면 된다.

20 ②

글쓴이는 구름을 통해 무상(無常)한 삶의 본질을 깨닫고, 달관하는 삶의 자세를 배우고 있음을 알 수 있다.

21 ②

제목은 전체 내용을 포괄해야 한다. 제시된 글은 언어가 사물을 자의적으로 범주화하여 사람이 이를 통해 사물을 인지하는 것에 대한 내용이므로 언어와 인지가 적절하다.

제5회 정답 및 해설

파트1

1	④	2	②	3	①	4	①	5	④	6	③	7	①	8	②	9	①	10	③
11	③	12	③	13	①	14	②	15	③	16	③	17	②	18	②	19	③	20	③
21	③	22	④	23	②	24	②	25	②	26	④	27	②	28	③	29	④		

1 ④

제시된 단어는 시인과 그 시인의 대표작품을 짝지은 것이다. 보기 중 이상의 대표작은 ④ 오감도이다.
① 님의 침묵 : 한용운의 대표작품
② 엄마야 누나야 : 김소월의 대표작품
③ 청노루 : 박목월의 대표작품

2 ②

위에 제시된 관계는 각 단어와 그 단어와 관련된 사자성어를 나타낸 것이다. 가을과 관련된 사자성어는 천고마비이다.
※ 천고마비(天高馬肥) … 하늘이 맑아 높푸르게 보이고 온갖 곡식이 익는 가을철을 이르는 말

3 ①

위에 제시된 관계는 각 대륙과 그 대륙에 있는 산맥을 짝지은 것이다. 남아메리카에는 안데스 산맥이 있다.

4 ①

위에 제시된 관계는 조선시대 대문과 그 문의 이름 속에 들어있는 사덕(四德)의 관계이다. 남대문의 또 다른 이름은 '숭례문(崇禮門)'으로 '례(禮)'가 들어간다.
※ 동대문 … 홍인지문(興仁之門)의 또 다른 이름으로 '인(仁)'이 들어간다.

5 ④

위에 제시된 관계는 과거 우리나라가 다른 나라와 벌인 전투와 그 전투를 지휘한 장수를 짝지은 것이다. 칠천량 해전은 원균이 지휘한 조선 수군과 일본 수군과의 전투를 말한다.

6 ③

'연대'란 '여럿이 함께 무슨 일을 하거나 함께 책임을 짐'을 뜻하는 말로, '단체'와 비슷한 말이다. '모방'이란 '다른 것을 본뜨거나 본받음'을 뜻하는 말로 '흉내'와 비슷한 말이다.

7 ①

그 쓰임이 유사한 것끼리 묶은 관계이다.

8 ②

대표적인 정치가와 그 출신국의 관계이다.

9 ①

'립스틱'은 '화장품'에 속하며, '연필'은 '필기구'에 속한다.

10 ③

정지용이 지은 시는 '향수'이고 김춘수가 지은 시는 '꽃'이다.

11 ③

10번의 경기에서 평균 0.6개의 홈런→6개 홈런
15번의 경기에서 평균 0.8개의 홈런→12개 홈런
따라서 남은 5경기에서 최소 6개 이상의 홈런을 기록해야 한다.

12 ③

시간은 $\dfrac{거리}{속도}$ 로 구할 수 있다.

직장에서 병원까지 가는데 걸리는 시간은 $\dfrac{10}{60} = \dfrac{1}{6}$ 이므로 $\dfrac{1}{6} \times 60 = 10$(분)이다.

병원에서 집까지 가는데 걸리는 시간은 $\dfrac{15}{30} = \dfrac{1}{2}$ 이므로 $\dfrac{1}{2} \times 60 = 30$(분)이다.

직장에서 집까지 가는데 걸리는 시간은 $10 + 30 = 40$(분)이 된다.

13 ①

$(0.12 \times 200) + (0.06 \times 100) = 0.08(300 + x)$, $2,400 + 600 = 8(300 + x)$
$3,000 = 2,400 + 8x$
$8x = 600$
$x = 75$이다.

14 ②

스케치북의 할인가 : 1,600원
색연필의 할인가 : 800원
스케치북의 개수를 x라고 할 때,
$1,600x + 800(10 - x) \le 10,000$
$\therefore x \le 2.5$
따라서 스케치북은 최대 2개까지 구매할 수 있다.

15 ③

고구마 $(25+1)$개, 감자 $(40-1)$개, 옥수수 $(70-5)$개를 똑같이 나누어줄 수 있는 최대의 사람을 구하는 것이므로 26, 39, 65의 최대공약수를 구하면 13명이 된다.

16 ③

백과사전의 무게를 $3a$, 국어사전의 무게를 $2a$라 하고, 처음 수레에 실려 있던 책의 개수를 b라 할 때, 백과사전을 옮긴 후 수레에 실린 책의 무게는 $3a(b-10) = 2ab + 10 \times 3a$이다.
양변에 a를 나눠주고 식을 정리하면 $b = 60(권)$이다.

17 ②

영희가 빨간 공을 꺼내고 철수가 빨간 공을 꺼내지 않을 확률 : $\dfrac{3}{10} \times \dfrac{7}{9} = \dfrac{21}{90}$

영희가 빨간 공을 꺼내지 않고 철수가 빨간 공을 꺼낼 확률 : $\dfrac{7}{10} \times \dfrac{3}{9} = \dfrac{21}{90}$

두 확률을 더하면 $\dfrac{42}{90} = \dfrac{7}{15}$

18 ②

$+1$, $\times 2$, $+3$, $\times 4$, $+5$, $\times 6$, $+7$의 규칙을 갖는다.

19 ③

$+5$, $+6$, $+11$, $+12$, $+17$, $+18$으로 더해진 숫자들의 규칙을 살펴보면 $+1$, $+5$가 반복되고 있다.

20 ③

(2 4 6)→2의 배수

(4 8 12)→4의 배수

(6 12 18)→6의 배수

(8 16 24)→8의 배수

21 ③

알파벳에 숫자를 대입하여 보면, 각 숫자는 −2, +4의 규칙을 갖는다.

J(10)−H(8)−L(12)−J(10)−N(14)−L(12)

22 ④

알파벳에 숫자를 대입하여 보면, 처음의 문자에서 1, 3, 5의 순서로 변하므로 빈칸에는 앞의 글자에 7을 더한 문자가 와야 한다.

23 ②

한글 자음의 순서에 숫자를 대입하면

ㄱ(1) − ㄷ(3) − ㄹ(4) − ㅇ(8) − ㅅ(7) − ㅍ(13) − (?)

홀수 항은 +3, 짝수 항은 +5씩 증가한다. 따라서 빈칸에 들어갈 문자는 7+3 = 10(ㅊ)이다.

24 ②

각 도형들은 겉 도형보다 안쪽 도형의 각이 하나씩 작은 도형으로 이루어져 있다.

② 육각형 − 육각형

① 육각형 − 오각형

③ 사각형 − 삼각형

④ 육각형 − 오각형

25 ②

삼각형→사각형→오각형→…의 순서로 원 안팎으로 번갈아가며 나타나고 있다. 별과 어두운 음영으로 표시된 부분도 교대로 위치가 뒤바뀌고 있다.

26 ④

오른쪽으로 '45° 회전 후 다시 90° 회전'하는 것을 반복하고 있다.

27 ②

흰색 동그라미는 시계 방향으로 한 칸씩, 검은색 점은 반시계 방향으로 한 칸씩 이동하고 있다.

28 ③

가운데 줄의 도형은 양쪽 도형을 한쪽으로 겹쳐 만들어진 도형이다.

29 ④

각 줄 첫 번째 도형과 두 번째 도형을 합한 그림이 세 번째 칸에 나오게 되는데, 이 때 중복되는 선은 생략되는 규칙을 가지고 있다.

1	②	2	③	3	①	4	③	5	②	6	④	7	②	8	②	9	②	10	④
11	①	12	①	13	①	14	②	15	④	16	①	17	②	18	②	19	②	20	④
21	②																		

1 ②

'그러나'라는 접속어를 통해 앞의 내용과 상반되는 내용이 나와야 함을 알 수 있다. 빈칸의 앞에는 갖가지 힐링 상품에 대해 이야기하고 있고, 뒤에는 명상이나 기도 등 많은 돈을 들이지 않고서도 쉽게 할 수 있는 일에 대해 이야기하고 있으므로 빈칸에는 ②가 들어가는 것이 가장 적절하다.

2 ③

화자는 문두에서 한 번에 두 가지 이상의 일을 하는 것은 마음에게 흩어지라고 지시하는 것이라고 언급한다. 또한 글의 중후반부에서 당신이 하는 모든 일은 당신의 온전한 주의를 받을 가치가 있는 것이어야 한다고 강조한다. 따라서 이 글의 중심 내용은 ③이 적절하다.

3 ①

㈐ 갑인자의 소개와 주조 이유→㈏ 갑인자의 이명(異名)→㈑ 갑인자의 모양이 해정하고 바른 이유→㈐ 경자자와 비교하여 개량·발전된 갑인자→㈎ 현재 전해지는 갑인자본의 특징→㈓ 우리나라 활자본의 백미가 된 갑인자

4 ③

① 카페인은 심장을 자극하여 심박수를 증가시킨다.
② 공황장애 환자는 심장이 빨리 뛰면 극도의 공포감을 느끼기 쉬운데, 이로 인해 발작 현상이 나타난다.
③ 마지막 문단에서 커피에 들어있는 카페인은 수면장애를 일으킨다고 정리하고 있다.
④ 위 글은 카페인의 영향에 대해 말하고 있다.

5 ②

㉠ 오로라의 발생 원인 : 첫 문단에 나타나있다.
㉢ 오로라가 잘 나타나는 위도 범위 : 마지막 문단에 나타나있다.

6 ④

빈칸 앞 뒤 내용이 서로 반대가 되므로 ④가 적절하다.

7 ②

향악에 대한 관심은 중국에서 유래된 아악과 우리 향악 사이에 음운 체계가 근본적으로 다르다는 것을 인식하게 하였지만 아악이 오례 의식에서 배제된 점은 알 수 없다.

8 ②

② 작은 지역에서 매우 밝은 빛이 나올 수 있는 경우는 거대질량 블랙홀 주변에 다량의 가스가 떨어지면서 그 마찰력으로 인한 고온으로 빛을 내는 경우밖에 없다.

9 ②

위 글에서 '거대질량 블랙홀은 그 질량이 태양의 100만~100억 배나 되는 매우 무거운 블랙홀을 일컫는 말'이라고 나와 있으므로 ②번은 거대질량 블랙홀에 속하지 않는다.

10 ④

④ 위 글을 통해 블랙홀 주변으로 떨어진 물질들이 우주 어딘가에서 다시 나타난다는 사실은 알 수 없다.

11 ①

① 위 글의 서술방식 중 기존의 주장을 반박하는 방식은 나타나고 있지 않다.

12 ①

광고가 처음 등장했을 때에는 상품의 사용 가치를 주로 설명하며 선전하는 방식을 사용했었는데 이제는 상품의 디자인이나 포장에 역점을 두어 선전하는 방식으로 그 전략이 변화하고 있다고 설명하는 것으로 보아 이는 곧 광고 전략이 변화하고 있음을 말한다.

13 ①

'의지에 반하는 것을 ____하다'에 어울리는 단어는 ①이 적절하다.

14 ②

글쓴이는 읽는 내용이 생활수준이나 교양수준에 불과한 것이라고 할지라도 끊임없이 책을 읽는 것이 책을 읽지 않는 것보다 더 낫다고 주장하고 있다.

15 ④

첫 번째 문단에서 '일정한 주제 의식이나 문제의식을 가지고 독서를 할 때 보다 창조적이고 주체적인 독서 행위가 성립될 것이다.'라고 언급하고 있다.

16 ①

두 번째 문단에서 '간단한 읽기, 쓰기와 셈하기 능력만 갖추고 있으면 얼마 전까지만 하더라도 문맹 상태를 벗어날 수 있었다.'고 언급하고 있다.

17 ②

상민이 양반과 대칭되는 개념으로 사용했고, 현실적으로 피지배 신분의 위치에 있었다는 것으로 빈칸의 내용을 추론할 수 있다.

18 ②

표준화된 언어는 의사소통을 효과적으로 하기 위하여 의도적으로 선택해야 할 공용어로서의 가치가 있고 방언은 국가 전체의 언어와 문화를 다양하게 발전시키는 토대로서의 가치가 있다는 것이 이 글의 주된 내용이다. 따라서 이 글의 주제로 알맞은 것은 '표준화된 언어와 방언은 각각의 다른 가치가 있다'이다.

19 ②

⊙은 '실제로 공공 부문의 수익률이 민간 부문보다 높지 않다'는 정보와 '정부는 공공 부문에 투자해야 한다'는 정보를 연상할 수 있다. 따라서 '정부는 낮은 수익률이 발생하는 공공 부문에 투자해야 한다'는 내용을 전제로 하므로 ②가 가장 적합하다.

20 ④

글쓴이는 사회적 할인율이 공공사업의 타당성을 진단할 때 사용되는 개념이며 미래 세대까지 고려하는 공적 차원의 성격을 갖고 있음을 밝히고 있으며 이런 면에서 사회적 할인율을 결정할 때 시장 이자율이나 민간 자본의 수익률과 같은 사적 부문에 적용되는 요소들을 고려하자는 주장에 대한 반대 의견과 그 근거를 제시하고 있다. 또한 사회적 할인율은 공익적 차원에서 결정되어야 한다는 자신의 견해를 제시하고 있으므로 사회적 할인율을 결정할 때 고려해야 할 수준에 대해 언급한 질문이 가장 핵심적인 질문이라 할 수 있다.

21 ②

ⓐ는 사업의 활성화로 인한 이익과 현재 가치로 환산한 값을 따지는 것이므로, 제시문에서 소개한 할인율의 개념과 유사하다. 또한 후손을 위한 환경의 가치를 중시하는 주민들은 개발에 대한 부정적인 입장을 취할 것이므로 자연 환경 개발에 대해서는 높은 할인율을 적용하는 것이 적절하다.

Check List

- ☐
- ☐
- ☐
- ☐
- ☐
- ☐
- ☐
- ☐
- ☐
- ☐
- ☐
- ☐
- ☐
- ☐
- ☐
- ☐
- ☐
- ☐

Check List

- [ ]
- [ ]
- [ ]
- [ ]
- [ ]
- [ ]
- [ ]
- [ ]
- [ ]
- [ ]
- [ ]
- [ ]
- [ ]
- [ ]
- [ ]
- [ ]
- [ ]
- [ ]

서원각 용어사전 시리즈

상식은 "용어사전"

용어사전으로 중요한 용어만 한눈에 보자

✱ **시사용어사전 1200**
매일 접하는 각종 기사와 정보 속에서 현대인이
놓치기 쉬운, 그러나 꼭 알아야 할 최신 시사상식
을 쏙쏙 뽑아 이해하기 쉽도록 정리했다!

✱ **경제용어사전 1030**
주요 경제용어는 거의 다 실었다! 경제가 쉬워지
는 책, 경제용어사전!

✱ **부동산용어사전 1300**
부동산에 대한 이해를 높이고 부동산의 개발과 활
용, 투자 및 부동산 용어 학습에도 적극적으로 이
용할 수 있는 부동산용어사전!

중요한 용어만 공부하자!

• 최신 관련 기사 수록
• 다양한 용어를 수록하여 1000개 이상의 용어 한눈에 파악
• 용어별 중요도 표시 및 꼼꼼한 용어 설명
• 파트별 TEST를 통해 실력점검